UM DIA
NA VIDA DO
CÉREBRO

Susan Greenfield

UM DIA NA VIDA DO CÉREBRO

A CONSCIÊNCIA DO NASCER AO PÔR DO SOL

TEMAS E DEBATES
Círculo de Leitores

ISBN 978-989-644-445-7

9 789896 444457

Título original inglês: *A Day in the Life of the Brain*
Autora: Susan Greenfield
Copyright © Susan Greenfield 2017
Tradução copyright © 2017, Temas e Debates e Círculo de Leitores
Tradução: Luís Oliveira Santos / João Quina Edições
Revisão: João Pedro Tapada
Capa: Ana Monteiro
Pré-impressão: ARD-Cor
Execução gráfica: Bloco Gráfico, Unidade Industrial da Maia

1.ª edição: abril de 2017
ISBN (Temas e Debates): 978-989-644-445-7
N.º de edição (Círculo de Leitores): 8109
Depósito legal número 421939/17

Temas e Debates – Círculo de Leitores
Rua Prof. Jorge da Silva Horta, 1
1500-499 Lisboa
www.temasedebates.pt
www.circuloleitores.pt

Agradecemos a autorização para a reprodução ou adaptação do seguinte:

Imagem 3 (extratexto 3) da *Chemical Society Reviews*, 35, 897 (2006), reproduzido com a autorização da Royal Society of Chemistry; imagem 4 (extratexto 4) modificado do *European Journal of Neuroscience*, 32, 793 (2010), com autorização de John Wiley and Sons; imagem 8 de *Experimental Brain Research*, 182, 495 (2007), reproduzido com autorização de Springer; imagem 9 modificada de *Progress in Brain Research*, 150, 12 (2005), com autorização de Elsevier; quadro da pág. 205 modificado de *Nature Reviews of Neuroscience*, 5, 713, Caixa 2 (2004), com autorização de Nature Publishing Group.

Dedicado à memória
de Reg Greenfield, 1915–2011

*«Não podemos usar uma faca de manteiga
para cortar manteiga.»*

Sumário

Prefácio   ix

1. No Escuro   1

2. Acordar   36

3. Passear o Cão   60

4. Pequeno-almoço   94

5. No Escritório   123

6. Problemas em Casa   155

7. Sonhar   182

8. Durante a Noite   203

9. Amanhã   215

Notas   233

Índice Onomástico   283

Prefácio

O meu pai sempre gostou de desmontar coisas e era fascinado pelo funcionamento de tudo o que o rodeava, quer fosse o automóvel, um televisor, um motor a jato – ou o corpo e o cérebro. Lembro-me, desde sempre, de ele admirar, fascinado, a natureza da eletricidade, a natureza humana, as crenças e o precário estado de se estar vivo, sem quaisquer pressupostos estabelecidos, mas sim deliciado com a profundidade e com a riqueza do desafio intelectual que era *não* ter uma solução simples. Tal como certa vez comentou James Thurber, «É melhor ter algumas perguntas do que todas as respostas». Julgo que terei sido contagiada bastante cedo com o prazer de saborear um problema e partilhá-lo com os outros: serviu, decididamente, para me orientar as escolhas feitas na escola. A ciência era ensinada como uma série de factos conhecidos, sem margem para novas maravilhas: a ameba dividia-se em duas; a destilação da água (cuja relevância nunca ninguém explicou) implicava desenhar meticulosamente no livro de exercícios um grande conjunto de equipamentos, entre os quais frascos cónicos ligados por tubos retos, e pouco mais; a física do tempo e do espaço estava contida nos aparelhos que cuspiam fitas de papel com buracos abertos a distâncias corretas. Pese embora as alterações na educação da era digital, imagino que ainda haja espaço no ensino da ciência para mostrar aos alunos os horizontes mais distantes e menos concretos a que podem levar os ritos de passagem habituais. Para mim, as grandes questões que nos atormentam a todos (mas sobretudo os adolescentes, creio eu), e que se prendem com o motivo por que as guerras começam, a natureza do amor, o livre-arbítrio, o destino e, sobretudo, a essência da individualidade pessoal, pareciam mais adequadas à história e à literatura – no meu caso, do mundo antigo. Concomitantemente, foi com grande alívio que, assim que pude, troquei a ciência pelo antigo pacote vitoriano composto por latim, grego, história antiga e matemática.

O mundo da Grécia antiga, sobretudo, garantia a possibilidade de explorar aquilo que me pareciam ser as grandes questões sobre a condição humana, acabando por levar a um interesse mais geral pela filosofia. Todavia, durante o meu primeiro ano em Oxford fui surpreendida pela ênfase dada à análise quase forense da linguagem: ainda me lembro de, certo sábado de manhã, estar na Bodleian Library a tentar decifrar um capítulo inteiro sobre o artigo definido («the») e pensar que, afinal de contas, talvez não tivesse feito a melhor das escolhas. Mudei então para o tema, na altura nascente, da psicologia, enveredei cada vez mais pelas opções fisiológicas e, pela primeira vez, fiquei fascinada com uma ciência que não dava respostas simples, mas que pensava com descobertas empíricas as questões que eu pusera quando era adolescente. Para surpresa de todos, incluindo a minha, transformei-me numa neurocientista, graças ao grande apoio e ao encorajamento dados pela minha tutora da altura, a Dr.ª Jane Mellanby, e pelo diretor de Farmacologia, o professor William Paton. Isto marcou o início de uma carreira de investigação a estudar os mecanismos cerebrais, com destaque para os distúrbios neurodegenerativos.

A minha fixação inicial pela mente acabou por nunca desaparecer, sendo acompanhada pela questão perene em torno da consciência: o que era e como ocorria – o que talvez seja o mesmo. Mas se alguém afirmasse ser capaz de responder a essa questão, o que esperaria que me apresentassem? Uma ratazana amestrada? Um exame ao cérebro? Uma fórmula? Nem sequer o mais hipotético e futurista dos cenários seria capaz de capturar esse ingrediente essencial, ou melhor, quintessencial: a subjetividade. Assim, a par das experiências laboratoriais diárias, continuei a debater com filósofos, sobretudo com a falecida Susan Hurley. Juntas organizámos uma série de debates de temática abrangente entre filósofos e neurocientistas que acabaram por ser publicados em 1987 com o título *Mindwaves*. Estas discussões, que frequentemente se prolongavam pela noite dentro, levaram-me a perceber que um tópico comum a ambas as disciplinas – a memória, por exemplo – podia claramente ser tratado com objetivos, prioridades e perspetivas bastante díspares. A questão mais importante para mim, como neurocientista, era o risco de negligenciar a fenomenologia – a subjetividade, de suma importância, que chegou a levar a que se classificasse a exploração neurocientífica da consciência como uma DLC: uma Decisão Limitadora de Carreira.

Foram as contínuas reflexões sobre a natureza subjetiva da «mente» e da «consciência» que me levaram, em 1995, a escrever *Journey to the Centres of the Mind*, e, em 2000, *The Private Life of the Brain*. Uma vez que era possível «perder a razão», mas manter a consciência, ocorreu-me que os dois termos estavam longe de serem sinónimos e que descortinar como se relacionavam, do ponto de vista neurocientífico, poderia representar um pequeno passo em frente. Assim sendo, *The Private Life of the Brain* é, sobretudo, uma dissertação teórica, mesmo que baseada em vários dados empíricos, sobre como a «mente» e a «consciência» se podem encontrar no cérebro físico, e sobre a possibilidade de se vir a desenvolver um sistema para o estudo desses fenómenos amiúde interligados, mas por vezes independentes, correlacionando acontecimentos objetivos com a sua respetiva subjetividade. Acabei por concluir que precisamos de uma espécie de Pedra de Roseta, uma estrutura de referência que seja bilingue, algo que possa ser descrito tanto fenomenológica como fisiologicamente.

O candidato perfeito não era uma região cerebral de macroescala, nem um grupo de sinapses em microescala, mas sim um processo cerebral médio de «mesoescala» que, até à década de 1990, passara despercebido: as redes neuronais. Podemos pensar nestas redes como, *grosso modo*, as ondas criadas quando atiramos uma pedra à água: uma vez ativados, grandes números (milhões) de neurónios criam uma disseminação de atividade, trabalhando em conjunto durante períodos de tempo inferiores a um segundo. Tal escala rápida de milissegundos levou a que as redes fossem impossíveis de detetar com a imagiologia cerebral clássica, que depende de medições indiretas, como o fluxo sanguíneo, e que tem, normalmente, uma resolução de meros segundos. Todavia, a introdução pioneira da leitura direta da atividade neuronal permitiu, por fim, a exploração em tempo real destes aglomerados extremamente breves de células cerebrais.

Quando escrevi *The Private Life of the Brain*, o estudo das redes neuronais estava ainda no seu início, pelo que só pude inferir como elas poderiam garantir uma base de suma importância para o desenvolvimento da correlação neuronal da consciência: com efeito, ao pegar na mais recente edição, vejo com espanto que, embora referido no texto, o termo «rede» (*assembly*) em sequer consta do índice remissivo. Claro que agora pretendia passar da teoria para a realidade e observar redes no meu laboratório: felizmente, desta vez, os obstáculos com que amiúde nos deparamos, encontrar as pessoas corretas e, é claro, conseguir financiamento, não se revelaram tão intransponíveis como imaginara. Ed Mann, talentoso aluno de pós-graduação do nosso grupo, dispôs-se a viajar até ao Japão e, no verão de 2001, foi generosamente recebido no laboratório do Dr. Ichikawa, onde aprendeu a técnica da imagiologia ótica para que a pudéssemos implementar no nosso sistema, em Oxford. Igualmente importante, e de maneira nenhuma inevitável, o financiamento para o equipamento especializado e posteriores experiências foi garantido por uma bolsa inicial da Pfizer Ltd, sendo depois continuado pela Templeton Foundation, pela Mind Science Foundation e pela Sociedade Europeia de Anestesiologia. Aquilo que parecia um sonho improvável tornou-se realidade e, ao longo dos últimos quinze anos, pudemos testar muitas das ideias que começaram por ser apenas teóricas. Daí o presente livro.

Um Dia na Vida do Cérebro está longe de ser uma análise exaustiva do campo da investigação da consciência, embora vá inevitavelmente beber, sempre que adequado, a trabalhos recentes e relevantes de filosofia, psicologia, neurociência e física. Infelizmente, é inevitável que as coisas se tornem bastante técnicas pois, desta vez, e ao contrário do que se passou em *The Private Life of the Brain*, veremos muitas mais experiências reais. Todavia, tanto quanto possível, tentei poupar o leitor leigo a demasiados pormenores científicos, deixando para as notas o tipo de informação que os especialistas estão à espera de encontrar.

O principal objetivo deste livro é sugerir uma nova abordagem interdisciplinar à consciência: a suposição básica é que as redes neuronais proporcionem uma estrutura descritiva exequível tanto com terminologia fenomenológica como fisiológica em paralelo. Assim, os melhores exemplos possíveis para os diferentes estados subjetivos da mente pareceram-nos ser não um qualquer cenário criado em laboratório, mas sim algo com que todos estamos familiarizados: as diferentes fases de um dia normal. A ideia é percorrer os altos e baixos do acordar, do comer, da diversão, dos problemas e dos sonhos para vermos como, em cada caso, podemos equiparar um determinado estado subjetivo a um perfil diferente de acontecimentos objetivamente mensuráveis no cérebro físico: as redes neuronais.

Uma vez que *Um Dia na Vida do Cérebro* depende, em absoluto, dos artigos que compilámos e/ou publicámos graças ao uso da imagiologia ótica, gostaria de agradecer a quem esteve envolvido no projeto ao longo dos anos e foi coautor das publicações citadas. Quero, sobretudo, destacar o mais recente investigador, Scott Badin, que refinou o nosso estudo das redes a um grau de precisão muito mais profundo e cujo trabalho surge amiúde nas páginas que se seguem. Devo um agradecimento especial ao Dr. Francesco Fermani, físico teórico com quem Scott e eu passámos muitos serões agradáveis diante de uma garrafa de vinho, tentando ir além dos dados empíricos, até a modelos matemáticos, tal como descrito no último capítulo. Quero, sobretudo, agradecer ao Dr. Ian Devonshire: Ian não só evoluiu do trabalho com corte de secções de cérebro para a imagiologia ótica *in vivo*, como também prestou uma contribuição inestimável para o livro confirmando factos, revendo e garantindo que as referências estão atualizadas e são adequadamente representativas.

O livro propriamente dito não seria possível sem o apoio dos editores da Penguin, Stefan McGrath, que o encomendou originalmente, e Laura Stickney, que acompanhou de forma incansável várias versões até à derradeira forma que passou pela excelente revisão de Sarah Day. Por fim, como sempre, quero agradecer à minha agente, Caroline Michel, pelo entusiasmo e amizade inesgotáveis, e reconhecer a contribuição de outras pessoas, menos específica, mas igualmente valiosa: o professor John Stein, o professor Clive Coen e o Sr. Charlie Morgan proporcionaram desafios intelectuais impagáveis e um afeto robusto, enquanto a minha mãe, Dorice, agora também ela autora, deu a melhor contribuição de todas: amor incondicional. Completa-se assim o círculo, voltando ao meu pai, que me transmitiu e ao meu irmão a curiosidade e a coragem para encarar as grandes questões. Quero acreditar que, onde quer que esteja, ele sabe quão grata estou.

Susan Greenfield
Oxford, 27 de março de 2016

No Escuro

A HISTÓRIA ATÉ AGORA

É de madrugada e lá fora ainda está escuro. O seu ritmo cardíaco reduziu-se para um batimento por segundo e a pressão arterial encontra-se no ponto mais baixo das próximas quinze horas. Está a respirar a um ritmo de doze inspirações por minuto e a glucose no sangue chegou ao ponto mais baixo. A bexiga e os intestinos estão a encher-se lentamente, mas ainda não inflaram o suficiente para lhe perturbar o descanso. Apesar da fisiologia engenhosa dos seus órgãos, que se afadigam sem interrupções, você continua a dormir, alheio a tudo. Neste estado, o seu cérebro e, na verdade, todo o seu corpo estão a impedir a entrada num universo interno privado que representa um dos maiores desafios da ciência – mas, a qualquer momento, quando o alarme tocar, este lugar especial será exclusivamente seu. Por mais próximo que se encontre seja de quem for, por mais eloquente, poético, musical ou compassivo que seja, nunca, em circunstância alguma, será capaz de partilhar a sua experiência subjetiva direta com outra pessoa. Contudo, neste momento, durante mais um pouco, está «morto para o mundo»: inconsciente.

Sem consciência, a vida seria como a morte. O estado consciente faz com que valha a pena viver a vida: mas o que é isto, esta *coisa* interior insubstancial e intangível? Ao longo dos séculos, os nossos antecessores procuraram definir e compreender a melhor forma de apreender esse algo tão esquivo, mas tão familiar, que temos como garantido dia após dia. Ao longo das últimas quatro ou cinco décadas, essa questão tem recebido cada vez mais atenção graças ao desenvolvimento da neurociência e ao grande aprofundar dos nossos conhecimentos acerca do cérebro. No entanto, na posse desse manancial de factos e conhecimentos, o problema torna-se ainda mais chocante: como pode a nossa experiência individual e subjetiva ser traduzida, no interior do nosso cérebro físico, em jorros químicos e descargas elétricas, e vice-versa? Quando pensamos em outros cenários científicos ambiciosos, como as viagens no tempo ou as máquinas de movimento perpétuo, a possibilidade da sua concretização pode desafiar as leis da física, mas – pelo menos hipoteticamente – reconheceríamos uma potencial solução se um inventor engenhoso no-la apresentasse. Assim sendo, o que poderia servir de prova de que um cientista, ou um filósofo, ou até um autor de ficção científica teria chegado ao conhecimento definitivo da experiência subjetiva a que chamamos «consciência»?

Chegar-nos-ia esse indivíduo recém-iluminado na posse de um exame cerebral, ou viria a bater palmas a uma fórmula matemática? Por mais engenhosas que fossem, estas «soluções» nunca seriam convincentes, já que não justificariam *como* os acontecimentos objetivamente observáveis se transubstanciam na sensação em primeira mão dessa experiência privada tão especial. De alguma maneira cria-se – quase poderíamos dizer «evoca-se» – uma perspetiva subjetiva no cérebro e no corpo, mas, até agora, ninguém foi capaz de apresentar uma resposta minimamente convincente, mesmo que hipotética, sobre como ocorre esse aparente milagre. É um dos mistérios mais profundos e dos enigmas mais perenes que alguma vez se apresentaram, não só aos cientistas, mas a todos nós. Não admira que a noite escura lá fora não seja nada, quando comparada com as trevas intelectuais que dão origem a este impasse concetual.

Em meados da década de 1980, a filósofa Susan Hurley e eu pensámos que seria boa ideia organizar uma série de seminários na Universidade de Oxford entre neurocientistas e filósofos, abrangendo vários aspetos da mente e do cérebro. Tal como seria de esperar, registaram-se poucos progressos na compreensão da contribuição de qualquer processo cerebral para a consciência[1], provavelmente porque nem a neurociência nem a filosofia contam com uma base comum da qual começar, já que estas disciplinas não partilham nenhuns pressupostos iniciais. Não obstante, os seminários serviram para destacar a grande dor de cabeça que atormenta ambas as disciplinas: como explorar um fenómeno subjetivo de forma objetiva. Um aspeto positivo foi termos descoberto que é possível levar a cabo um debate multidisciplinar fértil centrado em questões mais modestas e específicas, como por exemplo se uma máquina poderá ser consciente, qual o possível poder evolucionário da consciência e o impacte da linguagem no pensamento.

Já na altura, a neurociência começava a pôr em causa as velhas dicotomias gastas do cérebro *versus* mente, do mental *versus* físico, mostrando como alterações verificadas no cérebro, causadas, por exemplo, por lesões físicas, correspondiam a alterações na experiência subjetiva pessoal. Segundo as palavras de Paul Seabright, um dos filósofos participantes, «As memórias, tal como as moléculas, são objetos físicos, fazem parte do universo físico, mas são objetos que reconhecemos por outros nomes, além [daqueles] que a física lhes atribui».

Esta tensão entre o objetivo e o subjetivo parece insolúvel desde que o grande filósofo René Descartes a provocou, no século XVII, quando decidiu separar a mente consciente do cérebro biológico. Não é fácil ultrapassar este fosso concetual entre a perspetiva em primeira mão da experiência do momento na vida real e a perspetiva na terceira pessoa que está no centro da experimentação científica. Quando descrevemos um ser humano, ou qualquer animal, dizendo que tem «experiências percetuais» ou «estados conscientes», referimo-nos a algumas das características mais básicas que servem para distinguir as coisas vivas das coisas não vivas. Uma pedra não é «sobre» nada, nem tem propriedades subjetivas, mas uma perceção é «sobre» o que é visto (ou experimentado), tendo propriedades subjetivas, como, por exemplo, como é ver a cor vermelha. Estas características são-nos óbvias, graças à nossa visão em primeira mão do mundo, mas quando mudamos de perspetiva, para a posição de terceira pessoa da ciência objetiva, deparamo-nos com dificuldades. Podemos falar sobre estados cerebrais, que por sua vez podem ser reduzidos a neurónios que disparam e libertam químicos poderosos, mas é difícil ver como este turbilhão neurobiológico poderá estar relacionado com as características da consciência que nos surgem objetivamente nas nossas experiências diárias: o sabor do chocolate a derreter-se lentamente na boca, o calor do sol no rosto, o barulho das ondas a rebentar. O objetivo da viagem que estamos prestes a encetar com este livro é saber o que está a acontecer fisicamente no interior da nossa cabeça quando saboreamos comida, quando ficamos zonzos depois de alguns copos de vinho, quando sonhamos, quando caminhamos no exterior ou quando passamos um dia inteiro sentados no escritório.

Em cada momento do nosso dia, são vários os fatores que enformam uma sucessão contínua de diferentes tipos de estados cerebrais, os quais, por sua vez, têm como base grandes números de células cerebrais que trabalham em conjunto por uma fração de segundo. As «redes» são poderosos processos cerebrais que, não obstante, permanecem relativamente desconhecidos e mal estudados. Veremos como estas redes efémeras, estas alianças neuronais em grande escala, podem corresponder à nossa experiência de diferentes níveis e tipos de consciência, agindo assim como uma espécie de Pedra de Roseta – a famosa relíquia em que foi gravado um decreto em três línguas que serviu de chave para a compreensão dos hieróglifos egípcios. Ao associar estes acontecimentos no cérebro a diferentes tipos de consciência, as redes podem servir um objetivo semelhante, permitindo-nos traduzir uma «língua», a subjetividade da experiência pessoal, para outra – a objetividade da neurociência e vice-versa. Afinal de contas, certamente qualquer suposta explicação «científica» de consciência terá de dar igual peso à experiência subjetiva em primeira mão.

O pressuposto básico de que a subjetividade é essencial para compreender a consciência tem sido difícil de engolir pela comunidade científica, pois o método empírico é implacavelmente objetivo e imparcial. Assim, não admira que, em tempos, alguém tenha descrito o estudo da consciência como uma DLC, uma Decisão Limitadora da Carreira; para muitos tradicionalistas, o espectro de se ser «pouco científico» impede qualquer aprofundamento do tema. O adjetivo «científico» surge frequentemente associado com grande pompa a todos os tipos de termos, sobretudo «provas», mas raras vezes é definido. Basta dizer que os cientistas costumam relatar descobertas que, acima de tudo o resto, são objetivas: dois ou mais investigadores procedem a medições de algo, da mesma forma e sob as mesmas condições, chegando ao mesmo resultado consistente. Contudo, é exatamente por isso que os normais procedimentos do método científico são dúbios ao lidar com a consciência, tendo o pretenso investigador de reconhecer à partida a característica quintessencial da subjetividade. Mesmo os neurocientistas que se atrevem a trabalhar na área – uma minoria felizmente crescente – tendem a ignorar a diversidade de estados subjetivos individuais: em vez disso concentramo-nos, compreensivelmente, nos princípios da função cerebral que nos são familiares e nos processos e efeitos decorrentes com os quais nos sentimos à vontade.

DESLINDAR OS DIFERENTES TERMOS

Todavia, antes de vestirmos a bata de laboratório, talvez seja bom olharmos para o problema da definição de consciência. Vamos lidar com o quê, concretamente? Não será útil empregar supostos sinónimos no seu lugar, como «vigília» ou «perceção»; ademais, tais alternativas não seriam satisfatórias, já que enfatizam uma reatividade mais genérica e passiva ao mundo exterior, em vez da perceção individual e única da experiência a ser vivida. A dificuldade de clarificação daquilo a que nos referimos advém da adoção de uma das mais fáceis estratégias ao nosso dispor para definir uma coisa. Por exemplo, podemos dizer que «Voar é quando desafiamos a gravidade»; mas a consciência é quando fazemos *o quê*, concretamente? Não temos, necessariamente, de fazer nada: podemos estar deitados, em silêncio, de olhos fechados, e permanecemos conscientes. Tal tipo de definição *operacional* é inútil. A opção alternativa é referirmo-nos a um «conjunto» mais elevado, ou a uma categoria mais alargada. Por exemplo, uma mesa é uma peça de mobiliário; o amor é uma emoção; a consciência é... é uma *quê*? Qual é a categoria mais elevada ou mais alargada? Não existe.

Uma vez que não temos como definir formalmente consciência, podemos, pelo menos, deslindar a confusão compreensível com outros termos que por vezes se tentam fazer passar por sinónimos quando, na verdade, são conceitos com significados próprios e distintos. Por exemplo, o subconsciente, central para as ideias do pai da psicanálise, Sigmund Freud, implica a existência de um cenário do qual não temos perceção, mesmo quando nos encontramos completamente despertos. O subconsciente *pode* ser um componente necessário, mas não suficiente, do estado final de consciência, por oposição a inconsciência, com a sua abolição total no sono ou no coma profundos. Depois temos a autoconsciência, a noção de sermos um indivíduo único, que no seu auge poderá envolver um sentimento de mal-estar, até mesmo de ansiedade. No sentido mais vago e quotidiano de termos noção de sermos diferentes de todos os outros, a autoconsciência terá de ser diferente da consciência geral: caso contrário, para quê a necessidade de dois termos? E pensemos, por um momento, nos não humanos: de acordo com o relato de qualquer dono devoto, um cão ou um gato são decidida e irrefutavelmente conscientes. Claro que parece menos plausível que esse animal de estimação reconheça a sua posição canina ou felina: afinal de contas, nem os bebés humanos têm noção de quem são ou do local onde se encontram, mas podemos partir do princípio de que podem ser conscientes.

Não obstante, muitos cientistas e filósofos tentam compreender a consciência naquilo que muitas vezes é referido como um estado «mais elevado», ou metarrepresentação: exploram até que ponto os primórdios da autoconsciência podem ser aparentes em não humanos, como por exemplo em outros primatas[2]. Claro que um estado subjetivo de consciência não vai de maneira nenhuma garantir que a autoconsciência surja automaticamente. Por exemplo, se nos encontrarmos num estado de abandono literal – graças, por exemplo, a vinho, mulheres e música, ou o equivalente contemporâneo às drogas, sexo e *rock 'n' roll* –, então, quase por definição, será impossível estar dotado de autoconsciência (ou vice-versa), tal como qualquer relutante aspirante a bailarino saberá, quando se aventura na pista de dança. Contudo, por mais fascinante, desconcertante e ocasionalmente embaraçosa que seja, a *auto*consciência não chega realmente ao cerne do problema mais básico – o que significa, do ponto de vista neurocientífico, *sentir* alguma coisa: ser senciente. O cão que abana a cauda, o gato que ronrona e o bebé que balbucia estão a viver uma experiência subjetiva, mas não são autoconscientes, embora, para todos os efeitos, estejam conscientes, interagindo cada um de nós com eles com base nesse pressuposto. A questão essencial que, antes de mais, temos de entender é a subjetividade de sensação – qualquer sensação. O mais importante primeiro passo não é, necessariamente, reconhecermo-nos ao espelho, sabermos o nosso nome ou termos noção da história da nossa vida até ao momento, mas sim, a um nível muito mais básico, experimentarmos algum tipo de estado interior em bruto.

Claro que aquela que talvez seja a confusão mais comum e enganadora é o uso do termo «consciência» com o mesmo significado de «mente». Quando operacional e funcional, esta «mente» é algo extremamente pessoal. No entanto, quando perdemos a consciência, durante o sono, por exemplo, ou quando anestesiados, ninguém pode descrever o nosso estado como um estado em que tenhamos perdido

a mente, ou a razão. E tal como essa «mente», ou razão, presumivelmente terá continuidade durante o sono, quando se «perde» a consciência, o inverso também é verdadeiro: em momentos de grande
prazer podemos perder a razão sem perdermos a consciência – o caso
do vinho, das mulheres e da música, em que estamos «fora de nós»,
mas em que continuamos conscientes, muitas vezes «extaticamente»;
o termo vem do grego «estar fora de nós». Todavia, mesmo quando
vivemos extremos de emoção, experimentamos um estado intensamente subjetivo e consciente. Portanto, seja o que for, a mente terá
de ser algo sempre disponível, embora não seja algo a que acedemos
continuamente. A mente pode ser vista como algo independente da
consciência quando nos «deixamos ir», mas, ao mesmo tempo, tem
de ser uma maneira de descrever algumas características peculiar-
mente pessoais do nosso cérebro individual, coisas que fazem de nós
a pessoa única que somos e que, por sua vez, contribuem para muitos
momentos da nossa consciência, embora não todos.

Tendo ultrapassado, mesmo que não esclarecido, alguns destes
termos relacionados enganadores, continuamos a ter de lidar com
a realidade esquiva desta consciência primária. Talvez o melhor
que possamos fazer, quanto a defini-la, seja adotar o avanço mais
pragmático para um cientista cerebral – mas que talvez deixe um
filósofo arrepiado – e dizer: «Todos sabemos o que queremos dizer com "consciência". É aquilo que as pessoas perdem quando
adormecem, aquilo que é abolido quando são anestesiadas; é a
experiência que estamos a ter neste momento: um estado interior subjetivo que mais ninguém pode partilhar.» Temos então
uma escolha: podemos desde já abandonar o navio por sermos
incapazes de enunciar uma definição formal, ou então aceitar este
apelo informal ao senso comum. Se adotarmos esta posição mais
prática, tal como faremos, podemos explorar de que maneira os
neurocientistas tentam descortinar como as coisas se processam:
como este misterioso processo de subjetividade se desenrola no
cérebro físico e no corpo.

Há duas maneiras de o fazer. Em primeiro lugar, podemos começar com o cérebro físico e, posteriormente, tentar deduzir uma teoria, ou modelo, de consciência com base nos processos fisiológicos que observarmos. Em alternativa, podemos escolher uma segunda opção e começar ao contrário: desenvolver em primeiro lugar uma teoria, ou modelo, de consciência e depois aplicar esse cenário hipotético, numa tentativa de elucidar o cérebro real. Tentemos cada estratégia à vez: da Experiência para a Teoria, e depois da Teoria para a Experiência.

DA EXPERIÊNCIA PARA A TEORIA

Quando começamos pelo cérebro físico, o grande desafio é determinar como pode a consciência surgir de tal massa biológica de moléculas, células e impulsos elétricos. Dito de outra forma, temos de identificar aquilo a que os cientistas chamam «correlação neural de consciência» (NCC – *neural correlate of consciousness*), ou seja, a característica única e de suma importância do cérebro físico que corresponde fielmente a uma experiência subjetiva personalizada e direta. Tal como veremos, as potenciais NCC surgem numa grande diversidade de formas e tamanhos, desde regiões dominantes do cérebro e circuitos neuronais oscilantes a células únicas e elementos minúsculos no seu interior. Contudo, todas elas têm um princípio crucial básico em comum: todas as NCC começam por se concentrar numa característica cerebral particular que, por algum motivo, foi identificada como particularmente especial. O objetivo é, assim, tentar ligar essa característica especial à consciência por meio de um normal protocolo laboratorial ou clínico, como seja, por exemplo, determinando se algo é visível por oposição a invisível, ou se o sujeito está consciente por oposição a inconsciente.

Muitos cientistas de renome tentaram solucionar o enigma da consciência mediante esta estratégia. Talvez o mais conhecido tenha sido o falecido Francis Crick, famoso por decifrar, em 1953, o código da dupla hélice de ADN e que, décadas mais tarde, se dedicou à biologia da consciência. O objetivo de Crick era perceber o que era diferente no cérebro quando vemos alguma coisa e quando estamos alheios a ela. A ideia era que deveria ser possível detetar diferenças no cérebro conforme o sujeito humano *relata*, ou não, que está consciente de alguma coisa. Manda a lógica que quando o indivíduo afirma que algo lhe é visível, o novo processo que observamos a ocorrer no cérebro será a correlação física da consciência. Crick concentrou-se assim especificamente nas experiências visuais, imagina-se que por serem fáceis de manipular experimentalmente – conquanto o sujeito mantenha os olhos abertos.

O raciocínio por trás da redução da complexidade da consciência humana ao seu essencial é óbvio: concentrando-se em apenas um dos cinco sentidos, neste caso a visão, Crick e o seu colega Christof Koch puderam manter os processos tão simples quanto possível. A sua ideia era mostrar o mecanismo cerebral fundamental para a consciência como «o conjunto mínimo de acontecimentos neuronais que dão origem a um aspeto específico de perceção consciente». Dito de outra forma, o objetivo era identificar o mínimo de processos cerebrais que correspondessem a uma experiência consciente e a comportassem[3].

Estes acontecimentos neuronais mínimos seriam então ainda mais depurados no sistema visual, chegando-se a um grupo de neurónios «associados a um objeto ou acontecimento» que fossem entidades constantes e predeterminadas em si próprias: uma característica fixa do sistema nervoso central. Isto levanta de imediato um problema: como pode um conjunto pré-organizado de células cerebrais refletir um momento efémero de consciência? Eis a resposta de Crick e Koch: «Para chegar à consciência, alguma atividade neural dessa característica tem de atravessar uma barreira.» A grande questão é essa atividade neural crucial nunca ter sido especificada, e a única forma de uma rede rígida de células poder fazer algo mais além daquilo que já está a fazer é tornar-se mais ativa e disparar mais impulsos elétricos (potenciais de ação). Mas, a ser esse o caso, o possível repertório da propriedade cerebral especial de suma importância para a consciência será severamente limitado, resumindo-se a um mero aumento da atividade celular normal. O que faria com que essa alteração assumisse um significado vital, uma espécie de Rubicão neuronal? Não temos indicação do que seria a «barreira», nem porquê, nem o motivo por que uma alteração *quantitativa* na atividade coletiva seria distintiva a ponto de desencadear um estado mental *qualitativamente* diferente.

Mas, seja como for, será que poderíamos realmente compreender um estado de consciência resumindo-o a um dos sentidos, excluindo todos os outros? Num cenário laboratorial simulado seria concebível que um sujeito pudesse concentrar-se, por um breve período de tempo predeterminado, num estímulo puramente visual, mas, mesmo então, ele ouviria a voz do experimentador, teria noção da superfície dura ou macia da cadeira em que se sentasse, detetaria o leve cheiro a pele ou a madeira polida. Ou seja, o sujeito teria uma experiência holística multissensorial que não pode ser compartimentada em cinco tipos de consciência diferentes, correspondentes a cada um dos cinco sentidos.

Além disso, Crick e Koch esforçaram-se por frisar que na tentativa de reduzir a consciência, ou antes, a sua correlativa, ao mínimo, iriam «ignorar alguns dos aspetos mais complicados, como a emoção e a autoconsciência». Contudo, os nossos sentimentos e emoções podem bem ser a quintessência que define a consciência na sua forma mais básica, tal como mostrado indiscutivelmente pelo gato que ronrona ou pelo bebé que balbucia. Se queremos simplificar a consciência a um mínimo, ela deverá resumir-se a uma emoção natural que represente a produção de um estado cerebral holístico – um grito, um guincho ou uma risada –, não uma sensação visual única e isolada, independente de tudo o resto.

No entanto, se abstrairmos desta objeção, a comparação de cenários em que vemos alguma coisa por oposição a cenários em que não vemos nada pode, ainda assim, ter algum proveito: a ideia seria agora investigar os estados conscientes particulares de pacientes com lesões cerebrais enquanto reagem a estímulos que lhes são apresentados em condições variadas. Pela comparação do tipo específico de lesão sofrida com os desvios das reações do sujeito em relação à norma, os cientistas podem extrapolar quanto às regiões cerebrais mais influentes para a consciência. Por exemplo, os pacientes com lesões nas fibras que ligam os dois hemisférios cerebrais apresentam aquilo a que se chama «cérebro dividido»: tal como sugerido pelo termo, os dois hemisférios do cérebro estão «divididos» um do outro e são incapazes de comunicar diretamente. Quando, por exemplo, mostramos uma maçã ao hemisfério direito (pondo o objeto à esquerda), o paciente é incapaz de o nomear. Isto acontece porque muitos aspetos do discurso estão associados, na maioria das pessoas, ao hemisfério esquerdo, pelo que, mesmo conseguindo ver a maçã, o paciente não é capaz de designar o que vê. Quando a maçã é posta à direita do paciente, a imagem é projetada para o hemisfério esquerdo, pelo que, desta vez, o paciente consegue atribuir-lhe o nome correto[4].

Outro grupo de pacientes neurológicos que se revelou popular entre os neurocientistas é composto por quem padece de «visão cega», um problema que leva a que se tenha um ponto cego no campo visual, não tendo o paciente noção de objetos posicionados nesse campo de visão[5]. Por vezes, o ponto cego estende-se pelo campo visual, deixando o paciente completamente cego, embora, o que é bizarro, os testes psicológicos revelem que o cérebro, não obstante, regista e processa os objetos. Por exemplo, as pessoas afetadas pelo problema conseguem, regra geral, apanhar uma bola que lhes seja atirada, apesar de, conscientemente, não conseguirem ver nem a bola nem a pessoa que a atira, quase como se se encontrassem em piloto automático.

Mas há um grande senão. O problema com o estudo de pacientes com lesões cerebrais é que embora a investigação destes problemas possa trazer-nos conhecimentos acerca do tipo de consciência experimentado por determinada pessoa – a sua qualidade, ou conteúdo –, ela não nos diz nada sobre como a consciência é gerada à partida. Afinal de contas, o sujeito esteve consciente durante toda a experiência.

Claro que é possível trabalhar com sujeitos saudáveis, desta vez observando simplesmente as alterações na consciência. Alguns neurocientistas chegaram ao ponto de tratar a consciência como se fosse sinónimo de atenção[6]: mas elas não são a mesma coisa. Por exemplo, podemos ter atenção sem consciência[7]. Quando se exibe uma fotografia de forma breve e inesperada, as pessoas conseguem resumir o seu conteúdo, mesmo não tendo tido tempo de apreender os pormenores[8]: com efeito, parece que trinta milésimos de segundo é quanto basta para se ter a «ideia geral» de uma cena, sem perceção de qualquer pormenor específico nela contida. E podemos ainda ter consciência sem atenção. Mesmo que alguém esteja ocupado com outra tarefa, essa pessoa consegue distinguir características de uma cena periférica, como por exemplo se ela contém ou não um animal ou um veículo[9], ou se um rosto é masculino ou feminino[10].

Por mais sólidas e inerentemente interessantes que sejam estas várias descobertas, continuam sem conseguir lançar luz sobre a questão básica: compreender a transformação ocorrida quando se passa de um estado inconsciente (anestesiado ou adormecido) para a tantalizante experiência subjetiva interior. O cerne da questão será, seguramente, os pacientes que padecem de cérebro dividido e de visão cega (ou mesmo os voluntários saudáveis a quem estes estados são induzidos experimentalmente) estarem *continuamente conscientes*: o fenómeno-chave subjacente que pretendemos explorar permanece constante. Convém recordar que o verbo intransitivo «estar consciente» não é igual à sua versão transitiva «estar consciente *de* algo».

Não obstante, a estratégia de comparar acontecimentos no cérebro que possam corresponder aos momentos em que vemos alguma coisa, em contraste com momentos em que não vemos, tem vindo a ganhar popularidade, com experiências em indivíduos saudáveis, bem como em pacientes com lesões cerebrais, agora que a imagiologia cerebral se está a banalizar. Por exemplo, só durante as experiências visuais «conscientes» de um determinado objeto as fases finais do caminho visual no cérebro se iluminam por ocasião de um exame de imagiologia cerebral[11]. Mas quanto poderemos realmente deduzir ao saber que determinadas regiões do cérebro correspondem a uma experiência consciente específica quando se iluminam num exame? Afinal de contas, uma correlação pode ser uma causa, um efeito, ou nenhum dos casos. A verdadeira relação entre uma zona ativa do cérebro e uma experiência subjetiva está longe de ser óbvia e continua a desafiar qualquer explicação.

Quem olhar para a montra de um talho pode ver desde logo que os cérebros dos diferentes mamíferos apresentam dimensões, formas e aparências diversas, mas, não obstante, são compostos por regiões diferentes visíveis a olho nu e que seguem um mesmo tema anatómico básico. Poderá alguma destas regiões cerebrais distintas corresponder ao «centro» da consciência? Afinal de contas, gostamos de pensar que o cérebro é composto por «centros» autónomos para esta ou para aquela função, pois, dessa forma, os princípios das operações cerebrais seriam muito mais fáceis de compreender. Foi por isso que a «ciência» da frenologia (a expressão grega para «estudo da mente») se popularizou no início do século XIX. Cabeças brancas em porcelana, cobertas com retângulos delineados a preto, com rótulos concretos como «amor à pátria» e «amor às crianças», serviam de padrão do qual se identificavam os altos de um cérebro individual para avaliar a força de uma característica específica.

Hoje em dia, os neurocientistas têm perfeita noção de que este é um conceito sedutoramente simplista, e de que não existe tal coisa como o «centro» de uma qualquer função mental, e muito menos da consciência. Existem dois bons motivos para rejeitar tal noção. Em primeiro lugar, não faz sentido dizer que o cérebro é composto por minicérebros independentes. Em criança costumava ler uma tira, *The Numskulls*[12], sobre homenzinhos que viviam no interior da cabeça de um homem; cada um tinha uma tarefa a cumprir. Havia o departamento de limpeza do nariz, por exemplo, bem como uma espécie de quartel-general, onde o Numskull chefe dava ordens por telefone aos subordinados. Ainda me recordo de como as paredes no interior do cérebro do cartune que separavam as diferentes salas dos Numskulls eram rígidas, com as portas entre elas fechadas. De certa forma, trata-se de uma caricatura grosseira de como algumas pessoas, ao falarem sobre os «centros» no cérebro, podem, inadvertidamente, estar a concetualizar a consciência. Pensemos bem: se o cérebro funcionasse desta maneira, teríamos de saber o que se passa no interior de cada crânio de Numskull. Haveria mini-Numskulls e, no interior destes, micro-Numskulls, e por aí adiante? Imagino que, se seguirmos esta estratégia, em vez de resolvermos o problema, estaremos apenas a miniaturá-lo.

Seja como for, depois de mais de meio século de investigação sabemos que o cérebro não funciona assim. Vejamos a visão, por exemplo. Há pelo menos trinta regiões diferentes no cérebro que contribuem para a experiência de ver alguma coisa[13]. É mais ou menos como os instrumentos de uma orquestra, ou uma receita de *cordon bleu* com ingredientes muito complexos. Cada região do cérebro desempenha, realmente, o seu papel específico, mas cada uma está a contribuir para o todo, um todo que é mais do que a soma das suas partes e um tudo que é o momento da experiência consciente.

Mesmo assim, uma crença persistente diz que a consciência terá, de alguma forma, de estar relacionada com o córtex, a camada exterior do cérebro (assim chamada segundo o termo latino para «casca de árvore»), pois esta parte do cérebro foi a última a desenvolver-se na evolução e é cada vez mais pronunciada nas espécies de mais sofisticada capacidade mental. Além disso, parece que a simples desativação do córtex é suficiente para criar a perda de consciência[14]. Portanto, se se limitasse a isso, poderíamos dizer simplesmente que o estado consciente precisa apenas de um córtex intacto que interaja operacionalmente com o resto do cérebro. Tal conceito – que o córtex, por si só, não é de suma importância, mas que o cérebro terá, adicionalmente, de estar intacto – é demasiado vago para ser de alguma utilidade.

Outra razão para não fecharmos os olhos a tudo o que não seja o córtex advém de investigações realizadas há quase sete décadas. O neurocirurgião canadiano pioneiro Wilder Penfield sugeriu que o córtex pode não ser nada relevante para a experiência da consciência. Essa proposta herética baseou-se na observação de que não se verificou nenhum impedimento na continuidade da consciência de 750 pacientes despertos sujeitos a intervenções cirúrgicas com remoção de porções do córtex[15]. Além disso, bem mais recentemente, a ideia de que o córtex não é necessário para a consciência voltou a ser sustentada pela investigação de casos de um problema conhecido como anencefalia/hidranencefalia, em que os bebés nascem com grandes porções de cérebro ausentes, entre elas o córtex. As crianças que sofrem deste problema continuam a mostrar sinais de vigília e consciência, de acordo com os exames neurológicos normais, durante o desenvolvimento e na sua fase de maturidade[16]. Finalmente, a perda de consciência pode ocorrer num córtex perfeitamente intacto durante casos de «ausência»[17]. Ou seja, o córtex não pode estar na origem da consciência.

Outro problema de qualquer projeto que tente localizar a consciência em regiões cerebrais específicas torna-se aparente quando vemos os dados de imagiologia cerebral que monitorize os efeitos de anestesia. Segundo se revela, são muitas as regiões envolvidas na experiência em primeira mão que um sujeito poderá ter num determinado momento qualquer. Imagine que existia realmente apenas um centro único e independente de consciência: a ser assim, seria previsível que, ao querermos anestesiar alguém para lhe retirar essa consciência, inativaríamos única e exclusivamente essa área especial, apenas esse «centro». Mas não é esse o caso: estudos de imagiologia com voluntários humanos mostram que não existe uma única região cerebral isolada que fique fora de ação quando alguém é submetido a uma anestesia; em vez disso, o cérebro desliga, de um modo geral, a sua atividade[18]. Não há uma área única que seja abafada exclusivamente conforme a anestesia vai fazendo efeito.

Tal como seria de esperar, a ligação frenológica extremamente improvável entre os altos no crânio e determinadas características mentais viria a ser desacreditada à medida que o desenvolvimento da ciência médica foi possibilitando a análise mais direta e invasiva do cérebro propriamente dito. Não obstante, o raciocínio simplista da frenologia pode ainda ter ecos em subsequentes interpretações clínicas. Com o avanço da medicina, os clínicos tornaram-se cada vez mais capazes de manter os pacientes vivos, mesmo quando estes eram vítimas de lesões cerebrais graves, por exemplo devido a balas, traumatismo ou apoplexias, o que, por sua vez, levou a determinados síndromes neurológicas, infelizmente ainda comuns nos nossos dias. Contudo, por vezes ainda vemos uma perspetiva frenológica errada a espreitar: continuou a ser tentador atribuir uma «função» perdida às zonas cerebrais danificadas. Há mais de cinquenta anos, um psicólogo chamou a atenção para esse erro com um gracejo: se retirarmos uma válvula a uma telefonia e o aparelho começar a uivar, não podemos dizer que a função dessa válvula era inibir o uivo[19]. É claro que se a área cerebral em questão apresentar algum defeito, como a antiga válvula, o sistema holístico da telefonia ficará em causa, mas a contribuição específica da válvula, ou da região cerebral, não pode ser extrapolada a partir do resultado final[20].

Apesar destes avanços no conhecimento, tem vindo a manter-se na investigação neurocientífica um certo entusiasmo obstinado pelo potencial significado de diferentes regiões cerebrais. Nas primeiras investigações, há cerca de trinta anos, os casos de funcionamento adulterado avançavam pistas quanto a que área cerebral estaria associada a um problema específico. Agora, contudo, graças aos enormes avanços nas técnicas de imagiologia cerebral não invasiva verificados desde a década de 1980, podemos usar voluntários saudáveis para ver que zona do cérebro está normalmente operacional durante certos comportamentos. Hoje em dia, podemos olhar para um exame e ver pontos brilhantes que indicam certas áreas num fundo de cérebro cinzento, ou talvez agrupamentos policromáticos em que o branco é um ponto quente, com o tom a alterar-se para amarelo, laranja e vermelho, até chegar a um perímetro roxo de baixa atividade. Quando nos confrontamos com estas imagens impressionantes e belas, é importante ter presente que elas nos abrem uma janela para o cérebro em funcionamento, *mas* esse funcionamento decorre durante um período de tempo alargado, e grande parte da atividade cerebral vitalmente importante não surge nessas imagens.

A grande questão prende-se com a interpretação. Regra geral, os exames cerebrais têm uma resolução temporal de segundos, ao passo que o potencial de ação, o impulso que representa a assinatura elétrica das células cerebrais ativas, é cerca de mil vezes mais rápido. Portanto, devemos pensar na imagiologia cerebral como comparável às fotografias vitorianas em sépia, que mostram ao mais ínfimo pormenor edifícios estáticos e inanimados, ao mesmo tempo que excluem pessoas ou animais, que se deslocariam demasiado depressa para serem captados pela exposição prolongada. É claro que os edifícios estariam presentes e seriam reais, tal como o seria um tumor estável que surgisse num exame, ou uma lesão permanente derivada de uma apoplexia; no entanto, constituiriam apenas uma pequena parte do quadro completo.

Não obstante, alguns cientistas[21] não se deixaram intimidar, afirmando nos seus estudos que é possível «descodificar» estados mentais a partir da imagiologia cerebral, caso se concentrem no padrão espacial das reações espalhadas pelo córtex. Todavia, o termo «descodificar» é enganador. Na sua essência, um código é um formato que terá sempre de ser retrovertido para o original, e que terá de ser muito diferente do original para que faça sentido. Os pontos e os traços, por exemplo, não fazem sentido algum a menos que se saiba código Morse; só então poderá ter lugar a retroversão para a versão original. Em contraste, a serem realmente análogos aos pontos e aos traços, os estados mentais subjetivos não podem ser reconvertidos em atividade cerebral espacialmente distribuída, ou vice-versa – são, isso sim, correlações. Na ciência cerebral ainda nem sequer existe uma estrutura para as relações causais, e muito menos um manual para a decifração de códigos que permita que se alterne entre eles[22]. Julgar saber *onde* algo pode estar a acontecer não nos diz nada sobre *como* estará a acontecer – isso porque também não sabemos exatamente o que é esse «algo», sobretudo quando capturado em janelas temporais duas ou três ordens de magnitude mais lentas do que o tempo real.

A questão mais problemática com regiões cerebrais que possam ser o «centro de» uma ou outra propriedade mental é tão básica como a própria terminologia. Um «centro» sugere que tudo começa ou acaba aí, mas não existe nenhuma área cerebral que funcione desse modo. Em vez disso, todas as regiões cerebrais estão interligadas, mesmo no caso de longas distâncias neurais, por via de fibras que permitem um diálogo constante do cérebro, qual conversa telefónica. Ao contrário das icónicas bonecas russas, que se encaixam umas nas outras, não existe nenhuma hierarquia de comando no interior de um indivíduo. Cada área cerebral é uma espécie de entreposto – um retransmissor, uma encruzilhada –, mas nunca o destino final.

Outra dificuldade no que diz respeito aos exames cerebrais é normalmente não pensarmos num traço mental, ser espirituoso ou gentil, de forma *quantitativa*: com que frequência o fazemos ou quanto disso temos – mas sim como uma *qualidade* que alguém por acaso tem ou não tem, e que faz parte do seu carácter individual. Tais traços refinados e sofisticados surgem misteriosamente das maquinações e interações de muitos componentes diferentes do cérebro holístico que funcionam desde o nível das sinapses e proteínas individuais até às trocas sofisticadas entre as redes neurais de grande escala. Como tal, eles desafiam as simples definições operacionais, sendo muito mais difíceis de identificar num exame cerebral do que seria o caso ao pensarmos numa competência quantificável: fenómenos de tal modo abstratos como o espírito e a bondade não são prontamente mensuráveis – ao contrário, digamos, da capacidade de memória.

É claro que isso não significa que não estamos a fazer importantes descobertas novas acerca do funcionamento cerebral com tais exames: longe disso. Só não devemos tirar conclusões precipitadas. Vejamos o conhecido estudo dos taxistas de Londres, que, afamadamente, têm de passar num exame oral que testa o seu conhecimento das ruas e dos sistemas de sentido único da capital inglesa. A imagiologia cerebral revelou que o hipocampo, a parte do cérebro relacionada com a memória, é maior nesses motoristas devido ao enorme fardo assente na sua memória funcional[23]. Claro que isso não significa que possamos saltar para a conclusão de que o hipocampo é o único «centro» da tarefa em questão: neste caso, o complexo e multifacetado processo de memória. A memória implica o armazenamento de uma diversidade de novas competências, factos e acontecimentos, bem como a sua recuperação subsequente; estes diferentes tipos de memória, e as suas diferentes fases de processamento ao longo do tempo, envolvem diferentes regiões e mecanismos cerebrais[24].

Consequentemente, as tentativas mais recentes para encontrar uma propriedade cerebral-chave que sirva de base biológica à consciência foram inspirar-se não tanto em regiões cerebrais específicas, mas sim na sua interligação. Muita da pesquisa concentrou-se no circuito recíproco entre a camada exterior do cérebro, o córtex, e o tálamo profundo, área que serve como uma espécie de entreposto para os diferentes sentidos: o circuito talamocortical. Porque será este circuito do cérebro tão atraente para os investigadores? Há vários motivos.

O primeiro prende-se com a circunstância de a ligação talamocortical não funcionar em pacientes num estado vegetativo persistente, como o coma, o que sugere que poderá ter um papel importante na consciência (embora também se verifique menos atividade numa série de outras áreas quando um paciente se encontra neste estado). Em segundo lugar, nas primeiras fases do sono, as células no tálamo e no córtex estão muito menos ativas por comparação com o estado de vigília. Em terceiro lugar, os investigadores descobriram que a aplicação direta de um produto químico excitante (nicotina), que simule um mensageiro químico no circuito talamocortical, pode restaurar a consciência[25]; inversamente, os danos no tálamo têm como resultado a sua perda[26]. Finalmente, a anestesia pode abolir a consciência porque as células talâmicas deixam de ser ativadas pela resposta que regressar do córtex, pois o circuito fecha-se[27]. No entanto, e apesar de tudo isto, continua sem ser claro o motivo por que o circuito tálamo-córtico-tálamo não é simplesmente necessário, por oposição a suficiente, para a consciência. Onde se encontrarão e quais poderão ser os processos-chave especiais da consciência que distinguem este circuito de todas as outras ligações no cérebro?

Talvez se possa identificar o ponto de transição da consciência para a inconsciência se olharmos para o estado de atividade das células em questão. Durante o sono, o córtex passa por períodos com breves momentos de excitação, os quais alternam com períodos de atividade mais discreta. Foi esta flutuação nas redes talamocorticais que se associou à transição da consciência para a inconsciência. Quando as células do tálamo estão em repouso, isso significa que as células-alvo no córtex revertem para um modo de funcionamento automático: as ondas cerebrais lentas tão características subjacentes à inconsciência[28].

Em vez de «simplesmente» monitorizar as regiões do cérebro mais ativas em determinadas circunstâncias, um outro plano concentra-se em mecanismos mais sofisticados para estabelecer um paralelo mais convincente e fiel em relação à consciência: onde e quando as regiões cerebrais interagem, numa espécie de cruzamento de oscilações reverberantes em grande escala. Algumas destas oscilações mais vastas estão associadas ao relaxamento e ao sono e dependem de interações de longo alcance *entre* o tálamo e o córtex. Entretanto, outras frequências parecem ser geradas *dentro* de áreas específicas do tálamo ou do córtex, tendo sido associadas a funções cognitivas mais elevadas, entre elas a perceção[29]. A haver grupos de neurónios a funcionar temporariamente em sincronia, este processo poderá ter possibilidades funcionais tentadoras: segundo parece, há uma frequência específica – 40 Hz – que é um candidato particularmente promissor para a tão desejada correlação[30].

Contudo, pesquisas mais recentes sugeriram que tal sincronia entre neurónios pode, na verdade, ser o modo normal de funcionamento do cérebro e não a exceção[31], não havendo motivo para se ter uma frequência particular como a condição misteriosamente privilegiada para o surgimento da consciência. Ademais, a inconsciência pode ser acompanhada por um *aumento* de sincronia na sofisticada parte frontal do cérebro[32]. Por fim, há muitas experiências conscientes que *não* foram associadas a atividade cerebral sincronizada, ao passo que a atividade altamente sincronizada, como a que ocorre durante uma apoplexia, está realmente associada à perda de consciência[33].

O que todos estes diferentes estudos nos mostram é que a grande reciprocidade anatómica entre o tálamo e o córtex garante, quando muito, uma base necessária, e não suficiente, para a consciência e, na pior das hipóteses, suscita mais questões do que aquelas a que responde. Um problema recorrente na busca das esquivas, mas importantes, NCC prende-se com muitos cientistas tenderem para aquilo que melhor conhecem – o «N», o neural –, dedicando pouco tempo ao «C» correspondente, a parte da consciência. Neste momento, uma correlação neural de consciência que consista de circuitos talamocorticais, que por acaso são normais no cérebro de todos os mamíferos, não justifica nenhuns dos traços fenomenológicos da consciência, como sejam os efeitos das drogas modificadoras de estado de espírito e as diferenças entre espécies – e menos ainda as variações mais finas na consciência humana individual e o facto de termos de encontrar um equivalente neuronal único das nossas experiências a cada momento progressivo em que estamos despertos. Muitos estudos sublinham a necessidade de várias regiões cerebrais, mas não sugerem o motivo *por que* devem ser especiais ao contribuir, ou ao serem responsáveis, pela consciência, além da circunstância de fazerem parte de uma interação complexa entre as regiões cerebrais.

Uma forma alternativa de ver a questão será concentrarmo-nos não tanto nas características espaciais e físicas do cérebro, mas sim no tempo como caminho em frente[34]: ao que parece, a consciência só é possível quando a atividade neural se mantém durante um período prolongado, algumas centenas de milissegundos. O limite crucial para se distinguir entre acontecimentos «vistos» e «não vistos» é, aparentemente, de entre 270 e 500 ms (milésimos de segundo)[35]: o inovador neurocientista Benjamin Libet sugeriu que tal período seria necessário para a criação da consciência de um acontecimento, embora se tivessem já registado no cérebro reações com 25 ms[36].

Uma interpretação alternativa poderá ser que o fator crucial pode não ser o tempo, mas sim o *fim* para o qual um período de tempo prolongado possa ser o *meio*: este fim seria a criação de uma janela adequada que permitisse a «reentrada», uma espécie de reverberação contínua de entrada e saída de estímulos entre regiões cerebrais específicas[37]. Um princípio importante para esta teoria é não se confundir «reentrada» com simples retorno, em que um certo estado existente é modificado como resultado de um efeito inicial. Os macacos parecem só reagir a ter «visto» uma figura experimental quando as ondas cerebrais indicam um padrão característico que reflete este tipo de iniciação neuronal («reentrada»)[38], algo que também ocorre em sujeitos humanos[39]. Todavia, embora esta sugestão pareça plausível, pouco nos diz quanto ao motivo por que a «reentrada» – esta acumulação de iterações entre duas regiões cerebrais – deve ser dotada de tal importância.

Voltemos, assim, a mudar de perspetiva. Na busca por um elo convincente entre a consciência e determinada propriedade cerebral, podemos viajar na direção oposta, reduzindo anatomicamente a escala e concentrando-nos não nas ligações entre regiões cerebrais, mas sim nos seus componentes mais pequenos: as células cerebrais individuais. Desta maneira podemos monitorizar neurónios isolados em seres humanos submetidos a cirurgia cerebral. Por mais macabro que isso pareça, no cérebro não existem terminações nervosas de dor, pelo que desde meados do século XX é possível ter um paciente neurocirúrgico consciente enquanto o seu cérebro é estimulado, tal como já vimos com o trabalho espantoso do cirurgião canadiano Wilder Penfield[40]. Penfield, que no seu tempo tratou cerca de cinco centenas de pacientes, conseguia estimular a superfície exposta do lado do cérebro (lobo temporal) enquanto o paciente era submetido a cirurgia para epilepsia grave. Embora, regra geral, o procedimento decorresse sem que acontecesse nada digno de nota, por vezes os pacientes faziam relatos posteriores espantosos sobre «memórias» claras, embora oníricas. Essa mesma «memória» podia ser evocada com o estímulo de outros locais próximos, ao passo que o estímulo do mesmo local em diferentes momentos podia ter como resultado diferentes experiências subjetivas. Estas revelações sugerem que Penfield estava a interferir com redes de neurónios diferentes, embora sobrepostas, em que um local neuronal poderia fazer parte de mais do que uma rede, e, inversamente, locais diferentes podiam fazer parte da mesma rede.

Apesar desta indicação clara de que os neurónios não trabalham isolados, só recentemente se desenvolveu uma técnica mais refinada para se registar a atividade de células cerebrais isoladas em pacientes humanos despertos, com resultados absolutamente espantosos. Numa experiência, que à primeira vista pode parecer um tanto ou quanto bizarra, uma única célula cerebral de um paciente neurocirúrgico foi ativada por sete imagens diferentes de Jennifer Aniston – mas essa mesma célula não reagiu a oitenta outras imagens, entre elas fotografias de estrelas de cinema comparáveis e contemporâneas, como Julia Roberts, ou mesmo imagens de Jennifer Aniston com Brad Pitt. Certas células cerebrais só reagiam aumentando especificamente a sua atividade, quando o sujeito via imagens de uma celebridade específica. Num outro exemplo, os investigadores descobriram que cerca de um terço das células testadas (44 em 137) era extremamente seletiva de um modo semelhante: neste caso usaram-se fotografias de Halle Berry, a célula cerebral específica conhecida daí em diante como «neurónio Halle Berry»[41]. O que impressionou os cientistas foi a constância das reações, mesmo quando o sujeito via fotografias extremamente distintas e variadas da mesma pessoa ou objeto, um fenómeno conhecido como «invariância». Esses estudos sugerem a existência de um processamento cognitivo no plano dos neurónios isolados. Mas poderá uma célula cerebral isolada agir realmente como uma espécie de entidade e árbitro independente – dito de outra forma, como um Supremo Fiscalizador? Aprofundemos um pouco mais este cenário bizarro...

Em meados do século xx, o modo mais fácil de pensar como o cérebro se organizava era imaginá-lo como uma espécie de hierarquia, semelhante a uma cadeia de comando, com o chefe no topo de uma estrutura piramidal. Este conceito adequava-se às descobertas científicas da década de 1960, quando dois fisiólogos, David Hubel e Torsten Wiesel, conseguiram um avanço que vinte anos depois lhes valeria o Prémio Nobel[42]. Hubel e Wiesel trabalhavam no sistema visual e acompanhavam a atividade de células cerebrais isoladas nas várias regiões cerebrais que processavam as informações da retina, e a sua atividade nas profundezas do cérebro. A sua descoberta espantosa foi que, à medida que sondavam cada vez mais profundamente o cérebro, afastando-se do processamento inicial da retina, as células pareciam ir ficando cada vez mais picuinhas quanto àquilo que as ativava.

A visão de um qualquer glóbulo excitaria um neurónio que se encontrasse num posto hierárquico baixo, mas quando subíamos na cadeia de comando do sistema visual passava a ter de ser uma linha, um pouco mais acima teria de ser uma linha numa orientação específica, e mais acima ainda teria de ser uma linha numa determinada orientação, mas que se movesse numa direção concreta. Parecia assim que havia uma hierarquia de sofisticação no processamento da informação visual: conforme as informações da retina iam sendo processadas pelos níveis cada vez mais profundos do cérebro, também as células em questão se tornavam menos genéricas e mais especializadas. Foi uma descoberta deveras espantosa saber que uma célula cerebral isolada podia ter tal assinatura individual: mas isso deu azo a extrapolações estranhas que foram além do conceito razoável de uma hierarquia de características físicas cada vez mais definidas no cérebro, chegando à ideia rebuscada de uma hierarquia de cognição e consciência.

Quanto mais avançamos na hierarquia do cérebro, mas miudinhas se tornam as células cerebrais, que acabam por reagir apenas a imagens muito sofisticadas e seletivas, como por exemplo um rosto, e até mesmo um rosto específico. Na altura, os cientistas referiam-se a uma hipotética «célula avó», a qual, tal como o nome sugere, só reagiria à visão da nossa avó, sendo o derradeiro estádio da hierarquia, o nível final de processamento[43]. Contudo, a ideia de que uma «célula avó» isolada poderia ser, efetivamente, um minicérebro por direito próprio foi em grande medida rejeitada, nem que não fosse por nunca poder dispor de células cerebrais suficientes para representar «todos os possíveis conceitos e suas variações»[44]. A par disso, podemos invocar a simples lógica: se nunca tivemos uma avó, essa célula seria redundante e desperdiçada: ou se tivéssemos uma avó, mas a célula avó morresse, tal como acontece a inúmeros neurónios diariamente, não voltaríamos a reconhecer a nossa avó!

Uma teoria mais elegante que justifica o aparente engenho destes neurónios isolados diz que, de alguma forma, o processamento tardio mais sofisticado na camada exterior do cérebro (o córtex visual) consegue converter diferentes dados visuais num formato comum uniforme (invariância de visão) armazenando diversas memórias de diferentes ângulos do mesmo rosto ou objeto em momentos diferentes[45]. Todavia, nem mesmo tal magia cerebral pode explicar tudo. Algumas das células dos pacientes não foram exclusivamente ativadas com a imagem visual de um rosto, mas apenas com o nome impresso do indivíduo em causa[46]. Assim, a «invariância» observada baseava-se nas ligações relacionadas com a memória, muito além do simples processamento da visão.

Se recordarmos a pesquisa feita em 2005, que deu origem à noção do neurónio Halle Berry, talvez seja melhor pensarmos em tal neurónio – ou num outro, igualmente miudinho – como não sendo nem único, nem funcionando em isolamento. Se, de alguma forma, Halle Berry estivesse representada no cérebro por uma grande rede de células espalhadas por vastas áreas do córtex – tal como sugerido há muito pelo trabalho de Penfield –, o problema do Supremo Fiscalizador seria contornado e seria possível avançar uma explicação para a ativação da célula com estímulos não fotográficos. Todavia, embora tais estudos nos permitam compreender como o cérebro pode ser personalizado, e como se adapta à experiência de um indivíduo, mais uma vez, não nos ajudam a compreender a consciência propriamente dita. Não obstante, os candidatos a correlações de consciência não ficaram pelos neurónios isolados, podendo assumir uma escala ainda mais pequena – *muito* mais pequena...

Há cerca de quinze anos, o matemático Roger Penrose e o anestesista Stuart Hameroff desenvolveram uma maneira completamente diferente de encarar a questão[47]. O seu raciocínio era que, uma vez que a consciência ainda não foi satisfatoriamente descrita dum ponto de vista de cálculos passo a passo (algoritmos), era preciso um novo processo cerebral não algorítmico: uma espécie nova de física quântica (a ciência do muito pequeno), em que os fenómenos não se comportem da forma prevista pelas teorias tradicionais de grande escala desenvolvidas originalmente por Isaac Newton. A sugestão não envolvia regiões cerebrais, nem as suas ligações, nem sequer uma célula cerebral isolada: em vez disso, o relato de Penrose e Hameroff começava com «microtúbulos», bastonetes microscópicos rígidos mas ocos que existem no *interior* de todas as células. Estes microtúbulos mudam constantemente a sua estrutura – formam-se, desmontam-se e reformam-se: como tal, dizia a ideia, as suas configurações alteráveis corresponderiam bem aos possíveis estados holísticos de um sistema (segundo os princípios aceites da mecânica quântica). Assim que o número de neurónios recrutados fosse suficientemente grande, as leis de um novo tipo de física quântica ainda não reconhecido assumiriam o comando e levariam a uma mudança repentina para um determinado estado físico, chamado «coerência quântica», que corresponderia, de algum modo e por algum motivo, a um momento de consciência no interior do cérebro[48].

Há um problema fundamental com o esquema de Penrose e Hameroff. Os microtúbulos que impulsionariam o «novo tipo de física» estão presentes em todas as células, mas só neste caso se diz que operam no interior dos neurónios como ponto de ocorrência de um acontecimento quântico ligado à consciência. A ser assim, qual seria o traço único adicional que lhes permite agir dessa forma tão especial? Ainda mais importante, esta teoria levanta tantas questões como aquelas a que responde[49]: entre elas temos o simples raciocínio de que a circunstância de o cérebro não obedecer exclusivamente a princípios algorítmicos não implica que uma teoria que adiante um processo não algorítmico tenha de ser automaticamente sinónimo do processo de consciência[50].

Recapitulemos. Embora para a consciência possam ser necessárias várias NCC candidatas, ainda não se provou que qualquer delas, por si só, cumpra o objetivo: não há área cerebral especial, circuito ou grupo de células isolado que pareça não só necessário, mas também suficiente, independentemente, para o surgimento da consciência. Talvez seja inevitável que as perspetivas pelas quais se pensam as NCC com base na neurociência destaquem o neural em detrimento do consciente. Felizmente, temos uma alternativa: em vez de começar pelo cérebro físico e identificar uma propriedade exótica ou interessante que seja suficientemente inovadora para lhe atribuirmos poderes de criação de consciência, podemos olhar para o problema de forma inversa. Desta maneira teremos de criar uma «ideia» ou «modelo» teórico para a consciência, determinando então se ele pode ser validado de forma convincente pela neurociência.

DA TEORIA À EXPERIÊNCIA

Um dos primeiros modelos teóricos para a descrição da consciência baseou-se no conceito de uma espécie de «ardósia» no cérebro, um «espaço de trabalho global»[51]. Esta teoria foi inicialmente desenvolvida por Staneslas Dehaene e seus colegas em finais da década de 1990, aventando-se que as funções seriam coordenadas e processadas entre múltiplas informações, todas introduzidas num tipo de «fórum» ou «palco» neuronal transitório comum, de um momento para o seguinte. Este cenário implica um estado global que, apenas por um momento, é de tal modo dominante no cérebro que a sua existência impede a formação de qualquer outro, produzindo assim um estado único de consciência.

Este estado único dominante no cérebro que depois corresponde à consciência inspirou o filósofo Daniel Dennett a sugerir aquilo a que chamou «modelo dos rascunhos múltiplos», em que será possível determinar qual o estado que será dominante, ou seja, que surgirá como conteúdo desse momento de consciência. O autor sugere uma espécie de competição, de sobrevivência do mais apto, em que o fator decisivo para o domínio será o maior significado: o que tiver mais «fama no cérebro»[52]. No entanto, quer o conteúdo de uma experiência consciente seja ou não forte, vasto ou significativo a ponto de eliminar a restante concorrência, tem de permanecer no cérebro para que seja, em última análise, apreendido. Mas onde e como? Tal como vimos com o neurónio Halle Berry, não existe um administrador neuronal absoluto. O espaço de trabalho global e os modelos de rascunhos múltiplos pouco ajudam a compreender a consciência, servindo apenas para introduzir um elemento democrático em que, em vez de termos um local ou uma característica cerebral predeterminados que vão dar origem à consciência, há uma espécie de maioria neuronal indistinta que vai vencendo a cada momento.

Alternativamente, em vez de encararmos a consciência como processo, como verbo, podemos vê-la como substantivo, como entidade. Talvez esta ideia pareça simplesmente tola. Todavia, desde que o médico e filósofo francês Julien Offray De la Mettrie sugeriu, em 1747, que «o cérebro segrega pensamentos tal como o fígado segrega bílis», certos pensadores começaram a debater se a consciência poderia, com efeito, ser uma «coisa». É esta a posição do pampsiquismo, uma escola de filosofia que afirma que a consciência é, deveras, uma entidade, um fenómeno distinto existente, uma propriedade irredutível do universo, agindo o cérebro como uma espécie de prato de satélite a captar o sinal etéreo[53]. Portanto, tal como o tempo e o espaço existem independentemente do cérebro, mas podem por ele ser percebidos, também a consciência é uma entidade independente que pode ou não ser detetada quando por acaso existem cérebros nas redondezas. Todavia, não vale a pena aprofundarmos aqui os argumentos a favor ou contra esta ideia, já que, segundo uma perspetiva neurocientífica, isso não é útil e não temos forma óbvia de avançarmos.

Mais recentemente, o neurocientista Giulio Tononi sugeriu um conceito alternativo mais abstrato[54], desenvolvendo um modelo, a Teoria de Informação Integrada, em que a «informação integrada» é a redução da incerteza quanto ao estado de uma variável num sistema, estando a consciência em proporção à quantidade de outros estados que possam ser excluídos[55]. Todavia, e tal como acontece com o conceito anterior de «reentrada», é difícil ver o que a mera noção de redução de possibilidades por si só traz à nossa compreensão quanto ao que é a consciência e como ela está relacionada com o cérebro físico. O modelo da informação integrada tem uma certa vantagem em relação aos anteriores modelos «quantitativos», no sentido em que pode ser simulado de modo mais célere e preciso em computador, mas continua sem servir para nos explicar como converter a água do cérebro físico no vinho da experiência subjetiva[56], ou mesmo a «mera» correlação entre os dois.

Tal como vimos, poderíamos concentrar-nos numa série de características cerebrais: na «atividade» cerebral generalizada, embora mal definida[57], no maior «impacte»[58] entre processos concorrentes, nas janelas temporais permissivas[59], na comunicação neuronal «reentrante» iterativa[60], como aqui, na informação integrada: mas, a ser assim – e esse é o busílis da questão –, qualquer característica que se distinga, tal como acontece com estas, pela simples *quantidade*, terá, em algum momento, de ser traduzida na *qualidade* especial sobremaneira esquiva da experiência consciente subjetiva. Como e porque deve o cruzar de um Rubicão *quantitativo* dar origem a um estado interior *qualitativo* distintivo?

As regiões cerebrais selecionadas como ligadas à consciência funcionam, num plano celular, do mesmo modo que as menos sofisticadas que não são destacadas: assim, deverá ser a propriedade emergente da complexidade propriamente dita que estabelece a diferença crucial. Com efeito, há quem aposte totalmente na complexidade, independente de qualquer traço biológico, como é o caso do tecnólogo e futurista Ray Kurzweil: em 2012, Kurzweil sugeriu que «A inteligência artificial vai chegar a graus humanos por volta de 2029. Avançando para, por exemplo, 2045, teremos multiplicado a inteligência, a inteligência biológica artificial humana da nossa civilização, por mil milhões de vezes»[61].

Veria Kurzweil a consciência ainda como uma parte atraente dessa nova ordem mundial? A ser assim, daí decorre que ao construir máquinas de complexidade cada vez maior a consciência irá emergir como o coelho espontâneo e inevitável da cartola computacional[62]. Se o objetivo é exclusiva e incondicionalmente a «complexidade», nesse caso, a consciência não teria de ser propriedade exclusiva dos sistemas biológicos, podendo ser feita a partir de tudo, conquanto fosse suficientemente «complexa» – tal como certa vez gracejou o filósofo John Searle, até a partir de latas de cerveja velhas. O material propriamente dito não interessa, apenas as interligações entre os componentes.

Contudo, segundo a perspetiva da neurociência, esta forma de evolução com sistemas complexos e/ou computacionais, independentemente do material de que são compostos, carece de algo: o trânsito da enorme variedade de compostos caprichosos e poderosos no sistema nervoso que trabalha em diferentes combinações, em lugares diferentes, com janelas temporais diferentes, com efeitos bastante variáveis e dependentes do contexto. Cada neurónio *não* é como uma lata de cerveja, sendo, isso sim, profundamente dinâmico: os 100 mil milhões de neurónios bastante maleáveis que compóem o nosso cérebro estão longe de ser componentes fixos que ligamos e usamos de forma consistente, independentemente do ambiente circundante onde se situam. Além disso, este dinamismo funcional assenta em incessantes alterações anatómicas na configuração e na forma de cada neurónio: a facilidade com que as mensagens que chegam a estas células variam muito de um momento para o outro, consoante a disponibilidade de diversos compostos de «modulação» qualitativamente discerníveis que rodeiam essa célula cerebral específica[63]. Este caleidoscópio intenso e em constante mudança de compostos químicos e estruturas neuronais em interação não é, de maneira nenhuma, como os circuitos rígidos dos aparelhos computacionais.

Além disso, temos ainda um corpo inteiro com retornos constantes entre ele e o cérebro. Há quase vinte anos, o neurologista António Damásio frisou a importância das mensagens químicas que viajam entre o cérebro e o resto do corpo, químicos a que chamou «marcadores somáticos»[64]. A interação entre os três grandes sistemas de gestão do corpo – os sistemas imunitário, endócrino e nervoso – não deve nunca ser ignorada. Afinal de contas, se não fossem interativos haveria uma anarquia biológica, e não deparar íamos com o conhecido, embora confuso, fenómeno do efeito placebo. A variada neuroquímica do sistema nervoso central, e, efetivamente, do resto do corpo, funciona de uma maneira que não permite que a qualidade biológica seja reduzida para uma quantidade abstrata, para uma mera computação. Se isso for possível, então esse «modelo» deve ser discutido e justificado de forma mais convincente do que até agora, em vez de ser aceite como dogma científico. De um modo geral, quanto mais uma perspetiva sobre a consciência é abstrata e teórica, menos está correlacionada com acontecimentos cerebrais reais, e maior a expectativa de que disponha de mais poder de previsão e que, como explicação, vá mais além e, pelo menos hipoteticamente, trate daquilo que a consciência realmente é[65]. Não queremos um «modelo» que exija a questão, uma teoria já assente no pressuposto do que é a consciência, tal como não queremos um candidato a NCC que por acaso seja observado em laboratório como propriedade inesperada ou simulada do cérebro. Em vez de NCC isoladas, ou modelos abstratos sem validação mediante uma experiência subjetiva, está na altura de uma perspetiva completamente diferente.

UM CAMINHO EM FRENTE?

Temos mesmo de tratar da questão mais básica de todas, como é que a «água» dos acontecimentos cerebrais objetivos se transforma no «vinho» da consciência subjetiva[66] – o chamado «problema difícil»[67]: mas é realmente difícil ver como o poderemos resolver com as perspetivas usadas até agora, quer das experiências para a teoria, quer vice-versa. Temos de nos afastar dos estudos simplistas de NCC talvez necessárias, mas insistentemente insuficientes, e dos modelos hipotéticos isolados, procurando a descoberta de uma relação mais fiel e pormenorizada entre a fisiologia objetiva e a fenomenologia subjetiva. Claro que não é nada óbvio como obter uma melhor imagem desta relação.

O problema é que a natureza do mental parece muito distinta – quase como outra língua – da dos processos físicos no manual neurocientífico. Como podem a perspetiva na primeira pessoa da consciência e a perspetiva em terceira pessoa dos estados do cérebro físico ser descrições do mesmo processo abrangente, algo que, assim sendo, terá de ser expresso de forma bilingue? Descartes serviu-se destas considerações para indicar que mente e cérebro, de facto, são substâncias completamente diferentes, mas essa divisão radical já não parece sustentável. É óbvio que o objetivo e o subjetivo estão, no mínimo, intimamente relacionados, e temos de determinar qual poderá ser essa relação íntima. A grande questão é compreender as relações entre as propriedades mentais do estar consciente e as propriedades físicas do cérebro, *onde tanto a fisiologia (a perspetiva objetiva) como a fenomenologia (a subjetividade) recebem o mesmo peso e são constantemente sopesadas uma perante a outra.*

Se formos capazes de estabelecer correlações neurais precisas, e é importante reconhecer que haverá mais do que uma, entre momentos de consciência, seremos capazes de compreender como o fenomenológico corresponde ao fisiológico – mesmo que a ligação *causal* continue a não se mostrar. Seria sem dúvida um grande progresso mostrar que certos momentos conscientes podem ser associados a cenários respetivamente variados e especificamente objetivos no cérebro e no corpo, seja algum tipo de atividade neural ou uma libertação de químicos. Temos de desenvolver um novo tratamento da questão que dê igual peso aos acontecimentos objetivos e aos acontecimentos subjetivos, uma terceira «língua» comum em que tanto o objetivo como o subjetivo possam ser expressos com igual facilidade e subjetividade. A perspetiva diferente neste livro será começar com a fenomenologia da vida real como pista para aquilo que poderá ser essa terceira língua, ou cunhagem comum. Em vez de penetrarmos de imediato no cérebro e de observar as células e os químicos cerebrais, esperando conseguir descobrir A Resposta, devemos começar por perceber o que precisamos de retirar de qualquer relato sobre a consciência diária.

Assim, antes de mais, precisamos de uma lista de compras da diversidade da vida real, não algo compilado numa situação laboratorial simulada, em que os elementos cruciais possam ter sido padronizados, reduzidos a um mínimo ou omitidos por completo. Em vez de impingirmos este tipo de fenomenologia simplificada ao cérebro, tal como acontece em laboratório, devemos ver como ele pode corresponder, do ponto de vista físico, à grande variedade de experiências que nos surgem na vida do dia a dia. Podemos depois procurar pistas quanto à maneira como o cérebro físico reage a esses vários acontecimentos que caracterizam diferentes experiências subjetivas e ficar atentos à emergência de princípios gerais.

Quais as diferentes características e enigmas do cérebro a ter em conta para compreendermos a consciência? Eis uma lista que provavelmente não será exaustiva, mas que abrange algumas das questões mais prementes.

Em primeiro lugar, por que motivo um despertador nos acorda? Pode parecer uma questão básica, mas trata-se de uma das inegáveis características fundamentais da consciência. Em segundo lugar, qual a diferença entre a consciência humana e não humana, e, nessa mesma linha, entre a autoconsciência e a consciência pueril? Em terceiro lugar, por que razão os sinais que transmitem sons e imagens permitem que cada indivíduo tenha experiências subjetivas muito diferentes de audição e de visão? Em quarto lugar, de que maneira o ambiente nos influencia a consciência? Em quinto lugar, de que modo problemas mentais como esquizofrenia, depressão e Alzheimer, e substâncias como as drogas e o álcool nos alteram a consciência? Em sexto lugar, em que difere a experiência subjetiva de um sonho do estado de vigília? E, finalmente, porque varia tanto a consciência que temos da passagem do tempo?

Só depois de analisarmos estas questões podemos avançar para um segundo passo neurocientífico: determinar o que vamos medir no cérebro. Em vez de selecionarmos uma característica específica logo à partida, quer seja a reentrada talamocortical ou os microtúbulos de coerência quântica, podemos agora usar a lista de experiências diárias para nos guiar. Analisando à vez cada ponto dessa lista, podemos depois explorar como o cérebro apresenta o necessário para justificar tal fenomenologia. Cada ponto corresponde convenientemente a diferentes fases de um dia «típico», pelo que será «você» o nosso guia. E enquanto acompanhamos o «seu» dia, vamos alternar constantemente entre o físico e o fenomenológico, o objetivo e o subjetivo.

O céu vai clareando lá fora. Não há tempo a perder. O despertador já está a tocar...

2

Acordar

O grito lancinante do despertador trespassa-nos o crânio. Pouco a pouco, o conforto nebuloso que nos isola do mundo exterior evapora-se, à medida que a intrusão se torna cada vez mais insistente. Esticamo-nos e procuramos o objeto ofensivo com a mão trôpega, até que por fim conseguimos restabelecer o silêncio. Mas o raio do aparelho já cumpriu o seu dever: estamos acordados. Contudo, por enquanto ainda não estamos «presentes» de todo. De olhos ainda fechados, só gradualmente sentimos que regressamos à consciência...

SONO

Talvez a perceção de que a consciência possa estar a desenvolver-se momento a momento não deva ser propriamente surpreendente: todos sabemos como é acordar de um sono bastante profundo, e desde há muito que os biólogos sabem que a inconsciência do sono tem graus que variam na sua «profundidade». Com efeito, ainda na última noite terá passado por uns cinco ciclos de inconsciência que foram alternando entre níveis de sono leve e profundo. Enquanto adormece, durante os primeiros cinco a dez minutos, continua relativamente alerta – numa fase de transição entre o estado de vigília e o sono. Se alguém o tentasse acordar, talvez até dissesse que não estava realmente a dormir. É a Fase Um, o início do ciclo, e o ponto de partida da sua descida para a inconsciência. Ocasionalmente, durante este período vai experimentar sensações estranhas e de grande clareza, como se estivesse a cair, ou se ouvisse alguém a chamar-lhe o nome. Por vezes, o seu corpo reproduz aquilo a que a sua esposa chamou «pontapé de saída para o país dos sonhos». Este reflexo é conhecido como «convulsão mioclónica»: as suas pernas dão um safanão involuntário, sem motivo aparente. Se tivéssemos elétrodos ligados ao couro cabeludo durante a Fase Um, o eletroencefalograma (EEG) registaria um padrão característico de ondas cerebrais pequenas e rápidas (ondas teta)[1].

Nos vinte minutos que se seguem, conforme nos vamos descontraindo cada vez mais, o cérebro começa a gerar ondas elétricas mais complexas (oito a quinze ciclos por segundo; um «fuso de sono»), em que cada onda sucessiva varia de amplitude e depois de atingir um pico volta a reduzir-se: é a Fase Dois. A temperatura do corpo começou a descer e o ritmo cardíaco está a abrandar. É neste momento que passamos do sono leve para o sono profundo: a Fase Três. Agora, o perfil das ondas cerebrais do EEG abranda ainda mais, chegando a um padrão lento de dois a quatro ciclos por segundo. Quando estas «ondas delta» se reduzem ainda mais, para meio ciclo a dois ciclos por segundo, entrámos na fase de sono mais profundo de todas, a Fase Quatro.

Depois de cerca de trinta minutos, o cérebro regressa à Fase Três e depois volta à Fase Dois. Porquê? Certamente seria mais fácil que a inconsciência se mantivesse como um estado estável. Uma explicação é que ao alternar a profundidade do sono, o cérebro evita permanecer no seu estado mais insensível durante um longo período de tempo: um estado comatoso profundo seria contraproducente para a manutenção das funções corporais internas durante um intervalo prolongado, além de nos deixar, bem como qualquer outro animal, menos reativo a possíveis riscos externos, como predadores, durante intervalos perigosamente longos. Uma pista interessante para a justi-ficação da profundidade de sono alternada é os ciclos alterarem a sua duração com o passar do tempo: talvez o cérebro tenha necessidades que variam com o avançar da noite... A meio da noite, a Fase Quatro desapareceu por completo, enquanto o primeiro ciclo de uma nova fase – a Fase Cinco –, que inicialmente durava cerca de dez minu-tos, se torna progressivamente dominante, prolongando-se agora até quase uma hora[2].

A Fase Cinco é uma das mais conhecidas do sono e chama-se «sono de movimento rápido dos olhos» (*Rapid Eye Movement*, REM) por-que os nossos olhos se movem para todos os lados por baixo das pál-pebras fechadas. Entretanto, a respiração acelerou e o EEG revela um perfil de ondas rápidas e irregulares, indicativas de um processamen-to mental ativo, comparável ao estado de vigília: os sonhos (que mais à frente exploraremos) decorrem durante este período, embora não exclusivamente. Apesar de toda esta atividade cerebral frenética du-rante os sonhos, nesta altura, os músculos tornam-se mais relaxados, acabando por se instalar um estado de paralisia: assim, o sono REM é também conhecido como «sono paradoxal», já que podemos estar a viver uma espécie de experiência consciente interior, mas, ao mesmo tempo, encontramo-nos imobilizados. Pensemos na experiência que ocorre comummente nos pesadelos, em que tentamos fugir de um qualquer perigo, mas em que nos sentimos curiosamente presos ao chão. Após um período de REM, o corpo regressa normalmente ao sono mais leve da Fase Um – e depois o ciclo repete as fases apro-ximadamente quatro ou cinco vezes durante a noite[3]. Como serão geridos estes ciclos?

Há bastante tempo que os cientistas do cérebro sabem que há im-pulsos no cérebro de uma série de mensageiros químicos específicos, transmissores, que estão subjacentes às cinco fases do sono e até do estado de vigília. Os transmissores servem de intermediários entre uma célula e outra, atravessando o espaço estreito intermédio (sinap-se): depois fazem com que a célula-alvo se torne mais ou menos ativa, ou seja, «excitada» ou «inibida». Em jargão neurocientífico, a inibição é apenas a redução de probabilidade de que um neurónio consiga gerar um potencial de ação (um impulso elétrico); a excitação é o oposto – o aumento de probabilidade. Este impulso elétrico vital dura cerca de um milésimo de segundo, sendo o indicador universal, «tudo ou nada», de que uma célula cerebral está ativa e a transmitir mensagens à célula seguinte. Um neurónio excitado gera rajadas de potenciais de ação em alta velocidade, enquanto um neurónio que esteja inibido poderá estar em silêncio.

Os transmissores que dizem respeito ao sono, ao acordar e ao sonhar (dopamina, noradrenalina, histamina e serotonina) são parentes próximos no que diz respeito à estrutura molecular, estando acompanhados por um quarto transmissor (acetilcolina), primo um pouco mais distante: serão talvez os mais conhecidos e bem documentados transmissores do cérebro[4]. Claro que a questão realmente interessante é a forma característica como estão distribuídos e localizados: poderiam fazer mais do que a função clássica de atravessar uma sinapse simples em circuitos rígidos no cérebro. Em vez disso, estão organizados como fontes que esguicham: grandes redes de células cerebrais, cada uma com o seu respetivo irmão químico, agrupadas juntas umas das outras no mais primitivo centro do cérebro (tronco cerebral), logo acima da espinal medula. Daí, as células enviam sinais distantes para as regiões cerebrais «mais elevadas», mediante ligações longas e difusas: os poderosos transmissores são libertados para cima, para duas grandes faixas de áreas sofisticadas do cérebro e, sobretudo, para o córtex. Cada membro desta família química desempenha o seu papel central específico no sono e na vigília. A noradrenalina e o seu progenitor químico dopamina, a par das irmãs serotonina e histamina, são mais abundantes durante o estado de vigília, reduzindo-se durante o sono normal e praticamente desaparecendo no REM[5]: entretanto, a acetilcolina continua a ser libertada durante os sonhos[6]. Que fazem então cada um destes transmissores?

Estas moléculas, familiares como transmissores, têm uma vida dupla e desempenham um papel alternativo muito diferente – como moduladores[7]. Um modulador não se limita a transportar uma única mensagem pela sinapse para causar inibição ou excitação imediatas: em vez disso, influencia como uma célula cerebral reage a um impulso dentro de uma janela temporal no futuro, sem ter um efeito nesse momento exato. Uma maneira de pensar neste processo é imaginar uma situação num escritório onde, por exemplo, corre o boato de um aumento. O boato por si próprio não vai alterar o comportamento exterior – por exemplo, ninguém vai atender um telefone silencioso; todavia, quando ocorre um impulso padronizado, quando o telefone toca, por exemplo, os funcionários podem atender o telefonema com mais entusiasmo do que o habitual. Um modulador age mais ou menos como o boato: é ineficaz por si só, mas amplifica um acontecimento subsequente[8].

O conceito, e, com efeito, a realidade, da neuromodulação mostra que é enganador refer irmo-nos aos transmissores, como alguns neurocientistas ainda fazem, como definitivamente excitatórios ou inibitórios, como se a função fosse predeterminada e estivesse encerrada na sua estrutura. Tudo depende do momento e da micropaisagem particular do cérebro onde eles funcionam. Num determinado período de tempo, os efeitos de um estímulo (vindo de outro transmissor) sobre um neurónio serão diferentes na presença de um modulador, quando comparado com um período sem a presença de um modulador, ou mesmo se o segundo transmissor nem sequer surgir. O momento – a contingência de um modulador e da segunda informação – é de suma importância. Assim, como o efeito de um estímulo de outro modo consistente será agora convertido em variável, a grande importância da modulação é fornecer às operações cerebrais um *período de tempo* que não seria possível com simples transmissões únicas.

Entretanto, enquanto dormíamos – e até agora que estamos meio acordados –, os níveis desses moduladores omnipresentes foram subindo e descendo em diferentes momentos, alimentando as diferentes fases do sono ao predispor grandes populações de células cerebrais a serem mais ativas ou mais silenciosas. Assim, é bastante provável que ao fazê-lo, estas fontes químicas estejam a proporcionar uma importante contribuição para os estados de consciência e de inconsciência, bem como para a transição entre esses estados. Mas, afinal de contas, a consciência não parece ser um mero interruptor. Acabámos de ver que, em vez disso, a entrada e a saída do sono é um processo gradual: portanto, pode ser que as fontes de modulação não sirvam para abolir ou provocar completamente a consciência, qual interruptor, mas sim que ajam mais como uma espécie de potenciómetro...

ANESTESIA

Uma vez que o sono é um processo gradual, talvez não surpreenda que outra forma familiar de inconsciência possa igualmente variar na sua profundidade: a anestesia. Henry Hickman, o pai da anestesia, relatou originalmente os efeitos de privação de consciência do dióxido de carbono na década de 1820; contudo, só em 1937 o médico americano Arthur Ernest Guedel descreveu as quatro fases da anestesia que ainda hoje são usadas como referência[9]. Em meados do século xx, os anestésicos por inalação eram muito menos eficazes do que hoje em dia, sendo a indução da anestesia relativamente lenta: não obstante, este problema ajudou a revelar o que Guedel apresentou como fases identificáveis no processo gradual de perda da consciência. Hoje em dia, com a indução intravenosa rápida de um estado de anestesia, os passos já não são tão claros, embora continuem a verificar-se, mesmo que mais rapidamente.

A primeira fase por que passamos é a analgesia (do grego «ausência de dor»): este estado pode ser confirmado pela perda da reação de retirada – do braço, por exemplo, quando picado na pele. Durante esta fase, qualquer dor sentida anteriormente será atenuada; provavelmente nem reparamos que deixámos de sentir dor, embora talvez continuemos a falar... Em seguida, conforme perdemos a consciência, entramos na segunda fase da anestesia, em que o corpo exibe sinais de excitação e delírio. As pupilas dilatam-se e a respiração e o ritmo cardíaco tornam-se irregulares; pode igualmente experimentar movimentos involuntários desgovernados e até, em raras ocasiões, vómitos. Ao entrar na terceira fase, a anestesia cirúrgica, os seus músculos relaxam e a respiração abranda drasticamente. Os olhos, que começaram por se revirar, tornam-se fitos, perde o reflexo córneo (o reflexo de pestanejar ao toque do olho) bem como a resposta de contração ao estímulo da luz. A respiração torna-se ainda mais leve. Chega finalmente ao estado de inconsciência profunda e está, por fim, pronto para a cirurgia[10].

Portanto, a anestesia, à semelhança do sono, é um processo gradual. Os efeitos lentos, passo a passo, da perda de consciência antes de uma cirurgia podem hoje em dia ainda ser revelados pela análise do EEG de um paciente usando um método introduzido há cerca de vinte anos. O procedimento tenta apresentar um valor – um índice bispectral (BIS) – como medida do nível de consciência (ou melhor, de inconsciência) durante a anestesia para cirurgia. A ideia por trás do desenvolvimento do BIS era evitar cenários de pesadelo com demasiada anestesia, levando à morte, ou com muito pouca, em que o paciente continuaria semiacordado, mas incapaz de o relatar, devido aos relaxantes musculares que provocariam paralisia e, logo, o discurso[11]. Referimos aqui o BIS para salientar que, mesmo imperfeitamente, a inconsciência pode, em certos casos, ir além dos simples estados de «tudo ou nada».

Contudo, o problema com o BIS é não apresentar resultados com a mesma sensibilidade para *todos* os anestésicos. Assim, para realmente se compreender os mecanismos cerebrais em causa, temos de nos debater com este aparente paradoxo: por um lado, anestésicos diferentes deverão funcionar mediante diferentes processos neuronais, e, logo, em diferentes partes do cérebro, mas, por outro lado, acabam por levar ao mesmo fim – uma perda uniforme de consciência. Entre os anestesistas temos duas teorias concorrentes que tentam solucionar este enigma. Uma diz que existe um caminho comum final subjacente à perda de consciência; a outra aventa que existem muitos estados cerebrais diferentes com características externas *grosso modo* semelhantes. A grande questão que dificulta a compreensão de qual dos dois cenários será o mais provável é as técnicas para a comparação dos anestésicos em causa divergirem de tal maneira que se torna difícil comparar resultados de modo equilibrado[12]. Todavia, embora a descoberta de algum mecanismo comum de inconsciência seja uma prioridade urgente, a questão mais imediata aqui é o facto inegável de que a inconsciência varia em profundidade.

CONSCIÊNCIA COMO VARIÁVEL

Se a inconsciência nos chega em graus, tanto durante o sono como durante a anestesia, *poderá a consciência também chegar em graus, e ser continuamente variável?* Se a consciência for realmente variável, talvez seja mais fácil responder a certos enigmas. Por exemplo: um feto está consciente?

Chegado apenas ao final da quarta semana de gestação, o embrião humano apresenta já um cérebro com três partes distintas (o prosencéfalo, o mesencéfalo e o rombencéfalo), que começam a funcionar durante a semana seguinte[13]. Estará este ser minúsculo consciente? E se sim, então quando e onde? Imaginemos, por um momento, que o feto *não* está consciente. Nesse caso, quando mudam as coisas? Talvez quando o bebé acaba por sair pelo canal uterino. A ser assim, seria complicado se por acaso nascêssemos por cesariana: passaríamos a vida sem nunca chegar à consciência. Então, talvez o fator decisivo seja o final do tempo de gravidez, as quarenta semanas. Mas não será difícil imaginar os pais de um bebé prematuro a dizer: «Olha, fez nove meses. Ontem, o bebé não estava consciente, mas vai ficar consciente hoje. Finalmente, já vale a pena ir para o hospital.»

É óbvio que se trata de cenários caricaturais, não só do ponto de vista do senso comum e da plausibilidade, mas também por o cérebro ser perfeitamente indiferente ao modo como o oxigénio lhe chega, se pelo cordão umbilical da mãe, se pelo seu próprio nariz. A questão premente é então a seguinte: quando se torna um feto consciente? Afinal de contas, não há uma linha clara no desenvolvimento, não há um neuro-Rubicão que tenha de ser cruzado enquanto o cérebro cresce no útero – não há um acontecimento único ou uma alteração na fisiologia cerebral, e muito menos por ocasião do nascimento, que, de repente, leve à consciência.

Uma perspetiva mais realista e científica seria então rejeitar em absoluto a sugestão de que um feto nunca foi consciente. A par disso, podemos igualmente recusar a desconfortável noção de que a consciência é uma espécie de bala mágica qualitativa. Em vez disso, regressemos à imagem do potenciómetro de luz e pensemos na consciência como consequência do aumento *quantitativo* do volume e da densidade do cérebro durante o desenvolvimento. Dito de outra forma, a consciência cresceria tal como o cérebro biológico, tanto no ventre materno como na evolução[14].

Se a consciência for deveras continuamente variável, isso significaria que nós, como ser humano adulto, podemos ficar mais ou menos conscientes de um momento para o outro. Falamos sobre «aumentar» ou «aprofundar» a nossa consciência: não importa se aumentamos ou reduzimos, mas, efetivamente, teremos assumido tacitamente graus – quantidades – diferentes de consciência. Porque será isso tão útil? Bem, agora podemos fazer algo que os cientistas consideram reconfortante: finalmente podemos medir *alguma coisa*, seja o que vier a ser. Podemos agora converter um fenómeno ainda não identificado, é verdade, que era aparentemente qualitativo, em algo quantitativo que, se tivermos sorte, será possível medir no cérebro. E se encontrássemos algum tipo de processo, ainda por identificar, que surja em graus, que seja continuamente variável? Se conseguirmos fazer isso, talvez possamos desenvolver um tratamento da questão mais construtivo a caminho da descoberta de uma correlação útil e relevante. Portanto, finalmente temos alguma coisa, embora algo ainda muito vago, que podemos acrescentar à lista de compras e pedir ao cérebro que no-lo apresente. Como prosseguir, tentando identificar esse «algo»?

O local mais óbvio por onde um cientista do cérebro deve começar serão as regiões cerebrais de macroescala como o córtex frontal, o tálamo ou o hipocampo: afinal de contas, estas zonas são as mais fáceis de ver a olho nu, sendo os seus padrões de atividade em constante mudança agora familiares na forma das belas imagens coloridas que vemos na imagiologia cerebral. Concomitantemente, as várias áreas ativas quando a consciência ocorre[15] têm sido documentadas e elencadas com toda a minúcia: talvez sem grande surpresa, encontram-se um pouco por todo o cérebro[16]. Um obstáculo imediato que nos surge é as ações dos anestésicos ao inibirem uma certa área específica não resultarem necessariamente em inconsciência[17]. Assim, a dedução inevitável é que se trata de regiões cerebrais *complexas* fundamentais que têm de ser desativadas em conjunto para garantir a perda de consciência. Torna-se claro que a inconsciência – e, por acréscimo, a consciência – vai depender mais da *relação* entre várias regiões cerebrais[18]. A sustentar esta ideia, a pesquisa mostra que durante o sono profundo a alteração crucial verifica-se quando a conetividade entre regiões cerebrais se quebra, passando a comunicação por meio do cérebro a ser menos eficiente[19]. Claro que uma coisa é afirmar que a conetividade entre regiões cerebrais é de suma importância – que obviamente é –, e outra, bem diferente, é mostrar, tal como vimos no capítulo 1, qual poderá ser o processo ou circuito mínimo, ou onde se encontra. Além disso, o critério da ligação *versus* não ligação absoluta não cumpre os requisitos do primeiro ponto que temos na nossa lista de compras: que a inconsciência tanto do sono como da anestesia é graduada, e que os processos cruciais que ocorrem durante estes estados também terão provavelmente de ser graduados.

Como resolver a questão do processo graduado e variável? A única resposta será que a base da inconsciência terá de se encontrar não numa espécie de interruptor cerebral, quer contido quer entre regiões cerebrais fundamentais como o córtex ou o tálamo, mas sim num processo que ainda não foi definido no mundo da neuroanatomia clássica, e que não seja descritível do ponto de vista de impulso elétrico «tudo ou nada».

Quando comecei a estudar neurociência, era prática comum tentar explicar os processos cerebrais desenhando esquemas em que as regiões cerebrais eram representadas como caixas ordenadas, com setas que entravam e saíam e ligavam entre si as várias caixas, com «+» ou «−» ao lado de cada uma, denotando uma excitação ou inibição simples. Todavia, acabámos de ver quanta desta comunicação neuronal seria «modulatória»: qualquer inibição ou excitação entre grupos de células ou no seu interior estará dependente, a cada momento, do *contexto* do estatuto presente da célula. Isso significa que temos de procurar um tipo adicional de mecanismo cerebral que possa funcionar num plano além dos simples neurónios, os quais, tal como já vimos, não funcionam como unidades autónomas. Além disso, seja ele qual for, este novo processo cerebral terá, acima de tudo, de ser algo análogo: continuamente variável a cada momento.

REDES NEURONAIS

Nos idos de 1949, o inovador psicólogo canadiano Donald Hebb adiantou a ideia completamente revolucionária de que os neurónios podiam adaptar-se a acontecimentos prévios – aprender, por assim dizer. Hebb mostrou que os neurónios próximos uns dos outros tendem a estar sincronizados, ou seja, estão ativos em uníssono, de forma coesa: quando se encontram neste estado, constituem uma rede funcional unificada cujas operações podem prosseguir muito além da ativação inicial[20]. Hebb sugeriu ainda que, se estavam coletivamente ativas desta forma, estas redes neuronais teriam o potencial de induzir alterações a muito mais longo prazo nas sinapses, o que, por sua vez, levaria a uma comunicação duradoura e melhorada entre as células cerebrais no seio da rede: sinapses hebbianas. Porque foi tão vanguardista este cenário?

Este sistema visionário explicava pela primeira vez como o cérebro era capaz de se adaptar às informações recebidas e, logo, ao seu ambiente − fenómeno que ficou conhecido como «plasticidade» (do grego *plastikos*, «ser moldado»)[21]. A plasticidade é agora reconhecida como a característica básica do cérebro, embora as diferentes espécies variem na medida em que isso as liberta do instinto. Nos animais mais simples, em que o comportamento está muito mais associado aos genes (os peixes-dourados, por exemplo), e em que o cérebro tem, logo à partida, menos ligações neuronais, o ambiente exerce menos impacte do que em outros animais em que as experiências individuais deixam literalmente a sua marca no cérebro. No reino animal, nós, seres humanos dispomos do talento superlativo para a adaptação, razão por que ocupamos mais nichos ecológicos do que qualquer outra espécie do planeta − vivemos e prosperamos em mais locais diferente por todo o mundo, desde as selvas ao Ártico. Sem dúvida, esta plasticidade do nosso cérebro também leva a que tenhamos o maior potencial, entre todas as espécies, para nos tornarmos indivíduos realmente únicos por meio das nossas experiências individuais − tudo graças à adaptável sinapse hebbiana.

A ideia teórica de Hebb viria por fim a ser provada empiricamente décadas mais tarde, quando neurocientistas conseguiram mostrar a existência de um mecanismo celular de adaptação duradoura e relativamente lenta que se encontrava localizado sobretudo nas sinapses individuais[22], algo muito útil para ajudar a explicar diferentes fenómenos neurocientíficos e psicológicos, especialmente no que diz respeito à aprendizagem e à memória. Contudo, embora este paradigma tenha sido aplicado com êxito e investigado em inúmeras publicações ao longo das últimas décadas, continuamos a ter um problema: ou exploramos o cérebro como Hebb fez, no plano das células, das sinapses e dos transmissores (perspetiva a que nos referimos como «ascendente») ou então podemos concentrar-nos nas funções cerebrais finais e nas regiões de macroescala do cérebro (estratégia denominada, inversamente, «descendente»). Mas como passar de um para o outro?

Continua a ter de haver forma de estas pequenas redes localizadas de neurónios poderem, por sua vez, ter algum impacte na interação entre regiões cerebrais definidas que dê azo a processos cognitivos como a memória, vindo a justificar o indivíduo em que cada um se torna. Dito de outra forma, tem de haver uma ponte entre a macroescala (descendente) e a microescala (ascendente). Os neurónios vizinhos, se e quando ativos em simultâneo, aumentam a conetividade mútua. No entanto, Hebb interrogou-se se poderíamos ir ainda mais longe. Talvez esta ativação local pudesse, numa escala muito mais vasta, acabar por levar a uma coesão mais global da atividade e das funções em muito mais neurónios[23].

Tais agrupamentos neuronais hipotéticos em grande escala foram, durante muitos anos, impossíveis de detetar ou de visualizar na realidade. Eram demasiado extensos para serem monitorizados pela eletrofisiologia convencional, que só regista alguns neurónios de cada vez, e, como nunca haviam surgido nos normais exames cerebrais, imaginava-se que não seriam muito duradouros. Recordemos que a imagiologia cerebral tem uma resolução temporal mil vezes mais lenta do que a velocidade da comunicação neuronal: algo semelhante às velhas fotografias vitorianas, referidas no capítulo 1, em que o demorado tempo de exposição limitava o conteúdo a edifícios e objetos estáticos, pelo que a convencional imagem por ressonância magnética funcional só permitia ver a atividade que decorresse durante poucos segundos. Tal atividade pode ser útil para diagnosticar problemas cerebrais existentes, ou para revelar o que acontece quando abrandamos o comportamento para que se se enquadre na escala temporal, pedindo a um sujeito que se dedique a uma tarefa repetitiva e contínua. No entanto, ao contrário das sinapses de microescala ou das regiões cerebrais de macroescala, estes agrupamentos hipotéticos de nível médio (mesoescala), se é que existem, seriam demasiado temporários para serem registados durante o tempo exigido pelas técnicas tradicionais de imagiologia.

Então, como poderiam os cientistas saber se a visão mais especulativa de Hebb estava correta? O grande desafio era encontrar maneira de ligar o processamento descendente e ascendente: no entanto, a neurociência só dispunha de técnicas anatómicas e de imagiologia padronizadas para aquele e de apenas alguns elétrodos para observar as células individuais neste. Foi então que, na década de 1990, se desenvolveu uma nova tecnologia – imagiologia com corantes sensíveis a voltagem (VSDI – *voltage-sensitive dye imaging*) – graças a cientistas engenhosos como Amiram Grinvald, do Instituto Weizmann, em Israel[24]. Graças a esta tecnologia, de repente tornou-se possível identificar fenómenos até então nunca detetados que continuariam ocultos com a imagiologia cerebral não invasiva convencional[25]. Tal como o nome sugere, a VSDI apresenta uma leitura da voltagem na membrana celular, e, logo, da atividade dos neurónios: como o corante se implanta na membrana propriamente dita, isso leva a que a leitura seja direta, portanto a uma escala temporal efetivamente instantânea subsegundo. Graças a esta técnica, podemos agora ver pela primeira vez que entre os níveis celular e sináptico das operações e das regiões cerebrais anatomicamente discerníveis existe realmente um grande nível médio de processamento cerebral, graças ao qual agrupamentos de neurónios em grande escala *servem* de unidade coesa em escalas temporais muito rápidas, mensuráveis com acontecimentos cerebrais em tempo real.

A imagem na página seguinte tem origem no meu grupo de pesquisa em Oxford, onde trabalhamos com cérebros de ratazanas servindo-nos da VSDI. Depois de um breve estímulo elétrico, podemos atribuir um código cromático à atividade resultante: vermelho significa extremamente ativo; o roxo, menos ativo. Entretanto, a escala de vários milímetros onde isto ocorre é bastante grande, quando com-

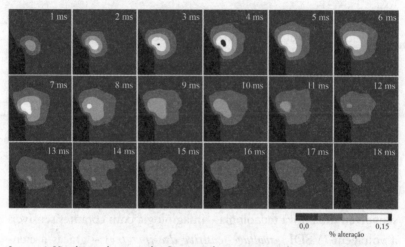

Imagem 1: Visualização de uma «rede». Sequência de imagens, separadas por um milésimo de segundo, que mostram ativação generalizada, detetáveis com corantes sensíveis à voltagem, numa amostra de cérebro de ratazana, na sequência de um impulso inicial de estímulo que durou um décimo de microssegundo. A atividade mais elevada situa-se ao centro, deraindo gradualmente para os limites exteriores – mais ou menos como ondas na água depois de atirada uma pedra. (Badin e Greenfield, inédito.) (Para ver este exame a cores, ver extratexto 1.)

parada com uma célula única, mas é muito pequena quando comparada com uma região cerebral anatomicamente definida: um verdadeiro nível de mesoescala. Note-se, sobretudo, a resolução temporal muito rápida: a atividade coletiva começa a atingir o auge no espaço de 8 milissegundos, chegando tudo praticamente ao fim, neste caso, passados cerca de 20 milissegundos. Este acontecimento nunca seria detetado com análises cerebrais convencionais.

Uma vez que estes agrupamentos em grande escala, embora extremamente efémeros, de neurónios continuam a ser fenómenos relativamente pouco familiares e ainda não existe um consenso claro quanto a uma definição rigorosa, são conhecidos por vários nomes. No nosso grupo chamamos-lhes «redes neuronais», definidas assim: grupos extremamente efémeros (subsegundo) em macroescala de células cerebrais (por exemplo, de cerca de 10 milhões ou mais) que não se limitam, nem são definidos por regiões ou sistemas cerebrais anatómicos[26].

Conforme vamos avançando pelo dia de trabalho em estado de vigília, acredito que a única forma de o cérebro físico ser capaz de comportar o fluxo de informações do estado consciente em constante alteração seria com este nível intermédio entre regiões cerebrais de macroescala e neurónios individuais de microescala: uma escala média de organização de atividade coletiva e transitória de células cerebrais que se expande ou diminui de um momento para o outro para acomodar os vários níveis de consciência. Assim, a ideia é que se a consciência é continuamente variável, poderá estar associada aos fenómenos físicos no cérebro a que chamaremos «redes».

Embora a imagiologia de cortes cerebrais possa revelar os pormenores das redes, só a observação do cérebro intacto de um animal vivo (o termo técnico é *in vivo)* nos dará mais informações sobre o modo como funcionam e o que fazem. Neste tipo de experiências,

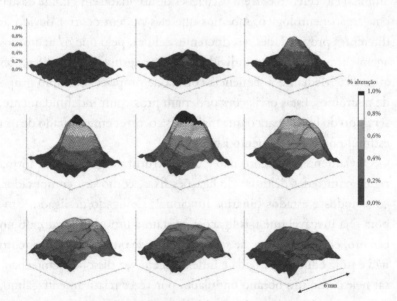

Imagem 2: Fotogramas em 3D tirados a cada 5 ms de uma rede neuronal gerada no córtice sensorial intacto da ratazana anestesiada, ativada pela deflexão do bigode. Note-se que o diâmetro da rede mede cerca de 6-7 mm acima do ruído de fundo[28]. Neste caso, mais uma vez, a janela temporal (40 ms) seria demasiado rápida para imagiologia cerebral convencional, sendo impossível obter padrões espaciais pormenorizados com registos eletrofisiológicos convencionais. (Para ver este exame a cores, ver extratexto 2.)

o ativador inicial pode ser mais natural – digamos, um clarão de luz[27], ou, pura e simplesmente, tocar no bigode da ratazana (Imagem 2).

Contudo, tanto nos cortes cerebrais como nos cérebros anestesiados, a rede resultante é mais ou menos como as ondas criadas na água ao atirarmos uma pedra. Concomitantemente, tal como uma pedra é muito mais pequena do que a vastidão das ondas geradas, também, em resposta até a um breve estímulo de luz, a atividade numa rede vai temporariamente alargar-se para uma área muito maior[29], cuja extensão será muito maior do que a disposição de circuitos de células no córtex[30].

Todavia, quando usamos imagiologia ótica para observar o cérebro do animal anestesiado, também encontramos algo que normalmente não veríamos em cortes cerebrais. Vemos que o cérebro está continuamente ativo, mesmo sem qualquer estímulo óbvio que o anime. Pelo cérebro correm oscilações de atividade em grande escala: em jargão neurológico, sabemos que eles podem ocorrer devido às diferentes propriedades das diferentes células, pelo que os neurónios agem como osciladores individuais que se agrupam com diferentes atrasos[31]. Mediante a sequência correta de propriedades num grupo de neurónios, estas oscilações poderiam prosseguir indefinidamente, servindo de fundo para o que mais possa ocorrer em resultado de um estímulo ou acontecimento isolado[32].

Obviamente, o cérebro não é uma estrutura organizada de forma rígida com redes distintas de ligações fixas, como um computador, com nodos e estados binários funcionais de ligado/desligado. Embora seja inegável que tais ligações existam a um nível localizado no cérebro, elas estão longe de ser tudo. Dito de outra forma, o cérebro não é uma edificação rígida e inflexível; em vez disso, devemos pensar nele como um oceano ondulado, por vezes relativamente calmo, mas em certas ocasiões picado, revolto, até mesmo tempestuoso. Sobrepostos a toda esta turbulência neuronal temos gatilhos únicos – impulsionadores cerebrais internos ou estímulos sensoriais externos que invocam uma rede única[33].

Mas poderá uma rede neuronal cumprir os requisitos da lista de que precisamos para descrever uma correlação adequada da consciência? Se assim for, deverá ser modificada por agentes que anulam a consciência: por exemplo, anestésicos. Já vimos que um paradoxo básico dos anestésicos é não se ter identificado um processo único para o seu funcionamento: contudo, poderá ser aqui, no nível médio das redes, que venhamos a perceber o que têm em comum anestésicos de outra forma diversos para alcançarem o resultado comum que é a inconsciência. Afinal de contas, estas drogas poderosas estão disponíveis num sem-fim de formatos, não havendo nada em comum na sua estrutura que os possa definir como grupo por oposição a outros agentes psicoativos, mesmo os que desempenham um papel clínico complementar, como os analgésicos. Em ambos os casos, no nível ascendente tradicional das células únicas, os anestésicos e os analgésicos podem ter efeitos semelhantes: uma quebra na atividade, ou seja, inibição. Então, onde surge a importante diferença funcional entre drogas que retiram a dor e as que retiram a consciência?

Numa experiência investigámos se os anestésicos quimicamente diferentes, quando comparados com os analgésicos, teriam efeitos diferenciais sobre a dinâmica das redes. Segundo se revelou, os analgésicos não tiveram nenhum impacte sobre as redes nos cortes cerebrais, mas, num contraste marcado, os dois anestésicos *tiveram* um efeito: embora sejam muito diferentes um do outro como drogas, ambos registaram o mesmo efeito na modificação das redes, prolongando a sua duração[34]. Assim, no caso dos anestésicos, independentemente das suas diferentes ações à microescala no cérebro, o que conta são as ações semelhantes na mesoescala das redes.

Tal como já foi estabelecido, não existe uma relação direta entre uma qualquer área isolada do cérebro e a consciência, mas esta descoberta dizia-nos que as redes estão, de alguma forma, ligadas a um potencial estado consciente ou inconsciente, para serem alvo específico de agentes bloqueadores de consciência – mas não daqueles que se limitam a modificar o conteúdo da consciência, como os analgésicos, em que continuamos despertos, mas já sem dor. Só os anestésicos definidos pela sua capacidade de retirar a consciência prolongaram, em cada caso, a duração das redes. Os clínicos já estavam cientes de que as apoplexias prolongadas podem bloquear a consciência[35]: portanto, neste caso, a ativação prolongada das redes poderia também, potencialmente, contribuir para um resultado semelhante. Todavia, os cortes cerebrais, como os usados neste caso, não podem tornar-se gradualmente inconscientes, já que nunca estiveram conscientes logo à partida. Parece complicado, mas, idealmente, precisamos de uma situação em que, com toda a conveniência de um preparado com corte, possamos imitar uma transição entre inconsciência e consciência.

Uma possibilidade é explorar o facto contraintuitivo, embora há muito conhecido, de que, quando o cérebro é expostos a pressões atmosféricas extremamente elevadas (durante experiências), os efeitos de privação de consciência de uma anestesia em curso, por incrível que pareça, são invertidos: os sujeitos em questão, normalmente girinos ou ratos, acordam[36]. Poderia uma mudança semelhante no ambiente imediato que devolve a consciência a um organismo intacto ter algum efeito sobre os componentes das redes em cortes cerebrais?

Em situações de pressão extremamente elevada, quando a anestesia seria invertida (32 atmosferas), para nosso espanto, a rede no corte cerebral era agora consideravelmente maior (ver imagem 3), o que indicava atividade coletiva por parte de uma muito maior população de neurónios[37]. Estes resultados mostram que as condições de pressão elevada *têm* um efeito substancial sobre um fenómeno cerebral particular (uma rede), que, por sua vez, pode ser um bom candidato à correlação neuronal da consciência: condições experimentais que modificam profundamente o estado de consciência também modificam profundamente as redes numa área cerebral específica[38,39]. O passo seguinte é testar os efeitos dos anestésicos em condições mais naturais.

Investigámos, então, os efeitos da anestesia numa ratazana viva, em que registaríamos o efeito global, por mais indireto que fosse, no

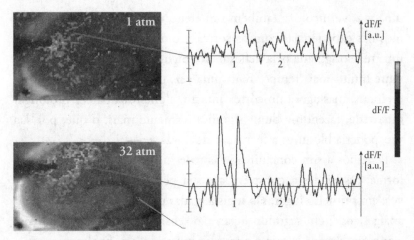

Imagem 3: Imagem fluorescente das redes geradas no hipocampo de um corte de cérebro de ratazana, obtida graças a imagiologia ótica com pressão ambiente normal (painel superior) e com pressão elevada (painel inferior). A amplitude do sinal indica o grau de atividade. Em situação de pressão elevada, a rede é muito mais extensa. Do lado direito está o tempo da reação numa pequena área de tecido em cada pressão[40]. (Para ver este exame a cores, ver extratexto 3.)

cérebro – com efeito, em todo o animal. Obviamente, devido à natureza invasiva da imagiologia ótica, o animal teve de passar a experiência cirurgicamente anestesiado. Contudo, graças ao efeito graduado dos efeitos do anestésico, pudemos comparar os efeitos mais leves da anestesia cirúrgica com os efeitos mais profundos. Revelou-se que o cérebro da ratazana gera uma rede significativamente mais extensa em condições de anestesia mais leve, em comparação com a altura em que a anestesia é aprofundada[41]. À medida que o nível de anestesia era aumentado, a dimensão da rede no córtex diminuía.

Além disso, a rede gerada quando sob anestesia leve é rapidamente interrompida por uma janela de atividade inibida (imagem 4), talvez para garantir que a rede é mais óbvia como sinal claro contra um fundo inequívoco. Este efeito não se verifica quando a anestesia é aprofundada, provavelmente por necessitar de ligações cerebrais holísticas para estar operacional.

Finalmente, embora talvez de forma previsível, a velocidade a que a rede foi gerada foi maior em condições de anestesia leve, e, mais uma vez, verificou-se também um efeito na duração – tal como vimos nas experiências com os cortes. Com anestesia mais profunda, uma rede originada pela deflexão dos bigodes mantinha-se agora durante muito mais tempo: mais uma vez, tal como vimos nos cortes cerebrais, mas agora no córtex intacto, a anestesia parece prolongar uma rede, fazendo-a durar significativamente mais, o que, por sua vez, poderia bloquear a formação de novas redes.

Podemos assim concluir que as redes neuronais estão, de alguma forma, associadas à consciência e sua perda pelos seguintes motivos: em primeiro lugar, são mais afetadas por anestésicos do que por analgésicos[42]; em segundo lugar, são sensíveis às mesmas condições – pressão elevada – que a anestesia invertida[43]; e, finalmente, refletem as diferentes profundidades da anestesia[44]. Neste momento seria prematuro tentar relacionar estas três informações experimentais tão diferentes para justificar a ação dos anestésicos: esperemos por mais observações recolhidas durante o dia antes de tentarmos avançar uma teoria abrangente. Todavia, podemos por enquanto, pelo menos, tentar ver as redes em ação em condições variadas. São um fenómeno natural real e, tendo em conta as suas janelas temporais rápidas e transitórias, a vasta extensão espacial, a contínua variabilidade e a sensibilidade a tratamentos de modificação de consciência, cumprem vários dos requisitos presentes na nossa lista. Claro que não há provas de que este nível de processamento cerebral possa servir de índice adequado para medir os graus de consciência.

A dinâmica das redes e os efeitos dos anestésicos podem correlacionar-se bem, mas isso fica muito aquém de se ter mostrado que estão associados à determinação de estarmos ou não conscientes. Não obstante, o anestesista Brian Pollard e a sua equipa da Universidade de Manchester[45] desenvolveram independentemente uma técnica que corrobora algum tipo de ligação entre as redes e a consciência: a tomografia funcional por impedância elétrica por resposta provocada (fEITER – *Functional Electrical Impedance Tomography by Evoke Response*) estimula eletricamente o cérebro, monitorizando depois o

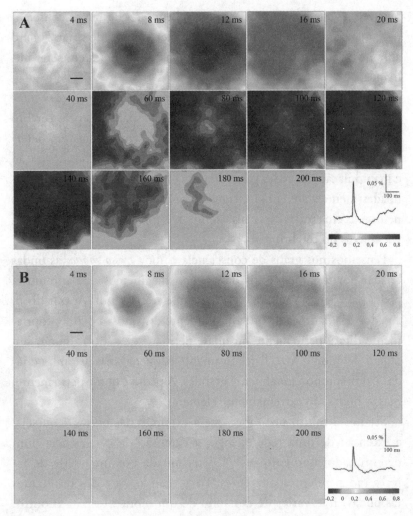

Imagem 4: Redes geradas pelo estímulo dos bigodes da ratazana durante níveis leve (A) e profundo (B) de anestesia[46]. Note-se a ocorrência de uma inibição após a ativação intensa durante a anestesia leve, mas não após a ativação reduzida na anestesia mais profunda. O tempo após o início do estímulo surge nos cantos superiores direitos; note-se a alteração nos intervalos de tempo na segunda e terceira filas. Escala: 500 µm. (Para ver estes exames a cores, ver extratexto 4.)

efeito resultante (impedância elétrica) pelo crânio, com uma resolução temporal duas vezes mais rápida do que a VSDI, cerca de 500 microssegundos![47] Ao passo que a imagiologia ótica com corantes sensíveis a voltagem nunca será possível em seres humanos conscientes – nem tampouco inconscientes –, a metodologia de Brian Pollard abre novas oportunidades para a visualização de redes em seres humanos.

Para que fique bem claro, estou a sugerir que configurações transitórias de redes neuronais de grande escala espalhadas pelo cérebro estão correlacionadas com graus variáveis de consciência em determinados momentos. Se esta teoria se revelar correta, a monitorização e manipulação das redes garantiria uma forma útil de investigar realidades mentais até então intratáveis, estudando as suas correlações neuronais em escalas espaciais e temporais mensuráveis pela primeira vez com as do cérebro real.

Pensemos nos graus de consciência como, *grosso modo*, as ondas criadas por uma pedra atirada à água. Imaginemos que atiramos a pedra para água já agitada pela brisa que se faz sentir. Apesar disso, a pedra cria padrões de ondas claramente distintos: a pedra propriamente dita é permanente ou quase permanente – no mínimo, um objeto definido e fixo. É relativamente pequena, mas as ondas criadas são desproporcionalmente grandes. A pedra é quase permanente, mas as ondas são extremamente efémeras.

Ser-nos-á muito útil saber que a extensão das ondas – ou seja, a extensão de uma rede e, logo, a extensão da consciência num determinado momento – será determinada por uma série de fatores independentes diferentes. Por exemplo, as redes resultantes (as ondas) irão variar de tamanho de um momento para o outro, consoante a força do ativador – digamos, o despertador –, e também consoante a facilidade com que os neurónios sejam sincronizados, o que, por sua vez, depende da disponibilidade de químicos «modulatórios» associados aos níveis de consciência e aos ciclos de sono. Claro que, ao longo da vida, a nossa consciência não é unicamente influenciada pelos sentidos em estado puro. Existem outros fatores que determinam a potencial extensão de uma rede em determinado momento.

Sobretudo, temos a pedra propriamente dita: a par da força externa com que será atirada – ou seja, a força do estímulo psicofísico –, temos de contar com a variação no tamanho, que podemos ver como a extensão de uma rede interna preexistente que é ativada inicialmente. Vimos que tal centro de células ligadas funcionalmente é típico na neurociência: essa ideia foi aventada originalmente em meados do século passado por Donald Hebb, sendo mais tarde validada pelo fenómeno da «potenciação de longa duração»[48], em que as células ativas em simultâneo formam ligações duradouras localizadas que podemos encarar como uma espécie de pedra neuronal. Claro que, por si só, tal centro de células cerebrais interligadas seria demasiado local e permanente, e, com efeito, demasiado lento para acomodar a nossa lista de pontos para a consciência.

Não obstante, é esse tipo de interligação localizada e duradoura que cumpriria o requisito de «pedra» de tamanho variável, tal como a sua ativação pelos estímulos entrados – o som de um despertador, por exemplo – cumpriria o requisito de ativação. Qual seria, então, o equivalente fenomenológico de pedra grande ou pequena, um centro interligado vasto ou modesto? Talvez o comecemos a descobrir conforme o acompanhamos ao longo do dia. Lá fora, o céu está agora mais claro com a luz do dia: está na hora de nos levantarmos.

3

Passear o Cão

Q uando abrimos os olhos e miramos o quarto, o nosso primeiro
  pensamento é o que devemos fazer assim que nos levantarmos.
Neste momento, pelo menos já temos consciência de quem somos,
onde estamos, o que fizemos na véspera e em que dia estamos. E já
não são apenas as doze horas que se seguem, mas sim toda a semana,
o tecido único da nossa existência, que se abre agora numa perspetiva definida e composta. Que poderá ter acontecido no cérebro que
nos levou da consciência simples e passiva de querermos passar mais
um momento precioso enroscados debaixo do edredão para um foco
interior tão preciso?

O imediatismo do quarto vai dando lugar ao mundo turbulento
e hipotético de acontecimentos e encontros que se avizinham, e ao
papel que nós, o indivíduo, nele vamos representar... Sem dúvida, a
nossa consciência, de alguma forma, «aprofundou-se» ou «cresceu»
nos últimos momentos: terá entrado em jogo algum fator que con-
tribuiu para esta visão mais significativa e individual do mundo, algo
que nos levou da indulgência puramente sensorial do momento presente para esta perspetiva «cognitiva» muito mais personalizada.

Levantamo-nos, vestimo-nos e descemos as escadas. O nosso collie
Bobo aguarda-nos, impaciente e ridiculamente extático a tal hora da
manhã, de trela na boca, com a cauda a abanar com vigor. Não temos

tempo sequer para um café, e muito menos para o pequeno-almoço: não teremos paz até embarcarmos de imediato no rotineiro passeio matinal. Mas talvez o ar fresco e o ritmo mecânico de pôr um pé à frente do outro nos dê tempo para reflectir e pensar mais profundamente. Tal como Friedrich Nietzsche em tempos afirmou, «Todas as grandes ideias são concebidas ao caminhar».

Esta sugestão parece ser contraintuitiva: certamente, o cérebro terá recursos limitados, e, quando se levam a cabo duas tarefas em simultâneo – por exemplo, andar e pensar –, um ou outro desempenho deverão sofrer: com efeito, isso foi provado recentemente, sendo a grande intensidade das multitarefas da era digital associada a uma conetividade reduzida em certas regiões cerebrais[1]. Mas uma ideia alternativa diz que, ao contrário das atividades paralelas que sejam semelhantes e compitam pelos mesmos recursos neuronais, pode haver diferentes reservatórios de recursos mentais, cada um destinado a tarefas diferentes: quando as atividades são completamente distintas entre si, pode até haver um efeito *sinérgico*. Pode perfeitamente ser o caso. Um dos benefícios menos conhecidos das caminhadas em ambientes naturais pode ser o melhorar da atenção: assim sendo, o desempenho cognitivo é melhorado quando nos dedicamos ao comportamento completamente diferente de pôr um pé à frente do outro. Entretanto, a pesquisa mostra que a memória funcional é significativamente melhor quando os participantes andam à sua velocidade de eleição[2].

Além disso, a imersão em ambientes naturais, por oposição a ambientes urbanos, pode fazer uma grande diferença no que diz respeito à qualidade com que usamos o cérebro. Investigadores sediados em Ann Arbor, no Michigan, empregaram duas medidas para avaliar o poder cerebral[3]. Em primeiro lugar, para avaliar a atenção, foi selecionada uma tarefa em que os participantes ouviam uma série de números com três a nove dígitos, repetindo-os depois numa ordem inversa: neste caso, o desempenho depende da capacidade de direção de atenção, pois é preciso deslocar elementos no nosso foco de atenção. Trata-se de um componente importante da memória de curto prazo. Em segundo lugar, uma tarefa assistida por computador mediu três tipos de atenção: de alerta, de orientação e executiva, em que a atenção executiva exigia o maior controlo.

Ao empregar estas medidas de capacidade mental, a ideia era testar os efeitos antes e depois de uma caminhada de cinquenta minutos, de pouco menos de cinco quilómetros, no arboreto de Ann Arbor, uma zona que, tal como o nome indica, é dominada por árvores e não conta com tráfego automóvel. Os efeitos deste ambiente foram então comparados com a experiência dos participantes da Baixa de Ann Arbor, a qual, inevitavelmente, implicava a exposição a um ambiente movimentado e ruidoso, com trânsito denso. Ainda mais fascinante, fizeram-se os mesmos testes a um grupo separado de participantes, antes e depois de terem, simplesmente, olhado para fotografias urbanas ou naturais durante cerca de dez minutos. A ideia por trás do uso de fotografias como parte do estudo era acrescentar um modo de comparação ao fator-chave do poder aparentemente benéfico da natureza, o qual se deveria apenas à calma e ao sossego invulgares e não ao ambiente propriamente dito. O curioso é que os resultados mostraram que a experiência de caminhar em ambientes naturais, ou até o simples facto de se ver fotografias por um breve período, produzia um efeito impressionante sobre as funções cerebrais[4]. No caso de quem caminhou no arboreto, ou mesmo de quem apenas viu fotografias de cenários naturais, os resultados dos testes foram significativamente superiores para a atenção executiva: mas o mesmo não pôde dizer-se de quem andou pela Baixa ou viu fotografias de ambientes urbanos. Ao que parece, a simples exposição a ambientes rurais bidimensionais, por via das associações que desencadeiam, promove a capacidade cognitiva: a quantidade total de informação que o cérebro é capaz de reter em determinado momento.

Os investigadores explicam estas descobertas pondo em contraste a atenção reativa e a atenção pró-ativa: os ambientes urbanos, e, com efeito, o grosso da nossa normal vida profissional, estão repletos de estímulos que nos prendem a atenção, quer queiramos ou não. Assim sendo, este tipo de ambiente monopoliza ainda mais processos de atenção reativa para que possamos evitar, por exemplo, sermos atropelados. Por outro lado, um ambiente natural poupa-nos a essa reatividade imparável ao mundo exterior, moldando-nos, em vez disso, subtilmente a consciência de forma mais voluntária e pró-ativa. Somos *nós* que decidimos observar com mais atenção uma planta ou concentrarmo-nos no horizonte longínquo num momento, e depois recostarmo-nos numa árvore: esta sequência de acontecimentos motivada interiormente terá então o benefício adicional de restaurar uma certa sensação de domínio de nós mesmos, de nos proporcionar mais tempo em que desenvolver e aprofundar os pensamentos.

Uma versão porventura mais extrema da experiência com o impacte da natureza implicou um estudo sobre o efeito de uma caminhada de quatro dias no Maine, no Colorado ou no Alasca não só sobre a cognição, mas também sobre o fenómeno mais esquivo da capacidade criativa[5]. Baniram-se todos os dispositivos eletrónicos. Os participantes fizeram um teste de associações remotas, uma forma de avaliar objetivamente a criatividade: o sujeito teria de responder a trinta a quarenta questões, cada uma com três palavras do dia a dia que, à partida, pareciam não estar relacionadas. O objetivo é pensar numa quarta palavra que esteja, de alguma forma, associada a cada uma das três primeiras. A palavra em comum com «partido», «transparente» e «olho» seria, por exemplo, «vidro». Por incrível que parecesse, após uma caminhada de quatro dias, os resultados dos participantes quanto à criatividade e à resolução de problemas eram 50 por cento mais elevados do que os resultados de quem fazia o teste antes da caminhada. Contudo, a natureza extrema e global da intervenção leva a que seja difícil escolher qual dos muitos fatores teve o maior impacte – se o exercício, o ambiente natural envolvente, a ausência de aparelhos eletrónicos ou até mesmo apenas o sono mais descansado, o ar fresco e o acréscimo de interações sociais.

Seja como for, trata-se do mesmo tipo de ambiente exterior em que neste momento nos encontramos, ao sair de casa com *Bobo* a puxar a trela. Pelo menos por agora não teremos de reagir com urgência às distrações fragmentadas que nos alertam incessantemente para os estímulos do mundo exterior: temos mais tempo para digerir as informações sensoriais, para as conjugar, mesmo talvez para juntar os pontos mentais de uma nova forma «criativa». Seja como for, começamos a respirar fundo no ar livre, não só a olhar para fora, mas também para dentro – a pensar.

Bem vistas as coisas, a sensação é exatamente isso: uma experiência momentânea no momento presente. Não depende de um início e de um fim, nem de antecedentes ou de planos futuros: o riso e o grito são respostas espontâneas e atávicas. Assim, o cão que abana a cauda e o bebé a balbuciar estão, respetivamente, a gerar uma expressão evolutiva (filogenética) e de desenvolvimento (ontogenética) do mais primitivo tipo de consciência, aquele que é dominado pela sensação e pela reatividade puras. Em contraste, pensemos agora no maior número de pensamentos que consigamos – uma recordação, uma fantasia, uma argumentação lógica, um plano empresarial: todos têm uma característica essencial e básica que falta à sensação pura, à emoção. Essa questão crucial para um pensamento é, sem dúvida, a janela temporal: tem um início, um meio e um fim a que chegamos, em todos os casos, num lugar diferente do ponto de partida. E como chegámos a essa nova conclusão, a esse remate ou solução? Mediante uma sequência de passos, em que cada um leva ao seguinte num caminho claro e linear: chegamos a falar de «ordenar o pensamento».

Seguindo a mesma «linha» de raciocínio (a piada *foi* intencional), o afamado neurologista Oleh Hornykiewicz, que desenvolveu o ainda atual tratamento para o distúrbio de movimento doença de Parkinson, definiu o pensamento como um «movimento confinado ao cérebro». Assim, e ao contrário de uma emoção, se um pensamento é uma série de passos, então isso seria um tipo de movimento: quanto mais longa a jornada, mais «profundo» o pensamento. Além disso, o ato físico de andar poderia ampliar e, assim, talvez intensificar este processo interior: ao refletir em movimento externo o que decorre no cérebro, havendo uma ligação causal clara entre um passo e o seguinte, com o mental a fazer cumprir o físico, a contração repetitiva de músculos pode ajudar a impedir que a mente «divague», a impedir que, literalmente, saia do caminho.

E passear um cão pode intensificar ainda mais o processo... Tal como o jornalista político Ed Stourton registou no seu delicioso *Diary of a Dog Walker*, «Passear o cão passa a ser como ler um romance, ou assistir a uma peça de teatro: a descrença fica suspensa e, durante talvez uma hora, temos autorização para fugir à vida normal. A fantasia ganha asas, e momentos triviais na vida de um cão transformam-se em fonte de pasmo que provocam gargalhadas ou nos deixam preocupados»[6].

Quem tiver um cão vai provavelmente insistir que o cão estava consciente – caso contrário, para quê dedicar tanto tempo e dinheiro ao animal de estimação? Tal como diz Ed Stourton, «Embora possamos saber que um cão é só um cão, continuamos a falar dos cães e a pensar neles como amigos, indivíduos que merecem toda a nossa atenção». Mas quão consciente é um cão, e em que pode uma experiência subjetiva canina diferir da nossa?

CONSCIÊNCIA NÃO HUMANA

Trata-se da mesma questão básica que nos surgiu na altura da discussão sobre a consciência fetal: quando se acendem as luzes no interior da nova cabeça humana? Talvez estes enigmas comparáveis, suscitados tanto pelos fetos como pelos animais, nos deem uma pista. Pensemos então um pouco mais na consciência não humana por oposição à consciência humana, tal como pensámos na consciência fetal no capítulo anterior: tal como a consciência pode crescer conforme o indivíduo cresce (ontogeneticamente), será que esse processo não se poderá verificar numa fase evolutiva (filogenética)?

Dito de outra forma, poderia a consciência ter-se desenvolvido paralelamente à evolução?

O cérebro humano é diferente do cérebro da ratazana, do esquilo, do coelho, do camelo, do gato, do macaco, etc., tal como cada espécie é diferente uma da outra. No reino animal, cada espécie tem uma estrutura cerebral característica, com as suas variações próprias, em que certas regiões anatómicas podem desenvolver-se à custa de outras, algumas podem assumir uma forma exagerada, e a dimensão global do cérebro variará profundamente. No entanto, a estrutura básica é a mesma: não existe uma linha anatómica clara, um Rubicão que se possa atravessar e onde poderemos dizer com toda a confiança: «Esta espécie é consciente. Aquela espécie é apenas uma máquina insensata.»

Pensemos por um instante no exemplo apontado por Toby Collins, biólogo marinho que se deixou fascinar pela neurociência e que acabou a trabalhar no meu laboratório. Graças à perspetiva invulgar que trouxe da sua anterior encarnação profissional, Toby levantou algumas questões interessantes acerca do polvo. Em muitos países de todo o mundo, a legislação governamental regula com mão pesada as experiências com animais vivos – regra geral vertebrados –, para garantir que os procedimentos são tão humanos e indolores quanto possível. Curiosamente, pelo menos no Reino Unido, a lista de espécies protegidas por estas leis também inclui um invertebrado, o *Octopus vulgaris*: não podemos realizar procedimentos invasivos, como por exemplo uma cirurgia sem anestesia, pelo que se deve pressupor que o animal sente dor. Todavia, a *Eledone cirrhosa*, uma espécie de polvo muito próxima, não está incluída em tal legislação, pelo que não merece uma consideração comparável. Mas onde se encontra a distinção? Não existe um diferencial anatómico real e significativo entre estes dois tipos de polvo, mas contudo, paradoxalmente, um é alvo de proteção legal, ao passo que o outro não. Não existe uma linha clara em que possamos dizer, com confiança inequívoca, que um animal é capaz de um estado subjetivo interior, ao passo que o outro não passa de uma espécie de máquina com oito tentáculos.

Lembra-se do Campeonato do Mundo de Futebol de 2010, quando o famoso polvo *Paul* parecia ser de tal modo «consciente» que previa os resultados dos jogos que se avizinhavam? Não obstante, os cefalópodes como *Paul* nunca foram avaliados formalmente no que diz respeito à sua «inteligência», quando comparados com outras espécies próximas: todavia, desde há muito que são usados em experiência sobre a memória graças ao destaque que lhes foi atribuído por J. Z. Young, jovem e talentoso biólogo marinho que trabalhou em Nápoles na década de 1920 e que era fascinado pela sua anatomia. Young foi o primeiro a mostrar que o polvo é realmente capaz de processos cognitivos significativos: por exemplo, os polvos conseguem discriminar entre objetos diferentes com base na dimensão, na forma e na cor[7]. Além disso, o modo como os polvos classificam objetos com formas diferentes revelou ser o mesmo que é empregue por vertebrados como os peixes-dourados e as ratazanas[8].

Mais recentemente, os polvos mostraram as suas capacidades de memória e de resolução de problemas aprendendo o caminho correto ao longo de um labirinto de plexiglas ou retirando um objeto do interior de uma garrafa transparente selada com uma rolha[9]. De um modo mais geral, como grupo, os cefalópodes parecem ser capazes de um impressionante repertório comportamental de adaptação, com relatos de aparente aprendizagem que indicam capacidades de atenção e de memória extremamente desenvolvidas. E nas experiências em que um polvo foi confrontado com um labirinto com obstáculos, os cientistas chegaram ao ponto de sugerir que o animal pareceu «avaliar» a disposição do labirinto antes de avançar[10]. Este cefalópode claramente intelectual consegue até resolver problemas mediante aprendizagem observacional, não só por meio de imitação, mas de uma forma que implica verdadeiras capacidades de memória[11].

A surpreendente capacidade mental destes invertebrados sugere que os polvos em particular, e os cefalópodes em geral, deviam

poder reivindicar o seu direito à consciência, como qualquer outra espécie do reino animal. Todavia, se assim for, deparamo-nos
com um problema realmente interessante. O cérebro do polvo não
apresenta nenhuma semelhança com o dos mamíferos, pois não
apresenta certas zonas anatómicas, como o córtex e o circuito talamocortical, consideradas tão vitais para a consciência, de nenhuma
forma comparável.

O cérebro de um polvo adulto é composto por 170 milhões de
células, a maioria das quais neurónios[12]. Embora isto pareça impressionante, o cérebro humano contém, pelo menos, 86 mil milhões[13].
Não obstante, os cefalópodes como o polvo possuem recetores sensoriais sofisticados e sistemas nervosos comparáveis, em complexidade,
aos de alguns vertebrados, como as aves. Todavia, embora o cérebro
cefalópode possa não ter circuitos talamocorticais precisos e elabora-
dos, *tem* a maquinaria mais básica dos neurónios e sinapses, a par de
transmissores como dopamina, noradrenalina e serotonina[14]. Assim,
embora ainda não tenha sido comprovado diretamente, o polvo sem
dúvida consciente teria o potencial de gerar redes. Já vimos que de-
víamos estar recetivos a tudo, não nos prendendo à estrutura rígida
das regiões macroanatómicas, e que, seja como for, áreas cerebrais
fundamentais nunca garantem uma explicação real quanto à forma
como a consciência é gerada. Em vez disso, as diferenças nos cérebros
não mamíferos provam mais uma vez que as redes serão um ponto de
partida mais útil para a identificação de correlações neurais de consciência: afinal de contas, estes fenómenos de mesoescala são menos
anatómica e fisiologicamente exclusivos de certos tipos de cérebro
animal. A par disso, as redes são análogas, e, logo, flexíveis, expan-
dindo-se e contraindo-se continuamente em dimensão (e, logo, com
o potencial para criar uma consciência variável) de um momento
para o outro, de uma fase de desenvolvimento para outra – e, com
efeito, de uma espécie para outra.

Pode bem ser que animais «simples» como o polvo sejam realmente conscientes, mas não tão conscientes como a ratazana, por

exemplo. E a ratazana é consciente, mas não tão consciente como um cão ou um gato. E cães e gatos são conscientes, mas não tão conscientes como os primatas – tal como vimos que um feto pode ser consciente, mas não tão consciente como uma criança; e uma criança pode ser consciente, mas não tão consciente como um adulto. Mas assim, onde se encontrará o tão importante diferencial evolutivo *quantitativo*, do ponto de vista da consciência? Se for, como no caso do polvo, o potencial básico de criar agrupamentos neuronais transitórios de grande escala, então talvez, como no caso do enigma do feto no capítulo anterior, a questão fulcral seja a dimensão da rede. Regressemos aos vários parâmetros que determinam esta estimativa final para a profundidade da consciência – a dimensão das ondas quando se atira uma pedra. Esta metáfora continuará a ser útil, já que a podemos usar para deslindar os diferentes fatores que contribuem para o resultado final. A excursão das ondas subsequentes vai variar bastante, pois as pedras podem variar de tamanho, tal como pode ser diferente a força com que são atiradas – e esta analogia é sustentável durante a exploração dos processos cerebrais. Agora que temos uma boa lista de compras, podemos por fim visitar o cérebro e investigar qual pode ser a pedra neuronal e qual o processo cerebral que seja equivalente a atirá-la.

FAZER ONDAS: TAMANHO DA PEDRA E FORÇA DE LANÇAMENTO

Quem quer que seja, novo ou velho, seja qual for o cérebro que tem, seja humano ou de outra espécie, a menos que seja surdo como uma porta, um alarme vai sempre acordá-lo. Porquê? Porque há de um barulho invulgarmente alto forçar-nos a ganhar consciência?

Podemos pensar no alarme como o equivalente em neurociência de atirar uma pedra. Até uma pedra pequena, quando atirada com força suficiente, pode gerar as tão importantes ondas: o barulho (o lançamento) seria sonoro o suficiente a ponto de ativar, por meio dos caminhos sensoriais normais, um centro de células cerebrais relacionadas com a audição (a pedra) tão forte que levará à ativação de outro agrupamento, bem mais vasto, de células, ou seja, vai gerar-se uma rede (as ondas) temporária. Qualquer animal com um sistema auditivo funcional, qualquer que seja a sua idade ou cultura, vai ser arrancado ao sono pelo barulho forte e deixado num qualquer estado de consciência. O tipo de consciência resultante é outra questão diferente, que não nos interessa por agora: o fator essencial aqui é, simplesmente, o ativador – a dimensão e a força do lançamento da pedra como determinantes da extensão final das ondas.

Enquanto a força do lançamento da pedra – o volume do alarme, por exemplo – é determinada por fatores externos, a dimensão da pedra vai depender da estrutura interna do cérebro individual em causa. Em qualquer espécie (mas sobretudo nos animais mais sofisticados, como nós), a configuração e as ligações dos centros individuais de células cerebrais podem ser cruciais para determinar o fator variável importante seguinte: o equivalente neural da dimensão da pedra. Conforme o nosso cérebro se vai desenvolvendo, as ligações são moldadas pelas nossas experiências no mundo exterior: este fenómeno, em que a experiência deixa, quase literalmente, a sua marca no nosso cérebro, é, tal como já vimos, conhecido como «plasticidade».

Nos cérebros de todas as espécies há neurónios que são ativados, em intensidades diferentes, pela informação dos sentidos (a força variável do lançamento da pedra): mas o número de neurónios num centro (o tamanho da pedra) varia independentemente, de acordo com a configuração e conetividade específicas dos neurónios no cérebro de um animal. Isso significa que o *mesmo* som ou imagem, com a *mesma* intensidade, terá efeitos *diferentes* em cérebros diferentes, conforme a respetiva dimensão da pedra varia – ou seja, o número de células capazes de serem ativadas. A extensão deste centro, por sua vez, vai depender de um fator adicional crucial: interação pessoal anterior com o ambiente individual. Quanto mais sofisticada a espécie em questão, maior a capacidade de uma experiência individual ter deixado a sua marca no cérebro e maior a variação no tamanho das pedras. Pensemos então outra vez na pedra atirada para a água: não é preciso ser atirada com força – como no caso brutal do despertador. Em vez disso, as ondas geradas podem ser extensas simplesmente porque a pedra é grande; em jargão neurocientífico, um centro de células cerebrais que se expandiu gradualmente graças a ligações persistentes e fixas, incentivadas, por sua vez, pela experiência individual que explora a plasticidade cerebral.

Este crescimento de conetividade impelido pela experiência, e, logo, o maior tamanho da pedra, pode também ocorrer, embora em menor grau, em não humanos. Vejamos as ratazanas adultas, por exemplo. Uma ratazana pode não atribuir grande importância pessoal à mãe, mas as experiências ambientais particulares no mundo que a rodeia vão, não obstante, deixar a sua marca no cérebro do roedor. Uma maneira popular de observar esse efeito em laboratório é criar o chamado «ambiente enriquecido». Para uma ratazana, enriquecimento não implica alimentos exóticos proporcionados por um dispensador com joias engastadas, nem viver em gaiolas douradas. Em vez disso, enriquecimento refere-se a um ambiente que estimula o mais possível o cérebro: assim, se pretendemos dar uma estimulação ótima a uma ratazana, basta garantir-lhe oportunidades para intensas experiências exploratórias com diversos objetos novos (ver imagem 5).

Apesar da sua demonização generalizada tanto na realidade como na ficção, as ratazanas são criaturas inteligentes e curiosas que, se tiverem oportunidade, encetam a exploração total do local onde se encontram. Concomitantemente, o cérebro da ratazana reflete esse estilo de vida. A primeira demonstração empírica de tal plasticidade *dependente de experiências* num ambiente enriquecido ocorreu na década de 1940: Donald Hebb, sobre quem já falámos, levou ratazanas de laboratório para casa e deixou-as experimentar um novo ambiente interativo, muito diferente do que tinham nas suas gaiolas habituais no laboratório. Depois de algumas semanas em casa de Hebb, estas ratazanas «criadas em liberdade» exibiram uma superior capacidade de resolução de problemas quando comparadas com as suas primas menos felizardas do laboratório, que haviam permanecido nas suas gaiolas normais.

Contudo, o facto palpável de que existem alterações físicas concretas nos circuitos neuronais como resultado do estímulo só foi comprovado diretamente décadas mais tarde[15]. Os cientistas pretendiam identificar os mecanismos neuronais subjacentes às diferenças individuais no comportamento e na resolução de problemas de várias estirpes de ratazanas, mas rapidamente notaram a enorme influência do aumento de experiência.

Tal como podemos imaginar, o impacte do enriquecimento ambiental tem merecido muita atenção por parte de neurocientistas e psicólogos: sabemos agora que o enriquecimento provoca impacte numa grande variedade de espécies, de todas as idades. Estudos levados a cabo ao longo das últimas décadas com animais «enriquecidos» mostraram claras alterações anatómicas, todas elas positivas[16]: tanto os sujeitos jovens como os mais maduros têm resultados superiores em testes de memória espacial, ao passo que até um breve período de enriquecimento ambiental recupera défices de memória adulta numa certa estirpe de ratos modificados geneticamente, usados como modelo animal para a doença de Alzheimer[17]: além disso, este tipo de estímulo induz neurogénese (produção de novas células cerebrais) e melhorias na memória[18].

O enriquecimento ambiental, mesmo nas ratazanas, pode também, de um modo mais geral, ajudar a retardar ou a mitigar danos cerebrais. Por exemplo, a doença de Huntington é um distúrbio herdado de gene único em que ocorre uma neurodegeneração progressiva e para a qual não se conhece cura. Investigaram-se ratos transgénicos (geneticamente modificados) que, com o passar do tempo, desenvolveram uma síndrome neurodegenerativa que reflete as dificuldades crescentes de movimentos associados à doença humana:

Imagem 5: Um ambiente enriquecido típico de ratazanas (de Devonshire, Dommett e Greenfield, inédito).

contudo, a exposição destes ratos a um ambiente enriquecido estimulante desde tenra idade ajuda a impedir a perda de tecido cerebral e retarda o início de distúrbios motores[19], bem como de danos cerebrais incapacitantes[20].

A duração da experiência de enriquecimento é um fator crucial. Por exemplo, um estudo investigou como diferentes períodos de enriquecimento afetavam o comportamento de ratos – especificamente, a locomoção – ao longo de períodos de uma, quatro e oito semanas. Uma semana de enriquecimento ambiental não fez nada, mas quatro semanas provocaram efeitos comportamentais que duraram dois meses, e oito semanas levou a efeitos que se prolongaram por seis meses. Obviamente, será necessário um período mínimo de enriquecimento para que se assista a efeitos estruturais e funcionais, podendo estas consequências estender-se além do período da experiência, estando a persistência dos efeitos ligada diretamente à duração original do enriquecimento[21].

Todos estes estudos atestam a importância de um fator-chave básico: a interação de um animal, independentemente da espécie e sua respetiva capacidade cognitiva, num cenário ambiental estimulante. Já se encontraram alterações induzidas pelo ambiente semelhantes em ratos, gerbilos, esquilos, gatos, macacos e até em aves, peixes, moscas-da-fruta e aranhas – ou seja, todos os animais, «desde as moscas aos filósofos»[22]. O importante não é apenas a exposição passiva a uma cena nova, mas sim como o sujeito em questão – mais especificamente, o cérebro particular – reage a ela.

O ambiente interativo faz com que as células cerebrais trabalhem mais, levando a que, quais músculos exercitados, elas cresçam. Contudo, se observarmos uma célula cerebral isolada nos animais expostos ao enriquecimento, em contraste com os mantidos em gaiolas laboratoriais normais, vemos que essas células cerebrais não reagem da mesma maneira que os músculos. As nossas células cerebrais não se limitam a ficar maiores, como acontece com os músculos; em vez disso, desenvolvem mais ramificações, conhecidas como «dendrites»[23]. Embora os roedores sejam as espécies mais comummente testadas, também nos primatas o ambiente provoca alterações estruturais e químicas, incluindo maior ramificação dos neurónios[24]. Porque será isto particularmente interessante ou relevante? Porque, ao aumentar as ramificações, a célula cerebral aumenta a sua área de superfície, o que significa que pode estabelecer mais ligações.

Como seria inevitável, este tipo de paradigmas de enriquecimento ambiental muito controlados só podem ser investigados sistematicamente em não humanos; é difícil imaginar um ambiente igualmente controlado para pessoas. No entanto, este aumento dependente de experiências de conetividade das células cerebrais pode, mesmo assim, ter implicações importantes para a nossa espécie. À medida que o cérebro se torna mais sofisticado no reino animal, o significado das ligações personalizadas será importante para a estruturação única de configurações neuronais no cérebro, garantindo ao indivíduo uma visão única e exclusiva do mundo[25]. Sabemos que quando o cérebro humano cresce, nos primeiros anos de vida, este crescimento não se deve à proliferação em número das células cerebrais, mas sim ao aumento de ligações entre elas.

No córtex humano, o número de sinapses (as ligações entre neurónios) aumenta rapidamente na vida pré-natal e continua a crescer durante um breve período após o nascimento. Daí em diante, o número de sinapses desce lentamente ao longo de um certo período de tempo, desde aproximadamente os seis meses de vida e durante a adolescência, chegando a um nível estável na idade adulta[26]. Num estudo com imagiologia em sujeitos humanos entre os quatro e os vinte anos de idade[27], viu-se que o córtex aumentava de volume durante o desenvolvimento cerebral até por volta dos dez ou onze anos nos rapazes, e os oito ou nove anos nas raparigas, antes de decrescer lentamente, consequência da poda sináptica: em consequência, o cérebro torna-se então menos aberto a qualquer possibilidade e mais adequado a responder às necessidades individuais[28].

Nos adultos temos muitos exemplos de plasticidade cerebral humana, sendo a conetividade neuronal moldada incessantemente pelo ambiente, ilustrando, nas mais variadas situações, como as alterações estruturais no cérebro não se limitam a acompanhar a aprendizagem de novas competências, refletindo também a vida diária. Há dois tipos gerais de estudo com sujeitos humanos que revelam esse fantástico talento do nosso cérebro.

O primeiro tipo compreende os estudos instantâneos, tal como aquele que vimos com os taxistas londrinos[29], nos quais, com uma observação única, profissionais ou peritos que se dedicam a um tipo particular de comportamento durante períodos de tempo invulgarmente intensos e longos mostram diferenças marcadas quando comparados com pessoas com menos perícia ou dedicação. Vejamos, por exemplo, os matemáticos: o tempo que passam envolvidos com matemática leva a um aumento da densidade celular numa área do córtex (o lobo parietal) que se prende com o processamento aritmético ou visual. Depois temos os músicos, em cujo cérebro surgem estruturas que diferem marcadamente das dos não músicos. Os exames cerebrais a teclistas profissionais, amadores e não músicos revelam aumentos de matéria cinzenta numa série de regiões cerebrais motoras, auditivas e visuais-espaciais. Além disso, existem ligações marcadas entre a capacidade de um músico e a intensidade da sua prática, o que sugere que essas diferenças anatómicas estão relacionadas com o processo de aprendizagem propriamente dito e não com uma predisposição inata para a música[30].

A prática intensa de piano, sobretudo, tem efeitos específicos, em determinadas regiões do cérebro, no desenvolvimento de ligações neuronais (matéria branca) em sujeitos de todas as idades – crianças, adolescentes e adultos. Tal como seria de esperar, os cérebros em desenvolvimento das crianças mostram níveis mais elevados de plasticidade. Mas outros grupos etários continuam a mostrar efeitos, embora, desta vez, apenas no córtex: obviamente, há janelas temporais específicas («períodos críticos») que desempenham um papel na plasticidade regional de certas áreas do sistema nervoso central[31].

Tendo em conta a diversidade tão abrangente de capacidades como conduzir um táxi, tocar um instrumento musical e dedicar tempo a problemas matemáticos, talvez não surpreenda que outras atividades profundamente diversificadas possam também deixar a sua marca no cérebro. O golfe, por exemplo: numa análise de exames cerebrais a golfistas mais e menos competentes e a não jogadores, só se revelaram maiores volumes de matéria cinzenta em determinadas estruturas cerebrais nos jogadores competentes[32]. E, em matéria de adaptabilidade cerebral, o golfe não tem nada de único como desporto. Também encontramos a plasticidade decorrente da experiência no cérebro dos jogadores de basquetebol, desta ver como incremento numa zona conhecida como o «piloto automático» do cérebro (cerebelo), relacionada com a interação sensorial-motora intensamente coordenada, o tipo de desempenho motor complexo visto nos jogadores profissionais[33].

Temos depois um outro tipo completamente diferente de experiência. Em vez de nos limitarmos a obter um instantâneo único do cérebro de peritos dedicados e compará-lo com os comuns mortais, a segunda forma alternativa de investigação da plasticidade cerebral humana é com estudos longitudinais. Desta vez, a experiência decorre com múltiplos testes ao longo de um período de tempo definido, para que se possa observar os efeitos anteriores e posteriores de determinada experiência no mesmo sujeito «médio»: os participantes seriam pessoas normais que começariam sem competências especiais, mas que aprenderiam uma atividade ou capacidade específicas durante a experiência.

Por exemplo, aprender uma língua incentiva a plasticidade cerebral, aumentando a densidade da matéria cinzenta; as alterações observadas correspondem ao nível de competência com a língua. Num outro estudo, a plasticidade cerebral no sistema linguístico estava associada ao aumento de competência numa segunda língua: cinco meses de aprendizagem de uma segunda língua por parte de nativos ingleses a estudar alemão na Suíça resultou em alterações estruturais (no giro frontal inferior esquerdo) que acompanharam o aumento da competência. Mais uma vez, o que conta é o processo de aprendizagem, refletido nas alterações da estrutura cerebral[34].

Num projeto muito diferente, pediu-se a sujeitos que aprendessem malabarismo com três bolas, tarefa em que a perceção e a antecipação são essenciais para determinar corretamente os movimentos que se avizinham. Os voluntários dedicaram-se a um treino diário durante um período de três meses: levaram-se a cabo exames antes do treino, depois de três meses, e, mais uma vez, após seis meses, não havendo malabarismo entre os terceiro e sexto meses. Depois de três meses de malabarismo verificou-se um aumento na dimensão de uma parte específica do córtex. No entanto, essa alteração foi de pouca dura. O desempenho foi muito pior no exame dos seis meses, tendo-se as alterações estruturais praticamente revertido. Um estudo subsequente mostrou que as adaptações cerebrais já haviam ocorrido passados sete dias do início do treino. Como essas transformações são mais rápidas durante as primeiras fases do processo de aprendizagem, quando o grau de desempenho é baixo, parece que o crucial para a alteração na estrutura cerebral é estar-se a aprender uma nova tarefa, e não a prática continuada de algo já aprendido[35].

Mas não é apenas a aprendizagem formal e a atividade física que têm consequências nas ligações neuronais. Um dos mais intrigantes estudos sobre a plasticidade alguma vez realizados baseou-se nos efeitos do tocar piano. Ao longo de apenas cinco dias, enquanto os sujeitos aprendiam um exercício de uma mão com cinco dedos em sessões diárias de duas horas, a imagiologia mostrou que as áreas do córtex que visavam os músculos em questão haviam-se expandido, e o seu ponto de ativação era mais baixo: não se verificaram alterações nos sujeitos de controlo que se submeteram a vigilância diária, mas não praticaram ao piano[36]. Estas descobertas são semelhantes às do estudo com piano referido anteriormente, mas esta investigação particular foi mais longe. Ainda mais surpreendente, tais alterações verificadas no cérebro foram observadas com apenas prática mental, em que um grupo diferente de sujeitos teria de imaginar estar a tocar piano, sem que o fizesse realmente. Este resultado mostra-nos, então, que não podemos falar de mental como antítese de físico: essa velha dicotomia já não faz sentido e não é útil nem para formular nem para responder às grandes questões relacionadas com a mente e a consciência.

A outra inferência extraordinária quanto à descoberta deste estudo é que, em matéria de função cerebral, o importante para a plasticidade não é propriamente a contração do músculo físico: em vez disso, o importante é o pensamento que a precedeu. Estes exames cerebrais comprovam a observação de Oleh Hornykiewicz de que «O pensamento é movimento confinado ao cérebro».

Podemos retirar muitas conclusões de todas estas explorações da plasticidade, mas as duas mais importantes serão talvez que tanto a atividade física como a mental deixam a sua marca no cérebro, e que esta plasticidade não é exclusiva de um conjunto especial de neurónios, parecendo ser um fenómeno genérico que ocorre por todo o cérebro. Em maior ou menor grau, todos os cérebros, até o de uma lesma-do-mar[37], adaptam-se à experiência, mas a nossa espécie sobrepõe-se a todas as outras. A forte interdependência entre natureza e educação que agora sabemos caracterizar grande parte da biologia[38] tende em grande medida para o ambiente quanto ao desenvolvimento das funções mentais humanas e da mente individual.

Trata-se de uma noção espantosa: durante os cem mil anos de existência da nossa espécie, nunca ninguém teve um cérebro, ou, mais precisamente, uma mente, como a nossa – nem poderia voltar a ter. À medida que se desenvolvem, os seres humanos vivem a sua vida cada vez menos num estado em que cada momento consciente é ativado por meros estímulos sensoriais, precisando de uma reação imediata, e muitas vezes mais estereotipada. Conforme cada um de nós se desenvolve, temos a tendência crescente para uma experiência cognitiva – algo que vai além do valor puramente facial dos encontros com os vários objetos, pessoas e acontecimentos da vida diária. Como resultado, somos libertados das perceções sensoriais puras para termos uma visão mais profunda e personalizada do mundo. Como chegar a isto?

DESENVOLVER UMA MENTE

Segundo as palavras de William James, considerado por muitos o pai da psicologia americana, nascemos como bebés para uma «confusão fervilhante». Mas gradualmente, conforme as semanas se transformam em meses e estes se convertem em anos, aquilo que antes eram cores, formas, texturas e cheiros abstratos aglutinam-se em algo que é, digamos, o rosto da nossa mãe. Como a mãe é recorrente na nossa vida, ela torna-se «significativa» para nós, e a base dessa importância leva à formação de cada vez mais associações. Tal como nos exemplos da plasticidade, o cérebro adapta-se a uma configuração única de ligações de células cerebrais: a nossa mãe passa a «significar» algo para nós que é completamente único, mesmo entre os nossos irmãos. É por meio destas ligações extremamente personalizadas que conseguimos fugir à pressão dos sentidos puros, entrando num estado mais cognitivo em que passamos a ver, literalmente, além do valor facial.

Lentamente, passamos de uma rua de sentido único de bombardeamento sensorial para um diálogo entre o cérebro e o mundo exterior. Agora, em vez de nos encontrarmos numa confusão constante de cores e sons abstratos, os estímulos que nos chegam – uma pessoa, um objeto, um acontecimento – vão «significar» algo. Iremos avaliá-los segundo a conetividade neuronal existente, ao mesmo tempo que a experiência de o fazer continua a atualizar o estatuto dessas ligações neuronais. Podemos agora reconhecer a nossa mãe por meio das associações, das ligações entre os nossos neurónios particulares, os quais nos são exclusivos e ao nosso cérebro.

Num outro exemplo, uma aliança de casamento pode começar por ser interessante para um bebé por causa das propriedades sensoriais – o brilho do ouro, o buraco central, a superfície lisa e arredondada. Mas à medida que as ligações associadas à aliança se vão estabelecendo gradualmente, o objeto vai ganhando sentido como um tipo de objeto particular, vindo a definir-se como algo que se põe num dedo específico, e só em circunstâncias particulares. Depois, quando tivermos uma aliança de casamento nossa, esse objeto específico terá um significado específico, além do valor financeiro, uma relevância que outra aliança igual não terá, graças às experiências personalizadas e, logo, às ligações neuronais únicas que funcionam exclusivamente no nosso cérebro. São estas ligações entre os neurónios, sem nada que ver com as propriedades intrínsecas do objeto físico propriamente dito, que dão a esta aliança específica um significado profundo e «especial», embora, dum ponto de vista puramente sensorial, não seja nada excecional.

A diferença entre uma qualquer aliança velha e aquela específica que possa ser, ou talvez tenha sido, o objeto mais importante da sua vida, está unicamente na nossa cabeça. Desta forma, a rua até então de sentido único passa a ter trânsito em ambas as direções. Tudo aquilo que experienciamos a cada momento é avaliado segundo um arquivo de associações preexistentes: mas, ao mesmo tempo, essa experiência presente estará a atualizar a conetividade, alterando-a para sempre. Conforme crescemos, o desenvolvimento da nossa «mente» é caracterizado por este diálogo cada vez mais vigoroso e único entre o nosso cérebro e o mundo exterior.

Assim sendo, a «mente» humana, longe de ser uma alternativa etérea e exótica à esqualidez diária do cérebro físico, pode ser vista como a personalização do cérebro mediante a configuração única das ligações neuronais, impelidas, por sua vez, por uma experiência individual única[39]. O neurónio Halle Berry que encontrámos lá atrás poderia ser ativado por associações não visuais puramente cognitivas com a atriz, que fariam parte desse centro fixo. O nosso cérebro é único porque temos ligações neuronais únicas, refletindo essas redes a nossa experiência individual. Assim, aquilo que vivemos determina como vemos o mundo: há uma interação constante entre a forma como avaliamos tudo o que nos rodeia dum ponto de vista de redes preexistentes, enquanto, ao mesmo tempo, a experiência presente atualiza constantemente essa conetividade.

O mecanismo neuronal subjacente a esta conetividade fixa – processo conhecido como «potenciação a longo prazo» (PLP) ou «depressão a longo prazo» (DLP) – foi delineado ao pormenor por neurocientistas ao longo de várias décadas[40]: contudo, a cuidadosa cascata deste acontecimento bioquímico agora firmado é demasiado lenta a formar-se, demasiado duradoura e demasiado local para acomodar um momento de consciência – ou uma rede neuronal.

Todavia, a «mente» não é sinónimo de consciência, tal como deduzimos no capítulo 1 – elas podem separar-se, já que são operacionais independentemente uma da outra. Por exemplo, durante o sono, ninguém pode afirmar que «perdemos o juízo», e, com efeito, a conetividade personalizada prossegue, ao passo que nas ocasiões em que «perdemos o juízo» continuamos conscientes, mas o processamento do ambiente imediato e/ou o comportamento decorrente não depende da extensão total das ligações. Claro que, regra geral, este juízo, ou mente, embora distinguível da consciência, estará a desempenhar um papel na experiência subjetiva diária: o tamanho da pedra será um fator importante na determinação da dimensão única das ondas – o grau momentâneo de consciência.

Resumindo: é a combinação da *força* do lançamento, ou seja, o grau de ativação (fenomenologicamente, o estímulo sensorial puro) e a sua *dimensão*, a conetividade neuronal local fixa (fenomenologicamente, o «sentido» personalizado) que vai determinar a eficácia global do lançamento da pedra, ou seja, a vastidão das ondas, ou a dimensão da rede (fenomenologicamente, o grau de consciência em cada momento). Podemos ver esse esquema na imagem 6, em que as entidades cerebrais distintas, mente e consciência, estão, não obstante, interligadas, servindo as redes neuronais de processo central.

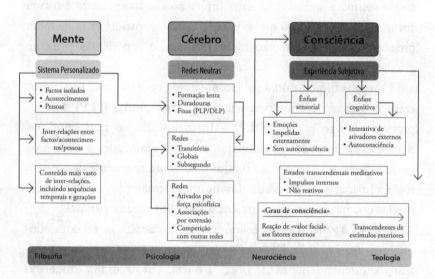

Imagem 6: «Mente», «Cérebro» e «Consciência»: «Mente» é a personalização do cérebro por meio da plasticidade adaptativa de ligações locais e duradouras entre células cerebrais (ver «Cérebro») que pode, não obstante, ser expressa em terminologia fenomenológica relacionada com factos, acontecimentos e pessoas. Contudo, no cérebro, os centros «fixos» correspondentes podem, caso ativados e na presença de moduladores potentes, dar origem a uma rede muito mais global e efémera, que irá correlacionar-se à consciência em vários graus (ver «Consciência»). Os graus de consciência estarão relacionados com as contribuições relevantes das informações sensoriais externas e com as cognitivas interiorizadas. A consciência mais básica, partilhada pelos bebés e pelos não humanos, será sensorial, ao passo que a mais sofisticada – os estados cognitivos ativados por exclusivo internamente – seria exemplificada pelo comportamento humano como a meditação.

DA MENTE À CONSCIÊNCIA

Imaginemos que alguém vê a mãe, uma figura familiar e importante, cuja imagem, qual pedra grande, vai desencadear uma vastidão de associações (uma rede vasta de ligações). Ao fazê-lo (o ato de atirar a pedra), o seu sistema visual entra em ação e, daí a pouco, este centro de células fixo e ligado de forma persistente e local começa a dar sinal. Mas agora deparamo-nos com a grande questão: como vai este centro – esta pedra neural que acabou de ser atirada – recrutar outras células remotas, que normalmente não estão fixas, para criar uma rede muito mais vasta, embora efémera? Esta questão assume tais proporções porque agora temos de ir além dos mecanismos neuro-científicos familiares da plasticidade (o tamanho da pedra que cai na água) para ver como as ondas metafóricas podem ser geradas para se correlacionarem com os vários graus de consciência.

A resposta está no estatuto dos poderosos químicos moduladores nesse momento específico: a família de moléculas espalhadas por vastas áreas cerebrais de acordo com os diferentes níveis de excitação. Os químicos que estiverem disponíveis no momento vão sensibilizar, ou modular, a reação das células circundantes ao centro fixo ativado (a pedra), levando-as a participar numa rede (criando ondas). Por sua vez, a facilidade com que todas estas células adicionais são recrutadas temporariamente para trabalhar em conjunto depende desta família de químicos emitidos (fenomenologicamente, os níveis de excitação e o espírito dominantes em cada momento): este é, assim, mais um fator para a geração de redes. A disponibilidade variável destes moduladores será análoga à variação da viscosidade (ou seja, a espessura) da água, a qual, caso esteja densa com algas, será um meio menos eficaz para a propagação de ondas do que se estivéssemos na presença de água limpa da chuva.

O grau de consciência em cada momento, logo, a extensão das ondas, resultará 1) da ativação sensorial pura por estímulos externos (a força do lançamento da pedra), 2) do significado personalizado gerado internamente (a dimensão da pedra), por sua vez refletido no grau de conetividade neuronal fixa a longo prazo, bem como 3) dos níveis gerais de excitação, ou seja, a disponibilidade de certos moduladores emitidos (a viscosidade da água). A ser realmente este o caso, será possível manipular diferencialmente o domínio relevante de qualquer destes três fatores.

Imaginemos um cenário em que a pedra é relativamente pequena. Tal como no caso do alarme, o estímulo sensorial puro teria de ser suficiente para recrutar uma rede – mesmo que relativamente pequena. Imaginemos, por exemplo, que estamos a dançar numa discoteca de Ibiza ao ritmo insistente da música e das intermitentes luzes fantasmagóricas. Durante tal experiência «sensorial», a sua conetividade cuidadosamente construída não será nem relevante, nem necessária. Uma segunda forma de desarmar as suas ligações neuronais personalizadas será o consumo de substâncias psicoativas, algo que poderá já fazer parte da experiência da rave: as drogas perturbam a eficácia sináptica do centro fixo, pelo que, funcionalmente, será menos eficaz.

Para muitos, o álcool é um caminho rápido para o prazer, algo que, logo, também deverá reduzir a dimensão da rede. Uma vez que é extremamente lipossolúvel, ou seja, consegue atravessar facilmente as apertadas uniões celulares (a barreira entre sangue e cérebro) que separam o cérebro do sistema circulatório, o álcool entra com rapidez no cérebro, onde age sobre um transmissor específico que ainda não tínhamos encontrado: o ácido gama-aminobutírico (GABA)[41]. O GABA vai permitir a entrada nos neurónios de iões negativos de cloro, tornando, concomitantemente, o interior das células também mais negativo (hiperpolarizado): isto significa que as células serão menos capazes de gerar potenciais de ação – ficarão inibidas. Portanto, talvez não surpreenda que o GABA possa reduzir substancialmente a dimensão das redes[42].

Uma terceira opção seria uma experiência «sensorial» comparável criada se os estímulos a inundarem o cérebro fossem extremamente rápidos. As atividades intensas, como *rafting*, queda livre e esquiar, podem ter um efeito semelhante, mas com uma diferença: embora a estimulação possa não ser extremamente brilhante ou barulhenta de modo não natural, o ritmo acelerado de um acontecimento que sucede a outro leva a que a saraivada rápida de redes concorrentes impeça que a entrada de informações seja mantida por tempo suficiente para serem processadas e apreendidas na sua totalidade.

Nos três casos, a ênfase tende a ser a favor de uma pedra pequena, mas que seja atirada com força. Particularmente interessante é que, embora as atividades possam ser muito diferentes, têm um fator crucial em comum: o sentimento de que «não estamos em nós». Regressámos à experiência de sermos uma criança de tenra idade, que vive para o momento, como recetor passivo, incondicional e sem consciência própria dos nossos sentidos. Se este é o mesmo tipo de consciência imediata partilhada pelos bebés e pelos não humanos, nesse caso podemos associar essas redes pequenas de formação rápida a uma experiência subjetiva caracterizada pelo tipo de emoções «puras» autênticas que os bebés e os não humanos exibem. A maior parte das experiências geradas por desportos radicais, música acelerada, etc., são atividades recreativas de livre escolha, pelo que, supostamente, serão agradáveis. Talvez possamos ampliar esta ideia, associando de forma mais precisa o prazer a redes invulgarmente pequenas, olhando para a paisagem química do cérebro e começando por um transmissor conhecido de todos nós: a dopamina. Até agora, a dopamina só nos surgiu como parte de um coletivo, uma fonte no cérebro, onde estabelece uma relação próxima com outros transmissores (noradrenalina e serotonina): mas merece ser observada isoladamente.

A libertação de dopamina, sobretudo, está desde há muito associada ao prazer: desde que experiências pioneiras levadas a cabo na década de 1950 mostraram que, em vez de comer, ratazanas prefeririam pressionar uma barra que lhes estimulava eletricamente o cérebro[43] – conquanto os elétrodos estivessem implantados em áreas específicas do cérebro que libertavam dopamina. Além disso, todas as drogas recreativas executam uma ação comum no cérebro: libertar dopamina, que age como uma fonte no cérebro para aceder a gamas mais vastas de centros «elevados». Os níveis elevados de dopamina estão associados a níveis superiores de excitação e entusiasmo: vejamos, por exemplo, os efeitos estimulantes da droga anfetamina, que desencadeia jorros desta poderosa molécula.

Assim, se a dopamina está associada à sensação de prazer, e se as redes pequenas são também uma característica comum das experiências agradáveis, poderíamos pensar que a dopamina reduziria o tamanho das redes. Foi isso que descobrimos em algumas experiências-piloto realizadas em laboratório. A apomorfina, uma droga que age como impostora da dopamina no cérebro, tem o efeito óbvio (ver imagem 7) de reduzir tanto a dimensão, mas também a duração, da rede no córtex de um corte de cérebro de ratazana[44].

Mas um nível elevado de dopamina não é, constante e necessariamente, prenúncio de prazer: pode também desempenhar um papel na experiência do medo. Vejamos, por exemplo, a esquizofrenia, um problema mental complexo, mas em que os pacientes, entre muitas outras coisas, sofrem de níveis excessivos de dopamina funcional.

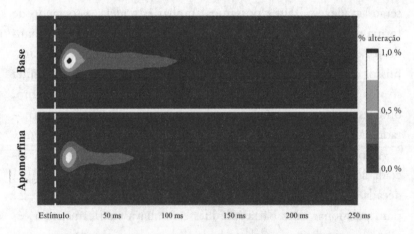

Imagem 7: Uma rede gerada num corte de cérebro de ratazana (córtex) ao longo do tempo. Note-se a redução de intensidade, bem como a duração marcadamente mais curta, quando se aplica a apomorfina (painel inferior), um impostor de dopamina (Badin e Greenfield, inédito)[45]. (Para ver este exame a cores, ver extratexto 5.)

Ninguém poderá dizer que a esquizofrenia é divertida. Mas, se pensarmos bem, o prazer mais alucinado e despreocupado pode, com frequência, confundir-se com medo: o jogo do cucu pode assustar uma criança pequena, ao passo que nas montanhas-russas, os gritos tendem a ser reais. Como podem experiências tão diametralmente opostas, uma tão positiva e outra tão negativa, fundir-se com tal facilidade?

No caso do prazer, acabámos de ver como muitas atividades recreativas são «sensacionais». No entanto, normalmente, o impacte isolado e efémero de um momento segue o mesmo tipo do anterior: o ritmo e a cadência da música são o mesmo *tipo* de experiência sensorial, tal como o são os toques sucessivos e repetidos de um amante, ou a ingestão repetida de uma garfada saborosa atrás da outra. No que diz respeito ao medo, e num contraste absoluto, há muito que os psicólogos reconheceram que isso pode estar relacionado com tudo o que seja novo, quando, por definição, ocorre algo completamente imprevisível[46]. Talvez o prazer se transforme em medo quando não sabemos o que vai acontecer a seguir: cada momento torna-se um acontecimento único fragmentado e absolutamente imprevisível. Esta transição do prazer para o medo pode dever-se aos variados níveis de dopamina e aos efeitos opostos que estas quantidades diferentes têm na forma como o neurónio vai ou não participar numa rede potencial[47].

Contudo, o prazer, e a sua correlação na rede pequena, não tem de depender exclusivamente de níveis moderados deste neuroquímico esforçado. Já vimos que os anestésicos anuladores de consciência também reduzem a dimensão das redes, ao longo de fases, uma das quais é classificada tradicionalmente como mania: este «delírio» ocorre enquanto o anestésico está a fazer efeito, com a rede, consequentemente, já reduzida. Note-se que os anestésicos administrados em doses demasiado baixas para se obter esquecimento dão azo, tradicionalmente, a prazer. No passado, o familiar anestésico éter teria um grande impacte em quem pretendesse transformar a consciência, e não, de maneira nenhuma, aboli-la: ajuntamentos públicos, designados como «brincadeiras com éter», envolviam membros do público a inalar éter dietílico para ilustrar as propriedades transformadoras da mente de tais agentes. Também o anestésico óxido nitroso foi em tempos usado como droga recreativa, no século xix, em festas de «gás do riso», em que alguns participantes poderiam ficar sonhadores e sedados, enquanto outros tinham ataques de riso e entravam num estado de euforia. O óxido nitroso está a regressar ao Reino Unido como atual droga recreativa legal, onde é inalada, regra geral de balões pretos, para compreensível preocupação por parte das autoridade[48]. Consequentemente, a experiência sensorial de prazer puro, quaisquer que sejam os químicos responsáveis, corresponde ao perfil de emoção elevada e baixa cognição de uma pequena rede.

Se o elemento determinante de uma experiência sensorial pode ser o próximo gole de vinho, ou o próximo acorde de uma música, talvez esta questão também se possa aplicar a outros tipos de cadeias, como por exemplo os movimentos repetitivos durante o exercício vigoroso. É nestes momentos, quando o exercício é particularmente envolvente e fortemente sensorial, que ocorre a libertação de compostos naturais semelhantes à morfina (endorfinas), que proporcionam o conhecido fenómeno do «êxtase do corredor». Estes opiáceos naturais levam à inibição da atividade neuronal, reduzindo a dimensão de uma rede ao nível neuronal[49]. Mas num plano mais holístico, o exercício vigoroso tem igualmente um outro efeito sobre o cérebro.

Até uma caminhada rápida pode impulsionar a produção de novos neurónios (neurogénese)[50], em que células estaminais, as células primárias universais de onde têm origem as diversas células, se convertem em neurónios com capacidade máxima, ao mesmo tempo que estimulam a libertação de químicos que ajudam essas células novas a crescer. E não ficamos por aí. Embora a atividade física vigorosa aumente a produção de células do tronco cerebral, os estímulos adicionais de um ambiente enriquecido aumentam a conetividade e a estabilidade dessas ligações[51].

Podemos agora ir mais além. Se, tal como vimos, o ambiente pode alterar o pensamento de um indivíduo no cérebro saudável normal, poderá ocorrer o inverso, alterando o processo mental do pensamento o cérebro físico? Recordemos como o «mero» ato mental de se imaginar tocar piano tinha um impacte mensurável sobre o cérebro físico. Podemos ver uma consequência semelhante de pensamento, mesmo em ratazanas, numa experiência em que Fred «Rusty» Gage, professor do laboratório de genética do Salk Institute, na Califórnia, provou que, para que o exercício gere novas células cerebrais (neurogénese), tem de ser voluntário[52]. O roedor tem de decidir pró-ativamente dedicar-se à roda de exercício, não bastando que seja obrigado a correr contra a sua vontade[53]. Que pode ser este processo incrível, pelo qual o mental pode influenciar o físico?

Curiosamente, só quando as ratazanas se dedicam a atividade física *voluntária* é que determinados fatores fisiológicos importantes entram em jogo: sobretudo, haverá uma ausência de stresse, tal como sugerido pelos níveis mais baixos de ansiedade exibida[54], e, com menos stresse, haverá uma redução de todas as hormonas com ele relacionadas e potencialmente prejudiciais, como o cortisol[55]. Com efeito, a pesquisa mostrou que, em ratazanas e ratos, o exercício voluntário regular previne problemas induzidos pelo stresse na saúde e na cognição[56]. Todavia, embora ainda sejamos incapazes de identificar ao pormenor como a ausência de um tipo de químicos leva ao importante estado cerebral para a neurogénese, uma outra pista fascinante é isso ser acompanhado por um determinado padrão de ondas cerebrais (o EEG característico do ritmo teta)[57], algo que, nos seres humanos, também indica um cérebro que está a prestar atenção[58].

Portanto, havendo uma ligação entre a plasticidade e a atenção, e como a atenção não pode ocorrer quando estamos completamente inconscientes, poderá haver uma ligação entre plasticidade e consciência? E, a haver, poderá essa ligação ser a formação de redes adequadas? A plasticidade do cérebro é estimulada por um ambiente enriquecido, o qual, tal como vimos, leva a uma maior ramificação dos neurónios, o que, por sua vez, promove a conetividade. No nosso laboratório propusemo-nos a investigar se a dinâmica da formação de redes poderia refletir alterações de plasticidade a longo prazo ao longo de semanas num animal anteriormente exposto a um ambiente enriquecido. E a resposta foi: sim.

Quando se expuseram ratazanas a um ambiente enriquecido interativo durante três semanas[59], elas revelaram uma diferença significativa de comportamento em relação aos roedores que se encontravam numa situação muito menos empolgante, um mundo minimamente enriquecido composto por algumas caixas de esferovite. As ratazanas que haviam gozado da possibilidade de interagir com escadas e rodas, e que tinham podido trepar a pequenos trapézios e ramos, mostravam-se menos tensas do que as que não haviam contado com essa oportunidade: quando comparadas com os roedores minimamente estimulados, as ratazanas otimamente enriquecidas e mais calmas mostraram um período de espera significativamente mais curto antes de consumir alimentos novos, sendo esta mudança acompanhada por reações eletrofisiológicas melhoradas, indicadoras de uma ativação em grande escala[60] de neurónios, ou seja, uma rede melhorada[61].

Esta observação levanta uma questão interessante. Se o enriquecimento melhora a plasticidade e, talvez, a dimensão da rede, poderá o inverso ser verdade? Poderemos tornar o cérebro mais sensível à plasticidade com redes maiores de curta duração? Dito de outra forma, seria mais fácil estabelecer ligações localizadas e fixas mais duradouras? A ser assim, isso ajudar-nos-ia a compreender o valor para a sobrevivência da consciência, do ponto de vista evolutivo. Afinal de contas, o motivo por que não nos limitamos a prosperar no mundo e a orientarmo-nos nele como autómatos não é imediatamente óbvio: para quê o trabalho de sermos conscientes?

Invertamos a questão. Desta vez não pensaremos sobre a consciência e o seu valor para a sobrevivência, mas só acerca de redes.

Ao abrangerem muitos mais cruzamentos de células no cérebro para trabalharem juntas num coletivo mais vasto, as redes levam a uma ativação generalizada, uma das suas características definidoras: isto, por sua vez, permite uma adaptação muito maior e mais generalizada no cérebro, ao invés de uma pequena reação local que ocorra num cérebro em que as redes (e, logo, a consciência) não estivessem operacionais. E, a ser esse o caso, significaria o seguinte: se as redes são, realmente, correlações da consciência, então, ao sermos conscientes, vamos ter um cérebro muito mais adaptável ao ambiente. Assim, a função das redes, e, logo, a correlação associada da consciência subjetiva, seria facilitar e coordenar uma adaptação mais generalizada ao ambiente. E isso significaria que os animais capazes de mais consciência – ou seja, mais «profunda» – seriam mais propensos à adaptação. Isto faz perfeito sentido intuitivo: basta olhar para os seres humanos, com a nossa adaptabilidade planetária e, seguramente, a consciência mais profunda de todas as espécies.

EXERCÍCIO, PRAZER, NEUROGÉNESE... E REDES

A questão seguinte é ainda mais abrangente do que a do valor evolutivo da consciência. Poderá a existência de redes neuronais no cérebro ajudar-nos a compreender o elo entre a plasticidade, a neurogénese, o exercício e o mais importante e mais misterioso de todos os fatores – a aparente necessidade de um acontecimento mental, um pensamento consciente – para dar início a estas alterações no cérebro? Para explorarmos esta questão, pensemos nestes dois possíveis cenários, ambos relacionados com movimentos vigorosos, mas que envolvem redes de dimensão muito diferente.

O cenário número um chega-nos do *exterior*: a batida sonora da música, por exemplo, ou o declive acentuado da rampa de esqui, ou o picar da onda que se surfa, o que leva a uma excitação elevada, cuja correlação fisiológica, tal como já vimos, é a libertação de dopamina. A elevada excitação causada pela dopamina, o entusiasmo do exercício vigoroso num ambiente sensorial em constante e rápida mudança e a consequente libertação de endorfinas (a morfina natural) servem para reduzir a dimensão das redes, algo que, por sua vez, está correlacionado fenomenologicamente com uma experiência de prazer por se viver o momento[62]. Quanto maior e mais rápido o estímulo «sensorial» do exterior, e quanto menor a rede, mais o estado de consciência será passivo e não autoconsciente, havendo apenas uma reação ao estímulo que surja numa rápida sucessão – e, em certos casos, a reação irá raiar o medo. A rede seria pequena.

Em contraste, pensemos agora num segundo cenário alternativo. Desta vez, o incentivo para o movimento é cognitivo: chega-nos proativamente do *interior*. Tivemos um pensamento específico – tomámos a decisão consciente de ir correr, por exemplo. Esta decisão voluntária, este pensamento ativo, vai, tal como vimos, garantir as condições exigidas para a neurogénese: a produção de mais neurónios. Quanto maior o número de neurónios que tivermos, mais potencial haverá para ligações, e quanto mais ligações, maior a versatilidade para plasticidade. Também vimos que o mesmo ambiente enriquecido estimulante que incita a plasticidade também promove redes maiores, logo, aprofunda a consciência. Mas o inverso também é verdadeiro: uma rede maior vai, por sua vez, facilitar a formação mais célere de plasticidade sináptica local, que se prolongará por um maior período de tempo do que a rede extensa propriamente dita.

Se as redes são realmente a correlação neural da consciência – se não podemos ter uma sem a outra –, nesse caso torna-se claro porque o pensamento consciente seria necessário para a neurogénese promovida pelo exercício e, com efeito, porque um «pensamento», como por exemplo pensar em tocar piano, pode levar a uma plasticidade mais desenvolvida do que a observada nas experiências. Com o tempo, a plasticidade aprimorada que se segue vai dar-nos o potencial para pedras maiores e, logo, uma consciência mais profunda, em que os químicos modulatórios da excitação têm um papel mais reduzido, e o diálogo com o mundo exterior, tal como na experiência do tocar piano, exerce maior influência sobre os processos cerebrais interiores do que nos ativadores externos do ambiente. A rede será maior.

Esta alternativa pró-ativa – um pensamento e uma reflexão mais profundos induzidos, digamos, pelo correr – surge em contraste com a mera reatividade «inconsciente» do dançar com abandono: pode, em vez disso, garantir uma base neurocientífica para o fenómeno atualmente popular da atenção plena (*mindfulness*). A atenção plena é definida como um «estado mental alcançado quando se concentra a nossa perceção no momento presente, ao mesmo tempo que reconhecemos e aceitamos calmamente os nossos sentimentos, pensamento e sensações corporais». Recordemos: no início da nossa caminhada, esta manhã, vimos que um dos efeitos cognitivos de um ambiente urbano é obrigar-nos a ser mais reativos a distrações externas, ao passo que o ambiente rural nos proporciona a oportunidade de sermos mais pró-ativos, de encetarmos ações e pensamentos «voluntários».

Foi o que nos aconteceu quando nos aventurámos no exterior: o exercício tranquilo de caminhar com *Bobo* deu livre rédea aos nossos processos mentais interiores, sem a distração do ritmo cardíaco acelerado e sem um cenário em rápida alteração que exigisse uma ação preventiva. O comentário de Ed Stourton de que passear o cão nos permite «fugir à vida normal» pode bem ser verdadeiro. Infelizmente, a vida real está agora a chamar-nos. Vamos chegar atrasados ao trabalho – e só temos tempo para um pequeno-almoço rápido.

4

Pequeno-Almoço

Só temos tempo para uma taça rápida de cereais e uma caneca de café para aproveitar esta breve janela de solidão ao pequeno--almoço. Durante os vinte minutos que se seguem, enquanto comemos ao som calmo de Mozart, a ativação poderosa dos ouvidos, dos olhos, da língua, da ponta dos dedos e do nariz tomará conta da nossa consciência. É claro que há momentos em que estamos conscientes sem que os nossos sentidos estejam demasiado estimulados, como por exemplo durante a meditação, ou quando concentrados em pensamentos profundos, mas este é um privilégio ocasional para quem consegue abstrair-se daquilo que o rodeia. Para a maioria de nós, durante o grosso do tempo, a consciência passa de momento em momento levada pelo que está a acontecer junto a nós, enquanto os cinco sentidos transmitem incessantemente os seus relatórios para o cérebro sempre à espera. Os sentidos, mais ou menos, dão cor a cada momento desperto: fazem com que estejamos em contacto com o mundo exterior e permitem-nos navegá-lo adequadamente. Se regressarmos à metáfora da pedra na água, a questão em que nos vamos concentrar agora é a *força* do lançamento, como os sentidos e a sensação, pura e simples, vão moldar a consciência. Contudo, deparamos desde logo com dois problemas intrigantes: um tem que ver com o espaço e o outro com o tempo...

OS CINCO SENTIDOS:
CARACTERÍSTICAS ESPACIAIS DO CÉREBRO

O problema espacial prende-se com a neuroanatomia: onde, no cérebro, são processados os diferentes sentidos. Isto pode parecer simples: vamos ver, ouvir, sentir, saborear ou cheirar alguma coisa. Dispomos de cinco sentidos claramente identificáveis e diferentes entre si. No entanto, mesmo a este nível básico, do ponto de vista cerebral, o território neuronal demarcado para processamento dos diferentes sentidos não é assim tão inerentemente específico ou distinto. Mesmo nos humanos adultos, os vários sistemas sensoriais podem ultrapassar os limites anatómicos oficiais no cérebro entre um e outro: o córtex visual dos cegos, por exemplo, é ativado pelo sentido do toque, quando leem braille[1]. Além disso, sabe-se que quando perdemos um sentido, os outros tornam-se mais fortes: a neurocientista Helen Neville mostrou com a surdez melhora a visão[2] e que os surdos usam áreas auditivas do cérebro para processar o toque e a visão[3]. Entretanto, os cegos conseguem discriminar melhor o tom do que quem não é cego[4], sendo mais capazes de determinar a localização de um som[5]. Os portadores de deficiências visuais também são superiores em outras tarefas não visuais, como a perceção do discurso[6] e o reconhecimento de voz[7]. E nas experiências com animais, a privação de um determinado sentido revelou que essas melhorias podem acontecer quase de um momento para o outro: as ratazanas mostram uma audição ampliada depois de poucos dias no escuro[8].

Contudo, mesmo quando um indivíduo não está privado de um dos sentidos, o cérebro pode, mesmo assim, pregar partidas com o processamento de modalidades diferentes. Embora muito rara, a existência de sinestesia (literalmente, «união dos sentidos») é reconhecida desde há vários séculos: neste estado fascinante, uma única informação, que a grande maioria das pessoas interpretaria apenas com um sentido, é experimentada em duas modalidades. Por exemplo, ao ouvir sons, poderão «ver-se» cores e movimento.

Do ponto de vista cerebral, a sinestesia é prova cabal de que terá de haver uma flexibilidade impressionante na forma como o território neuronal é colonizado para processar os diferentes sentidos. Neste caso, não é uma área que é invadida por outra; o que temos é uma conetividade entre regiões invulgarmente exuberante e excessiva[9]: o resultado é que a ativação de uma área – o reconhecimento de letras, por exemplo – também leva à ativação direta de outra, neste caso, a área associada ao reconhecimento das cores. Alternativamente, poderá haver algum tipo de mecanismo de bloqueio entre os diferentes setores do córtex que, normalmente, garante uma segregação clara de retorno para evitar qualquer ambiguidade: no entanto, esta barreira, normalmente impregnável, ruiria com a sinestesia. Se o retorno normal não fosse impedido como habitualmente, quaisquer sinais das fases finais do processamento multissensorial poderia ter um impacte inadequado sobre as fases anteriores de modalidade única: assim, agora, os tons auditivos, por exemplo, ativam a visão. Esta desinibição também pode surgir durante problemas clínicos, como epilepsia do lobo temporal, traumatismo craniano, apoplexia e tumores cerebrais[10].

Seja como for, a realidade irrefutável da sinestesia, a par da conhecida sobrecompensação de quem é cego e surdo, leva ao paradoxo inevitável, embora intrigante: enquanto, *subjetivamente*, a experiência de cada sentido é muito diferente e completamente distinta, a maquinaria neuronal que media *objetivamente* estas experiências diversas é padronizada e intermutável. Assim que uma informação vinda do mundo exterior é convertida, por exemplo, pela cóclea ou pela retina, em rajadas de potenciais de ação, estes sinais elétricos são depois transmitidos a locais diferentes do cérebro, onde acabam nos respetivos setores do córtex, os quais, não obstante, são modulares e homogéneos na sua organização, sugerindo uma certa afinidade na sua estrutura e conetividade – mais ou menos como uma forma de bolos[11].

Assim, onde e quando intervém a diferença extraordinariamente qualitativa das experiências subjetivas? Onde e quando a distinção subjetiva entre ouvir e ver algo se torna possível? De alguma forma, há uma clara segregação na experiência possibilitada pelo cérebro, mesmo sendo os mecanismos de processamento fisiológico basicamente os mesmos para ambos os sentidos. Se resolvermos este paradoxo, isso ajudar-nos-á a compreender como a água se transforma em vinho, como está o objetivo relacionado com o subjetivo.

OS CINCO SENTIDOS: CARACTERÍSTICAS TEMPORAIS DO CÉREBRO

O segundo enigma prende-se com o tempo: os sentidos serão processados no cérebro a diferentes velocidades, embora os experimentemos em simultâneo. Ouvimos e vemos bater palmas no que, subjetivamente, parece ser o mesmo momento no tempo, mesmo sendo o processamento auditivo mais rápido do que o visual: ou então, se tocarmos no pé e no nariz ao mesmo tempo vamos experimentar conscientemente um único momento multimodal de consciência, pese embora o sinal do nariz chegar primeiro ao cérebro, já que teve de percorrer uma distância mais curta. Isto significa que temos de ter janelas temporais (épocas) a abranger cada momento aparentemente único de consciência: uma época será uma janela de tempo em que os sentidos se sincronizam para se combinarem no todo multissensorial familiar a que chamamos um «momento» de consciência. O cérebro tem de conseguir sincronizar as coisas: terá de haver um atraso suficiente para abarcar todas as diferentes modalidades sensoriais que chegam a diferentes ritmos, marcando o sinal sensorial mais lento, inevitavelmente, o ritmo.

Estas épocas duram várias centenas de milissegundos. «Não temos consciência do verdadeiro momento presente. Estamos sempre um pouco atrasados»: esta observação foi feita há quase meio século pelo engenhoso fisiólogo Benjamin Libet, quando, num hospital local, estudava pacientes admitidos para neurocirurgia a quem, consequentemente, era aberto um buraco no crânio para se expor o córtex[12]. Numa experiência, Libet usou um elétrodo inserido pelo buraco para estimular a parte do cérebro que provocaria a sensação de formigueiro em várias partes do corpo. Por incrível que pareça, o sujeito demorou até 500 ms para relatar ter tido consciência do estímulo, meio segundo depois, e uma eternidade em tempo cerebral, já que um potencial de ação dura apenas um milésimo de segundo. Libet mostrou ainda que quando se estimulava uma parte remota do corpo, como por exemplo os pés, e se registavam as reações no cérebro, havia um atraso notório entre o momento em que o cérebro registava o acontecimento e o sujeito tinha consciência dele. E não se tratava apenas de o cérebro registar um sinal a entrar dentro de uma janela que garante que até o sentido que mais demora a ser processado chegou ao destino: a perceção da consciência parece demorar ainda mais. A pesquisa mostra que quando os sujeitos categorizam imagens apresentadas numa ordem aleatória como animais ou veículos, embora o cérebro tenha registado a diferença mais cedo, a decisão «consciente» ocorre muito mais tarde (com o auge por volta dos 250 milissegundos)[13]. Estas épocas de consciência com várias centenas de milissegundos garantem o período de tempo certo para que uma rede se forme e depois se dissolva. A exploração das redes pode, assim, ajudar-nos a compreender o que se passa no cérebro.

Eis uma série de imagens recolhidas no nosso laboratório que mostram redes em diferentes partes do córtex 300 milissegundos após o seu início em onze experiências diferentes: na região visual, a atividade final mais elevada acaba sempre nas camadas profundas, ao passo que, no sistema auditivo, ocorre o oposto. Estas descobertas sugerem um processamento diferente nos casos da audição e da visão, processamento esse que *não* é prontamente reduzível a acontecimentos sinápticos convencionais, sendo, isso sim, uma propriedade derivada de uma dinâmica neuronal coletiva de grande escala que passaria despercebida não fosse pela imagiologia ótica das redes.

Mas o que torna o período de tempo *quantitativo* de 250-300 milissegundos, que aparentemente tem de decorrer antes que se chegue à consciência, tão *qualitativamente* diferente ao ser associado a uma experiência subjetiva? Se são realmente necessárias para a consciência, então a natureza das redes propriamente ditas poderá revelar-nos uma pista. Os neurónios nas redes não funcionam como cabos telefónicos de longa distância isolados, que transmitem independentemente uma mensagem solitária, assim que ela chega a um neurónio, para um destino longínquo no cérebro. Uma rede é, isso sim, algo organizado e intrinsecamente autossuficiente durante as centenas de milissegundos que demora a crescer. A atividade crescente só é transmitida localmente, razão por que se espalha lentamente, como ondas. O importante a reter é que as ondas subsequentes (o grau de consciência) também vão existir durante uma janela temporal, uma época: não admira que um momento de consciência demore até meio segundo[14].

Claro que continuamos a ter o problema do espaço – como pode a disposição *objetiva* do córtex corresponder às *distinções subjetivas* da audição e da visão. Mas, e se a experiência percetual distintiva, característica de cada sentido, estivesse, de alguma forma, relacionada com diferenças nas propriedades das redes neuronais dos córtices visual e auditivo, que só se mostram depois de várias centenas de milissegundos? A ser este o caso, poderíamos agora distinguir a feno-

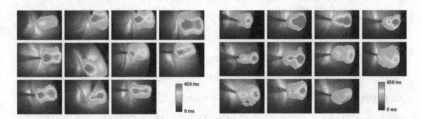

Imagem 8: Imagens óticas que mostram uma diferença nas redes entre os sistemas visual e auditivo em onze experiências diferentes[15]. Os fotogramas foram captados no momento em que o sinal fluorescente de um local específico baixou finalmente os 20 por cento do valor máximo: 300 ms. Note-se que esta atividade está concentrada nas camadas mais profundas do córtex visual e nas camadas mais superficiais do córtex auditivo. (Para ver estes exames a cores, ver extratexto 6.)

menologia da audição e da visão usando a *mesma* bitola da fisiologia objetiva. Mas então, onde está, ou qual será essa bitola para as sensações subjetivas correspondentes do ouvir e do ver? O que diria a um marciano se tivesse de descrever, usando algum tipo de unidade ou referência comum, a diferença subjetiva entre a experiência de ouvir e a experiência de ver?

Até termos uma resposta será muito difícil cartografar a fenomenologia de acordo com o que monitorizamos objetivamente no cérebro. Ainda assim, tenho uma sugestão: fisiologicamente, a visão é sobretudo (mas não exclusivamente) discrepâncias na deteção de bordas espaciais, ao passo que a audição é sobretudo (mas não exclusivamente) a deteção de diferenças de tempo. Nesse caso, as características espaciais das redes, que tanto variam durante uma determinada janela temporal, poderão ajudar-nos a conceber uma nova ferramenta para a neurociência. A ideia seria identificar uma bitola única de espaço-tempo, algum tipo de equação matemática descritiva que possa também ser aplicada a uma época de consciência subjetiva.

CONSCIÊNCIA MULTISSENSORIAL

Mas que *será*, então, a consciência: um único sentido, ou os cinco combinados? Todos concordam que existem cinco tipos diferentes de sensação, pelo que seria uma dedução razoável conceber que a consciência deverá também funcionar assim, que o cérebro deverá ser dotado de algum tipo de sistema de processamento paralelo, eternamente segregado em cinco sentidos separados, que depois se traduzem em fluxos respetivos e distintos de experiência subjetiva. Tal como já vimos, este raciocínio aparentemente lógico foi aventado pelo falecido Francis Crick e seu colega Christoph Koch, que procuraram identificar uma correlação neural da consciência específica para a «consciência visual», fenómeno aparentemente separado que poderia operar independentemente dos outros sentidos[16].

Embora seja quase impossível imaginar um cenário real em que usássemos apenas um sentido, a sala de aulas foi palco desse pressuposto – de que os sentidos funcionam independentemente – em ação. Em 1978, introduziu-se uma nova lógica de ensino baseada nessa premissa. A ideia era que o cérebro podia ser compartimentado em três estilos de aprendizagem: visual (V), auditivo (A) e cinestésico (K) – VAK. O VAK foi proposto originalmente pelos pedagogos americanos Rita e Kenneth Dunn há mais de trinta anos para explicar as diferenças individuais nas capacidades de aprendizagem das crianças e para promover uma nova forma de responder a elas[17]. Os professores indicavam que os alunos mudavam inevitavelmente a ênfase depositada nos sentidos, dependendo da disciplina a ser lecionada. Nas aulas de arte, por exemplo, dedica-se uma atenção especial ao aspeto visual, ao passo que, em muitos casos, seria aceitável que os alunos fechassem os olhos durante uma aula de música. Contudo, a teoria dos Dunns foi muito mais longe, com a ideia de que certos indivíduos são, pela sua própria natureza, sobretudo alunos visuais, outros sobretudo auditivos e outros sobretudo cinestésicos, ou seja, favorecem o uso do toque[18].

Não houve nenhuma pesquisa independente que mostrasse melhorias na aprendizagem resultantes da iniciativa VAK, tendo o único ponto positivo, ao que parece, sido o entusiasmo dos professores. Então, porque havia alguém de considerar as distinções pedagógicas do paradigma VAK atraentes, ou, pelo menos, convincentes? O raciocínio deriva, mais uma vez, do conceito enganador de estruturas cerebrais autónomas, ou, neste caso, algo que poderia ser designado, mais livremente, como «módulos» de regiões cerebrais com funções independentes. Seguramente, ao longo de milhões de anos os cérebros terão desenvolvido uma série de estruturas especializadas: os humanos modernos empregaram muitas dessas estruturas e atributos para fazer as coisas que só os seres humanos fazem. Todavia, aquilo que derruba o conceito VAK é estes módulos funcionais só trabalharem devido à sua interligação: não funcionam isolados.

Um bom exemplo daquilo que revela ser um processo muito mais complexo e interativo do que o sugerido pelos defensores do VAK foi mostrado pelo neurocientista cognitivo Staneslas Dehaene[19]. Ele pediu aos sujeitos que repetissem um cálculo aritmético durante um exame ao cérebro, exercício amiúde usado pelos anestesistas quando os pacientes sucumbem à inconsciência, e que consiste em retirar sete a cem, continuando depois o processo de subtração com o respetivo resultado. Ali deitados, pedem-nos que digamos, «Cem menos sete; noventa e três menos sete; oitenta e seis menos sete», etc. Quem vai ser submetido a uma intervenção cirúrgica raramente chega ao fim, mas alguém que pretenda testar a sua agilidade mental totalmente desperto tentaria ver quão depressa percorreria estes «sete em série», um processo aparentemente simples. No entanto, quando Dehaene empregou imagiologia cerebral para observar as regiões com ativação cerebral relevante na altura da realização desse cálculo, revelou-se que entre dez a doze áreas diferentes no cérebro ficavam iluminadas. Ou seja, mais um estudo que revelava que usamos o cérebro de forma holística.

A interligação conta com uma interação vigorosa entre as liga-ções que informam o cérebro a partir dos nossos órgãos sensoriais: se pensarmos em nós como primatas dum ponto de vista VAK, os nossos processos cerebrais são muito visuais, ocupando cerca de 30 por cento do córtex, contra 8 por cento dedicados ao toque e 3 por cento à audição[20]. Com essa informação visual construímos mapas espaciais do mundo, para compreender como as coisas se ligam. Isso acontece mesmo com quem é congenitamente cego: essas pessoas também criam esse tipo de mapas. Como será óbvio, os cegos não recebem a sua informação inicial visualmente, mas sim pelo toque e pela audição – contudo, tratam esses dados no cérebro da mesma forma que as pessoas dotadas de visão. Os cegos criam mapas do mundo para compreender onde se localizam as coisas tanto literal-mente como no plano concetual[21]. Temos então um processo mul-tissensorial intermodal em que a informação, quer chegue por via cinestésica, auricular ou visual, está interligada e se torna um pacote de informações. Este processamento intermodal é uma característica básica das funções cerebrais.

Todos nós detetamos quando as coisas estão ou não sincronizadas, como por exemplo quando o movimento dos lábios de um repórter televisivo apresenta um desfasamento em relação ao som. Numa experiência, comparou-se a atividade no cérebro de sujeitos que viam e ouviam movimentos de lábios sincronizados ou não[22]. Tanto o córtex visual como o auditivo têm áreas que, nos exames, mostram um efeito aditivo quando a informação sensorial está sincronizada, ou um efeito subtrativo quando não está. Este talento para detetar uma discrepância faz todo o sentido do ponto de vista evolutivo, já que a informação visual e a informação auditiva têm de estar associadas. No escuro temos de conseguir localizar a fonte de um som repentino; afinal de contas, esse som inesperado pode ser a nossa próxima refeição – ou o oposto fatídico.

Além disso, conseguir ler lábios ajuda-nos a ouvir, mesmo com muito barulho de fundo[23]. O processo cerebral subjacente a este efeito revela-se nos registos obtidos com macacos despertos que viam ou ouviam estímulos audiovisuais naturais: os investigadores descobriram que os padrões de resposta das células cerebrais individuais tornaram-se mais corretos quando se apresentaram estímulos multissensoriais. Pelo contrário, quando os estímulos visuais não correspondiam ao som, esta ampliação multissensorial ficou bastante reduzida. Assim sendo, as influências multissensoriais ampliam o processamento de informação mesmo em partes do córtex (córtex primário) com a tarefa básica tradicional do processamento inicial de uma única modalidade sensorial[24].

O já falecido psicólogo educativo John Geake levou a cabo uma experiência simples para provar esta interligação sensorial[25]. Pediu a um grupo de crianças que olhasse para dois grupos de objetos; ambos os grupos continham demasiados objetos para serem contados com alguma precisão no tempo destinado à tarefa. Mesmo assim, quando se pediu aos sujeitos que indicassem qual o grupo com mais objetos, até os participantes mais jovens, com cerca de cinco anos, foram capazes de dar uma resposta bastante aproximada. No entanto, a grande descoberta deu-se quando um dos grupos de objetos foi substituído por uma série de sons rápidos que, mais uma vez, eram demasiado rápidos para serem contados. Curiosamente, neste caso, em que a comparação era feita entre informações visuais e auditivas, não houve alteração na precisão das crianças: foram mais uma vez capazes de determinar qual o grupo com mais. A conclusão óbvia foi que o caminho sensorial específico pelo qual a informação chegou é irrelevante. O cérebro processa a informação com níveis mais elevados de operações cerebrais – e torna-a abstrata, pelo que é o conteúdo da mensagem, e não o meio pelo qual chegou, que importa.

Embora possamos estar cientes dos cinco sentidos diferentes, regra geral o nosso cérebro *não* precisa de os dissecar e separar durante uma experiência consciente. A aprendizagem – na verdade, qualquer tipo de pensamento e, logo, a consciência em si – implica um processo de abstração: independentemente do modo sensorial pelo qual recebemos a informação, extraímos o significado essencial para decidir a ação a tomar antes de apresentar qualquer tipo de reação. Um bom exemplo é a história que todos aprendemos na escola. A maioria de nós sabe alguma coisa sobre a Constituição do nosso país e sobre acontecimentos marcantes do passado, mas quer tenhamos adquirido esse conhecimento na leitura de um livro, ouvindo os professores nas aulas, ou talvez vendo um documentário, ele ter-se-á, em grande medida, desvanecido da memória pois, a bem da verdade, é irrelevante. Outro exemplo desta «abstração» pode ser quando caminhamos pela mata numa manhã de primavera, a cheirar o ar frio, a ver as folhas verdes, etc., e, consequentemente, a experimentarmos uma sensação geral de bem-estar. Não temos necessidade de distinguir os vários sentidos envolvidos. Um momento de consciência é multissensorial: o todo é mais do que a soma das cinco informações diferentes.

Quando muito, nesse momento de consciência subjetiva, os diferentes sentidos complementam-se. Esta sinergia de sentidos é particularmente óbvia quando, neste momento, estamos a tomar o pequeno-almoço e a beber café. Tal como pode atestar quem já teve uma gripe, o nariz entupido faz a comida perder o sabor. Os sensores na língua podem estar a transmitir as suas mensagens na perfeição, mas se o nariz estiver inutilizado, não sentimos nenhum sabor. Há outra maneira simples de mostrar que nariz e língua costumam trabalhar em conjunto: se tivermos uma goma na boca e taparmos o nariz, sentimos a doçura, mas não o sabor. Contudo, assim que libertarmos as vias nasais, o sabor inunda-nos a consciência[26]. O paladar pode ser mais ou menos importante, dependendo da identidade de substâncias diferentes: por exemplo, o café, o chocolate e o alho não são reconhecíveis como tal quando o nariz está bloqueado, ao passo que isso é possível com o uísque, o vinho e o vinagre[27]. A par disso, diferentes odores podem alterar a experiência final do paladar[28].

O nariz é de suma importância porque a mastigação liberta moléculas energéticas que chegam, pelo fundo da boca, a recetores no revestimento das vias nasais. A gama de cheiros possíveis é muito mais diversificada do que as opções disponíveis para o paladar. A língua humana dispõe apenas de cinco recetores diferentes: doce, amargo, salgado, azedo e *umami* – termo japonês que significa «sabor delicioso», cunhado em 1908 pelo químico Kikunae Ikeda, que percebeu que o componente essencial do *umami* era o glutamato, patenteando depois o afamado intensificador de sabor glutamato monossódico (mais conhecido como MSG). Este repertório limitado de opções não é nada quando comparado com as possibilidades aparentemente infinitas no nariz, onde existem centenas de recetores de odores. Isto significa que existe uma variedade quase infinita de possibilidades de mistura de paladar e odor, levando à grande variedade de sensações que descrevemos subjetivamente como «sabor».

Contudo, tal como sabemos, enquanto o paladar e o odor podem ser experimentados de forma sinergística como sabor, podem também ser sentidos independentemente como gosto e cheiro. Cheirar pelo nariz e cheirar pelo fundo da garganta enquanto saboreamos alguma coisa são fenómenos neurologicamente diferentes. Se os sinais de cheiro e de paladar chegarem em simultâneo ao cérebro, o odor e o paladar são integrados na experiência de um sabor. Não ocorre fusão destes dois sentidos quando nos limitamos a farejar comida que não esteja na nossa boca, ou quando vemos comida sem a provar. Todavia, mesmo quando não podemos cheirar o que estamos prestes a ingerir, a visão, só por si, terá um impacte enorme no paladar.

Pesquisas recentes mostrar uma sinergia intrigante entre a visão e o paladar: a simples cor de uma caneca pode influenciar o sabor do chocolate quente: a bebida sabe mais a chocolate numa caneca laranja ou creme quando comparada com uma caneca branca ou vermelha. Por incrível que pareça, os nossos sentidos apreendem a comida de maneira diferente, dependendo das características do recipiente de onde comemos e bebemos[29]. Até a simples forma física de um alimento pode fazer diferença: por exemplo, se um pedaço de queijo tiver extremidades aguçadas, em vez de curvas, vai ter um sabor mais forte[30]. Menor contraste cromático faz as coisas terem um sabor mais doce, por motivos ainda desconhecidos: assim, iogurte branco numa colher branca, por exemplo, vai parecer-nos mais doce do que iogurte cor-de-rosa numa colher branca[31].

E se a visão desempenha um papel tão importante nos outros sentidos, talvez não surpreenda que a audição também tenha um impacte relevante na experiência do saborear. Por exemplo, um ambiente calmo pode ampliar o salgado, enquanto barulho de fundo forte o reduz; um fundo sonoro reduz o sabor do doce, mas amplia a intensidade do crocante. E tal como muitas pessoas já terão percebido, o som de grãos de café a moer ou o mastigar de batatas fritas (sons congruentes) intensificam o sabor do café e das batatas fritas, ao passo que sons incongruentes têm o efeito oposto. Este fenómeno estende-se a contextos culturais mais gerais: um estudo descobriu que quando se vende vinho francês com um fundo musical de acordeão, são vendidas três vezes mais garrafas do que quando se toca música alemã de *Bierkeller*[32].

O toque também pode ampliar a experiência global do paladar subjetivo. Afinal de contas, experimentamos e diferenciamos os alimentos pelo nosso contacto físico com eles. As gorduras, sobretudo, dão-nos aquela «sensação de boca cheia» da manteiga e do gelado, à semelhança da viscosidade e oleosidade de um rico tempero de salada: concomitantemente, existe uma área do cérebro que contém neurónios que reagem especificamente à textura da gordura na boca. Estas células cerebrais são ativadas não só pelos óleos gordos na boca, como o óleo vegetal, e pelos alimentos ricos em gordura, como o gelado e o chocolate, mas também por substâncias não alimentares com uma textura oleosa semelhante. O sabor de uma bebida gaseificada também é muito influenciado pelo toque, embora de maneira diferente: uma cerveja morta terá um sabor muito diferente duma cerveja com bolhas de dióxido de carbono. De um modo ainda mais geral, a espuma, a viscosidade e a macieza de diferentes alimentos e bebidas contribuem para a experiência do seu consumo[33]. Até o toque dos diferentes utensílios usados para comer é importante: por exemplo, iogurte comido com uma colher leve de plástico tem um sabor mais consistente e parece mais denso do que se usarmos uma colher de prata[34].

Um companheiro próximo do sentido do toque, e também conspirador no estado de consciência holística do comer e beber, é a temperatura. Por exemplo, o gelado muito frio tem pouco sabor; aquecê-lo aumenta a doçura percebida. Os processos moleculares nas papilas gustativas da língua que desempenham um papel fulcral na perceção do doce, do amargo e do *umami* também regulam a sensibilidade à temperatura. Até o simples facto de se subir a temperatura da comida para entre 15°C e 35°C amplia a reação neural à doçura. Em cerca de metade da população, basta aquecer ou arrefecer a língua para ativar diferenças sensações de paladar: aquecer a língua leva a uma sensação doce, e baixar a temperatura induz um gosto amargo ou salgado[35]. Além disso, o toque e a temperatura trabalham em conjunto. A alocação de território cerebral na secção do córtex somatossensitivo relacionado com o toque é maior para as partes do corpo que estarão envolvidas no consumo de uma bebida quente: os lábios e as mãos. Imaginemos, então, a quantidade de estímulos que entram no cérebro quando bebemos de uma caneca de chocolate quente que temos entre as mãos em concha: adiciona-se agora mais força ao lançamento da pedra.

Uma sugestão interessante diz que os cinco sentidos envolvem quantidades diferentes de «consciência»[36]: a visão está em primeiro lugar, seguida pelo toque, paladar, audição e, finalmente, olfato. Mas a forma como o termo «consciência» aqui é usado é enganadora. A consciência envolve não só o grau de experiência sensorial direta, mas também a contribuição do significado pessoal. Tal como resumiu maravilhosamente o antropólogo Clifford Geertz, «O homem é um animal suspenso em teias de significado que ele próprio teceu»[37]. Por mais que falemos do fator específico que é atirar a pedra com força variável, mesmo no que diz respeito aos sentidos puros, o *tamanho* da pedra (as associações cognitivas e contextuais de um estímulo) será de grande importância. Podemos, assim, rever a classificação dos sentidos, não segundo as quantidades de «consciência», mas sim de acordo com quão cada um depende de um contexto e de um significado específicos.

Pensemos na visão, seguramente o mais específico e menos abstrato dos sentidos. O mundo à nossa volta é composto por bordas, padrões, sombras e brilhos, tendo estas formas coloridas, normalmente, um «significado», seja um objeto ou uma pessoa reconhecíveis. E, tal como analisámos no capítulo anterior, aquilo que vê terá invariavelmente um «significado» que lhe é pessoal e único. A menos que esteja a olhar para um painel de cor única e homogénea – o que raramente será o caso – haverá sempre um contexto: uma cena extremamente específica, única e inequívoca. Quando olha para uma mesa, está a olhar para uma mesa específica, num local específico, num momento específico. Quando olha em seu redor não está apenas a ver cores e formas genéricas que seriam sempre as mesmas em qualquer sítio noutra altura; está, isso sim, a aceder às suas ligações personalizadas de um determinado momento da vida: quando for atirada, a pedra será relativamente grande.

Em seguida temos o paladar: sendo um sentido tão básico, talvez surpreenda que seja o segundo mais personalizado. Claro que o contexto, mais uma vez, é extremamente definido: está a saborear um alimento ou uma bebida muito específicos. Um dos fatores que determinam o paladar é o momento de uma experiência em relação a outra. Num estudo, os sujeitos avaliaram uma amostra de limonada para dizerem se era doce ou amarga. Depois foi-lhes pedido que bebessem uma nova amostra de limonada, com mais ácido cítrico. Quando lhes foi dada uma terceira bebida, que, na verdade, era a amostra original equilibrada de limonada, os sujeitos consideraram-na, de longe, a mais doce das três[38].

Tal como vimos, o paladar pode ser muito influenciado pelas circunstâncias em que decorre a prova, sendo estas circunstâncias, na vida real, sempre profundamente moldadas não só pelo olfato, como também pelos outros sentidos: a cor da caneca, o som do acordeão em fundo, a textura da boca. E como o paladar resulta dos outros sentidos, sendo constrangido por estes, esses sentidos, combinados, irão invariavelmente definir um contexto específico, algo dependente de associações: mais uma vez, uma pedra maior.

A visão e o paladar foram definidos, respetivamente, como, *grosso modo*, 90 por cento e 80 por cento «conscientes», mas um termo mais correto talvez seja «dependentes do contexto». As percentagens propriamente ditas são irrelevantes: o que conta é a sua posição relativa quando comparados com outros sentidos. O toque encontra-se numa posição muito mais baixa, por exemplo, com menos de 50 por cento[39]. Claro que isto deixa de surpreender se, mais uma vez, trocarmos «consciente» por «contexto». O toque do veludo, da seda, da casca de árvore ou da pele nua pode ser sentido em numerosas situações diferentes. Embora possamos estar «conscientes» do objeto em que tocamos, o resto do contexto em que o objeto por acaso se encontra é irrelevante. A maior ênfase é agora dedicada à sensação direta que emana da interação do nosso corpo – a ponta sensível dos dedos, provavelmente – com a superfície em questão: a pedra pode ser mais pequena, com a ênfase agora dedicada à força com que é atirada.

De seguida temos a audição, com 30 por cento: tendo em conta que não devemos depositar demasiada ênfase nesta percentagem, será interessante compará-la com os outros sentidos, pois a audição surge em quatro lugar, faltando-lhe, por isso, uma componente predominantemente contextual. Afinal de contas, quando comparada com a visão, o paladar e o toque, a audição é passiva. Podemos abrir e fechar os olhos à nossa vontade, virar a cabeça pró-ativamente, enfiar comida na boca e mastigá-la, ou esticar a mão para sentir alguma coisa: mas não poemos ligar e desligar a audição. É sempre o som que nos encontra, nunca o contrário. São precisas menos ligações e a pedra é ainda mais pequena. Assim, se a audição é um dos sentidos mais «passivos», daí segue que será mais fácil de experimentar num estado em que os anestésicos tenham reduzido a formação e a dimensão das redes: é, com efeito, o último sentido a deixar de funcionar quando sob anestesia geral, e também o primeiro a recuperar o funcionamento quando o paciente está a acordar[40]. Talvez isto aconteça porque a audição, o sentido processado com maior rapidez[41], consegue agir por si como a pedra que se atira à água: a *força* do lançamento é imensa.

Finalmente, temos o olfato, que, sendo apenas cerca de 15 por cento «consciente», é o mais isento de contexto de todos os sentidos. Curiosamente, a perda do olfato é um dos primeiros sinais da doença de Alzheimer[42], pois o caminho que liga o nariz ao cérebro chega diretamente ao sistema límbico. Este sistema é um vasto aglomerado interligado de estruturas cerebrais associado às primeiras fases do processamento de memória e, aquilo que para nós é mais relevante, às emoções. Então, não surpreende que o olfato invoque sentimentos tão poderosos e imediatos, sendo, como tal, o mais primitivo dos sentidos.

A contribuição do olfato parece ter assumido uma espécie de lugar secundário no repertório sensorial da nossa espécie, quando comparado com o de outros animais. Por exemplo, os seres humanos dispõem de muito menos células recetoras olfatórias e genes relacionados com o olfato do que os cães e as ratazanas. O olfato é, sem dúvida, um sentido poderoso e primevo que permite a um animal determinar instantaneamente se algo está podre, ferido, ou sexualmente recetivo, e seguir presas ao longo de grandes distâncias. Não admira que os outros sentidos tenham assumido uma posição predominante nos humanos, nos quais as reações atávicas e instantâneas são moderadas pelo conhecimento e pelo pensamento. No entanto, há quem afirme que, comparados com outras espécies, os humanos podem ter áreas cerebrais maiores associadas à *perceção* olfatória[43]. Assim, a quantidade de processamento olfatório a que ainda nos dedicamos poderá aplicar-se mais frequentemente não tanto ao processamento de estímulos puros tão poderosos como o que vemos nos cães, mas sim a processos de memória para os quais dispomos de maquinaria cerebral mais avançada do que qualquer outra espécie. Claro que, mesmo nos seres humanos, os efeitos emocionais «subconscientes» do cheiro nunca devem ser subestimados.

Pensemos nas feromonas. Estes químicos furtivos são libertados por todas as espécies numa série de contextos, que vão desde a sobrevivência mediante marcação territorial à sinalização e à reprodução, pelo menos em animais não humanos. Para os seres humanos, as feromonas entram sobretudo em jogo como preâmbulo para comportamentos sociais e sexuais. Embora os mecanismos pelos quais as feromonas funcionam continuem a ser objeto de controvérsia, há indícios de que estes químicos nos afetam de modo surpreendentemente preciso[44]. Por exemplo, há sujeitos humanos que só com o olfato conseguem detetar indivíduos que são parentes de sangue. Participantes de um estudo que não conheciam os indivíduos de quem se testava os odores conseguir fazer corresponder corretamente mães com os filhos, mas foram incapazes de ligar o cheiro de maridos e esposas[45]. As mães conseguem identificar os filhos biológicos pelo odor corporal, mas não os enteados. As crianças pré-adolescentes conseguem detetar pelo cheiro os irmãos verdadeiros, mas não os meios-irmãos ou os irmãos adotados, fenómeno que talvez explique como se evita o incesto[46]. Os bebés conseguem reconhecer as mães pelo cheiro e, por sua vez, as mães e outros familiares conseguem identificar um bebé pelo odor[47]. Este tipo de reconhecimento primitivo entre familiares de sangue não se deve a fatores cognitivos – afinal de contas, um bebé não tem uma memória desenvolvida –, mas refletirá, seguramente, uma forma de ligação mais primitiva. Neste caso, a pedra é pequena, dependendo, para o seu efeito, não de ligações personalizadas oriundas de experiências anteriores, mas sim da força absoluta do lançamento: a ativação pura do sentido do olfato.

Que nos diz tudo isto sobre a consciência? A ativação dos diferentes sentidos está ligada a uma «força» diferente do lançamento da pedra, a par de um diferente «tamanho» da pedra. A visão, por ser extremamente dependente do contexto, seria uma pedra grande, não necessariamente atirada com força, enquanto o olfato seria o extremo oposto – uma forte sensação pura sem um contexto imediato e óbvio: uma pedra mais pequena. Mas uma pedra pequena atirada com bastante força pode ainda gerar ondas extensas: talvez um dos melhores exemplos disso seja a música...

MÚSICA E O CÉREBRO

Um dicionário define música como «sons vocais ou instrumentais (ou ambos) combinados para produzir beleza de forma, harmonia, e expressão de emoção». No entanto, esta definição não nos ajuda a compreender a importância colossal da música para a nossa espécie, importância de tal monta que a indústria da música é, com efeito, economicamente maior do que a farmacêutica[48]. Nos eternos debates sobre aquilo que nos torna humanos, há quem afirme que as competências signo-linguísticas são possíveis, até certo ponto, noutros primatas especificamente treinados, mas nunca ninguém defendeu que os chimpanzés, ou qualquer outros dos nossos primos chegados, separados de nós por um mero ponto percentual de diferença no ADN, fossem capazes de criar e de apreciar música. Os nossos antepassados, em contraste, já o fazem há dezenas, senão mesmo centenas de milhares de anos.

Estima-se que uma flauta de osso encontrada na Eslovénia tenha entre 43 000 e 82 000 anos[49]. Embora a flauta seja um instrumento relativamente complicado, outros instrumentos musicais mais básicos e comuns entre as atuais comunidades de caçadores-recoletores são as rocas e os tambores[50]. Assim, presumivelmente, estes instrumentos terão antecedido a flauta, e a atividade musical poderia já decorrer muito antes disso. Os paleontólogos acreditam que já se cantasse antes da construção de qualquer tipo de instrumento: a ser o caso, a criação de música pode remontar a 150 000 anos ou mais, antes ainda dos estimados 100 000 anos desde que o *Homo sapiens* chegou ao planeta. Curiosamente, a flauta de osso eslovena foi encontrada num cemitério neandertal, pelo que, possivelmente, a atividade musical poderá ter surgido até há um quarto de milhão de anos, começando não com a nossa espécie específica, mas sim com o género *Homo*.

A música é claramente intrínseca à nossa vida. Mas será que isso significa que tem um verdadeiro valor evolutivo como parte básica da nossa composição, ou será, em vez disso, um produto secundário evolutivo[51], um «*cheesecake* auditivo»[52], como menosprezou o psicólogo Steven Pinker: agradável, mas longe de ser essencial para a evolução? Embora a música seja, inegavelmente, uma atividade que nos dá prazer, isso pode tão-só querer dizer que tomou o sistema de recompensas do cérebro, tal como aconteceu com as drogas recreativas, tomando assim de assalto «canais de prazer» já existentes, originalmente desenvolvidos com outros objetivos de sobrevivência, como o comer e a prática do sexo.

Há duas teses diferentes que sustentam a ideia de que a base da música não é biológica, nem tem nenhum valor evolutivo. A primeira defende que a música poderia desaparecer da nossa espécie, e o resto do estilo de vida humano permaneceria praticamente inalterado[53]. A segunda frisa que a música é de tal modo específica a determinados momentos e locais que terá sem dúvida de ser um produto de cada respetiva cultura, não sendo, por isso mesmo, «natural»: parece não haver garantia de que todas as formas de música que já apareceram contenham propriedades comuns identificáveis que permaneçam invariáveis desde o surgimento da música[54].

Por outro lado, é difícil explicar por que motivo, segundo as palavras de David Huron, professor de música na Ohio State University, «Não há cultura humana conhecida que não se dedique, ou nunca se tivesse dedicado, a atividades musicais identificáveis»[55]. Assim, se queremos compreender o impacte da música sobre a consciência, se será uma característica genérica no nosso processamento mental, temos de solucionar o enigma do motivo por que a música é um «comportamento universal»[56], embora, em primeiro lugar, não tenha um valor óbvio para a sobrevivência e, em segundo lugar, seja tão diferente nas suas variadas manifestações culturais.

Comecemos pela possibilidade do «*cheesecake*», inútil segundo um ponto de vista evolutivo. Contrariamente a esta linha de raciocínio, há vários motivos para que a música, afinal de contas, nos tenha ajudado a sobreviver como espécie: o próprio Darwin sugeriu que a

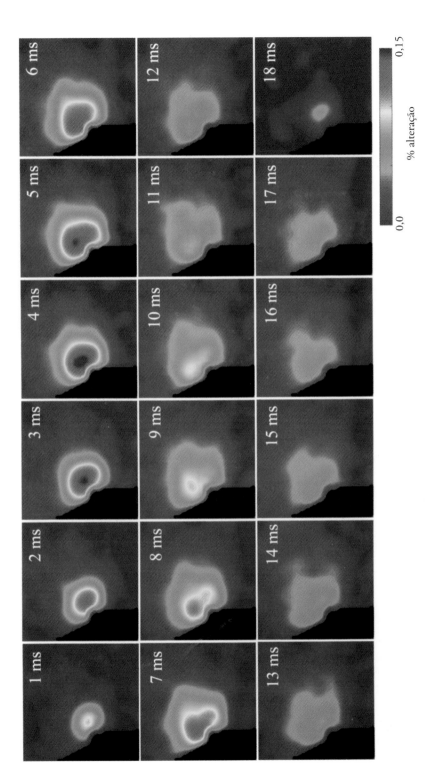

Imagem 1: Visualização de uma «rede». Sequência de imagens, separadas por um milésimo de segundo, que mostram ativação generalizada numa amostra de cérebro de ratazana, na sequência de um impulso inicial de estímulo que durou um décimo de microssegundo. A atividade mais elevada situa-se ao centro, decaindo gradualmente para os limites exteriores – mais ou menos como ondas na água depois de atirada uma pedra. (Badin e Greenfield, inédito.)

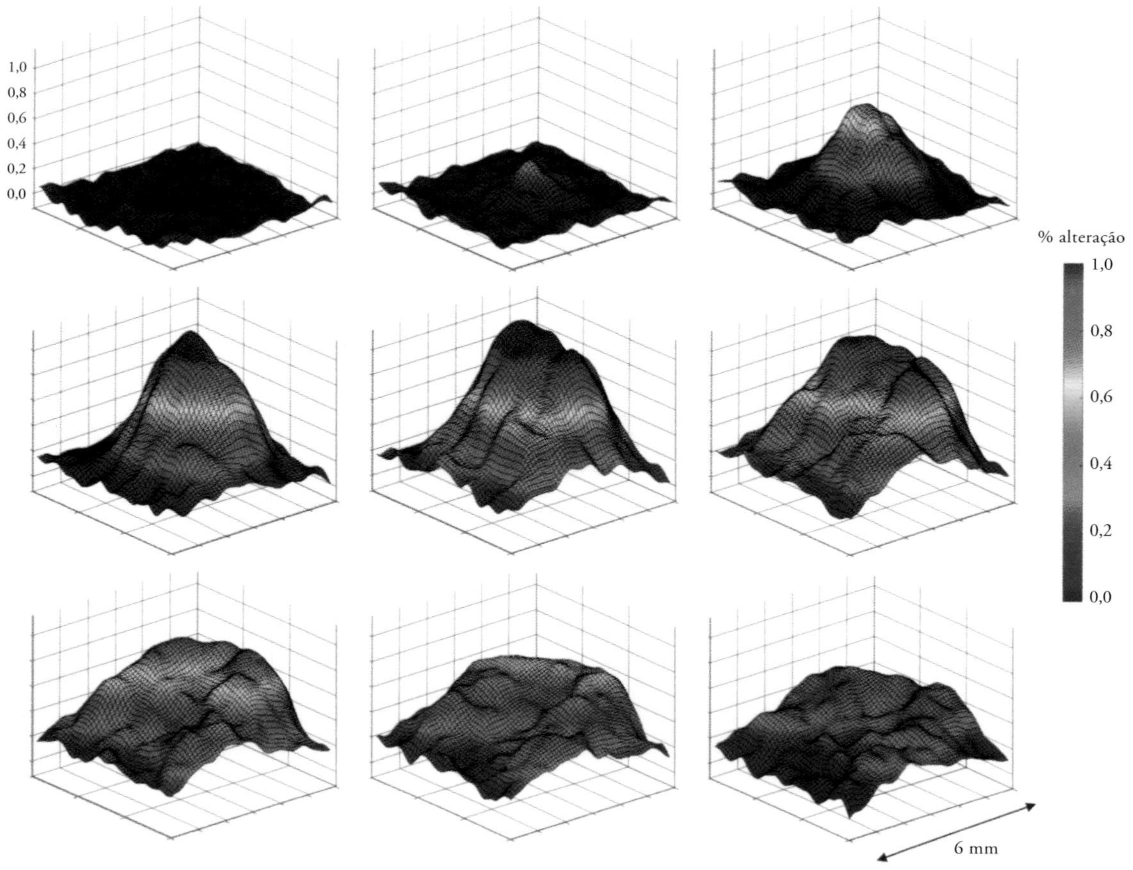

Imagem 2: Fotogramas em 3D tirados a cada 5 ms de uma rede neuronal gerada no córtice sensorial intacto da ratazana anestesiada, ativada pela deflexão do bigode. Note-se que o diâmetro da rede mede cerca de 6-7 mm acima do ruído de fundo (azul). Neste caso, mais uma vez, a janela temporal (40 ms) seria demasiado rápida para imagiologia cerebral convencional, sendo impossível obter padrões espaciais pormenorizados com registos eletrofisiológicos convencionais.

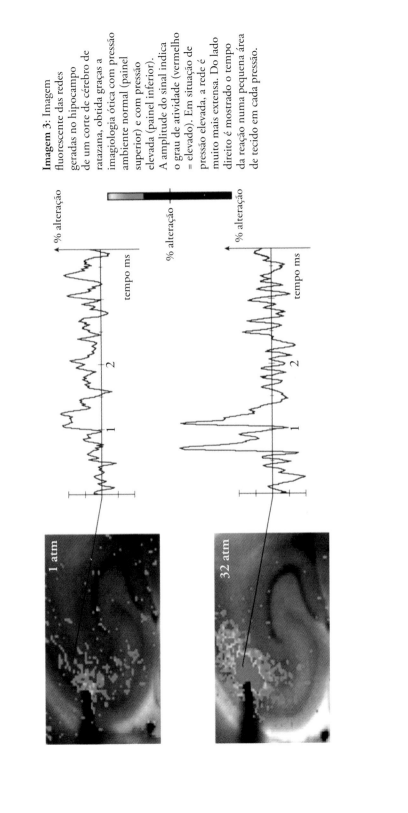

Imagem 3: Imagem fluorescente das redes geradas no hipocampo de um corte de cérebro de ratazana, obtida graças a imagiologia ótica com pressão ambiente normal (painel superior) e com pressão elevada (painel inferior). A amplitude do sinal indica o grau de atividade (vermelho = elevado). Em situação de pressão elevada, a rede é muito mais extensa. Do lado direito é mostrado o tempo da reação numa pequena área de tecido em cada pressão.

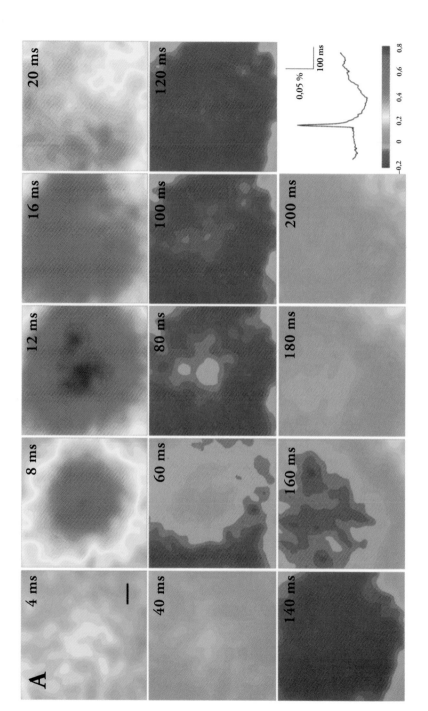

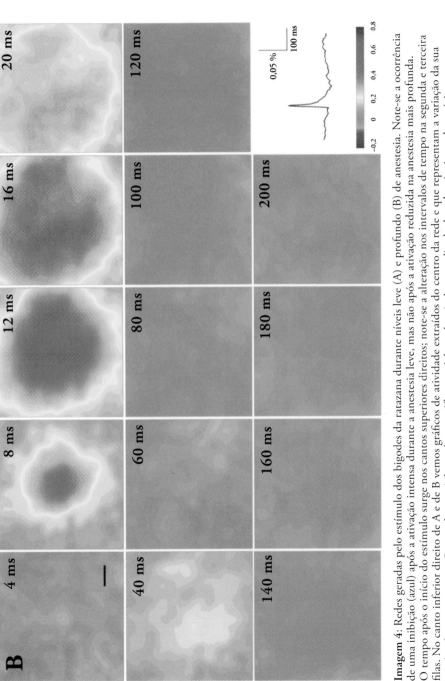

Imagem 4: Redes geradas pelo estímulo dos bigodes da ratazana durante níveis leve (A) e profundo (B) de anestesia. Note-se a ocorrência de uma inibição (azul) após a ativação intensa durante a anestesia leve, mas não após a ativação reduzida na anestesia mais profunda. O tempo após o início do estímulo surge nos cantos superiores direitos; note-se a alteração nos intervalos de tempo na segunda e terceira filas. No canto inferior direito de A e de B vemos gráficos de atividade extraídos do centro da rede e que representam a variação da sua amplitude com o tempo. O «ressalto» está ilustrado no gráfico em A logo depois de a amplitude da rede atingir o valor máximo e a atividade cair acentuadamente abaixo dos níveis normais. As escalas indicam tanto a amplitude como o tempo nestes gráficos.

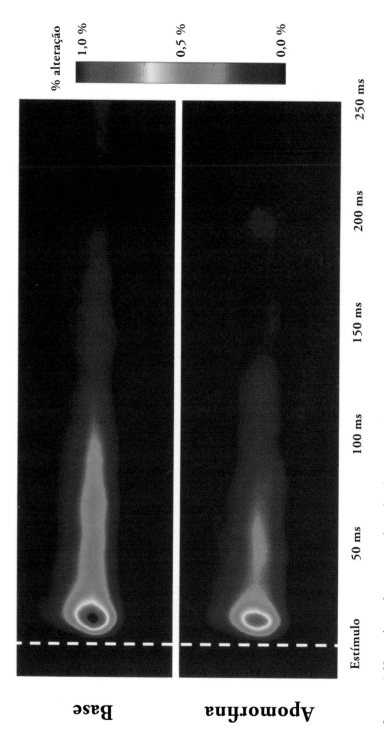

Imagem 5: Uma rede gerada num corte de cérebro de ratazana (córtex) ao longo do tempo. A linha tracejada vertical indica o ponto em que o estímulo elétrico foi aplicado ao corte. Note-se a redução de intensidade (menos vermelho-escuro e azul-claro subsequente), bem como da duração, quando se aplica a apomorfina (painel inferior), um impostor de dopamina (Badin e Greenfield, inédito).

SISTEMA AUDITIVO

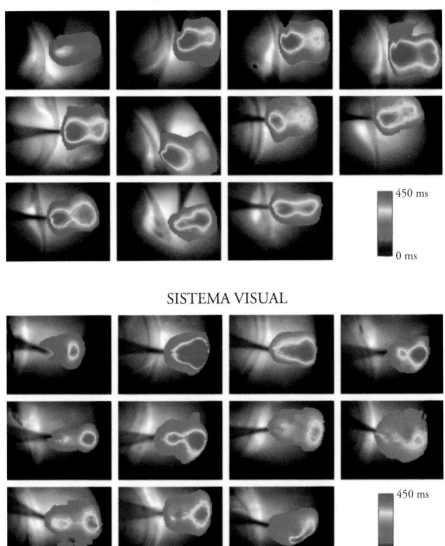

SISTEMA VISUAL

Imagem 6: Estas duas imagens óticas mostram uma diferença nas redes entre os sistemas visual e auditivo em onze experiências diferentes. A cor representa o momento em que o sinal fluorescente de um local específico baixou finalmente os 20 por cento do valor máximo: 300 ms. As áreas vermelhas representam as zonas com maior atividade. Note-se que esta atividade está concentrada nas camadas mais profundas do córtex visual e nas camadas mais superficiais do córtex auditivo.

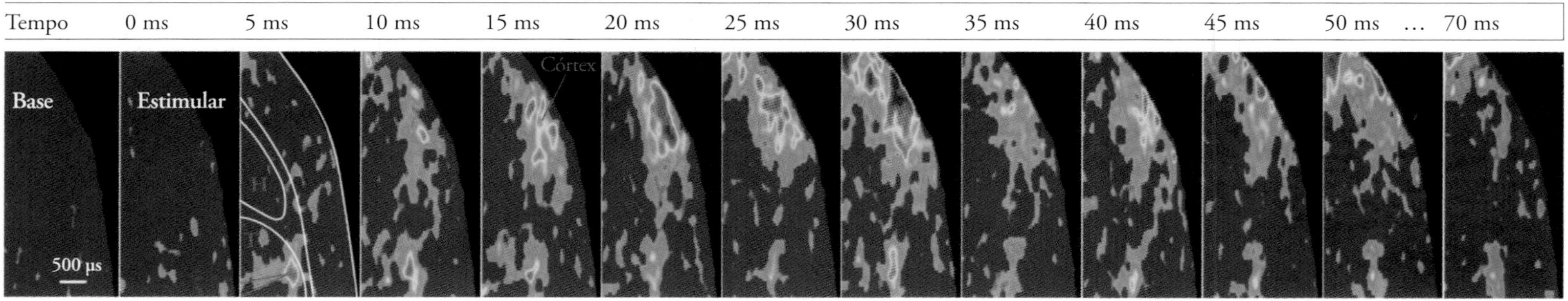
Tempo
0 ms
5 ms
10 ms
15 ms
20 ms
25 ms
30 ms
35 ms
40 ms
45 ms
50 ms … 70 ms
Base
Estimular
500 µs
Córtex

Imagem 7: Redes neuronais num corte de cérebro de ratazana, visualizadas com corantes sensíveis à voltagem (Fermani, Badin e Greenfield, enviado para publicação). Enquanto a normal informação sináptica demora 5 ms para viajar até 2 mm, entre o tálamo e o córtex (ver fotograma que mostra a atividade após 5 ms), a rede seguinte demora quatro vezes mais a espalhar-se cerca de 0,5 mm de raio (ver fotograma aos 20 ms).

música pode ter surgido devido à seleção natural dos chamamentos de acasalamento. E, a par da seleção de parceiros, podemos incluir a coesão social, o esforço de grupo, o desenvolvimento percetual e o desenvolvimento das competências motoras[57]. Robin Dunbar, antropólogo de Oxford, põe a música e a dança na mesma categoria que a religião e a narração de histórias: atividades que encorajam a «coesão social». A par, estes comportamentos desenvolvem a nossa capacidade de perceção e de compreensão, e contribuem para a criação de grupos sociais que nos protejam de potenciais predadores[58]. Todavia, embora as competências sociais sejam aprendidas em outras espécies sem o recurso a música, uma resposta a esta aparente anomalia seria que tal coesão social não ocorreu com a mesma dimensão e sofisticação que entre os seres humanos: somos capazes de lidar com maior complexidade nas interações sociais, talento que é ampliado com a música. Talvez, então, o valor da música advenha das atividades exclusivamente humanas, como cantar e dançar à volta da fogueira. Estas experiências comunais favorecem as estratégias cooperativas para a sobrevivência[59] e a comunicação entre gerações, algo que não ocorre com tal notoriedade em outras espécies. Se estas atividades são, com efeito, vitais para a sobrevivência do *Homo sapiens* e se conseguem, afinal de contas, capturar alguma propriedade biológica universal comum, então podemos começar a compreender os mecanismos cerebrais subjacentes a estes temas universais para descortinarmos como a música acabou por vir a exercer impacte sobre a consciência.

A segunda objeção tem que ver com a música ser demasiado diversificada culturalmente para ser característica integral da natureza humana. Todavia, Ian Cross, musicólogo da Universidade de Cambridge, afirma que *existe* um fator comum a todos os tipos de música, nomeadamente «um nível de organização temporal que é regular e periódico»[60]. A ser esse o caso, então não surpreende que os instrumentos que mantêm o ritmo básico, como rocas e tambores, tenham sido dos primeiros instrumentos a surgir. Mas porque seria a experiência do ritmo repetitivo algo tão essencial e benéfico? Responder a esta questão ajudar-nos-ia a compreender se a música é ou não essencial para o cérebro humano, e se deve ou não considerar-se que induz um tipo diferente e específico de consciência.

Uma sugestão diz que, no início do desenvolvimento do cérebro, são precisos mecanismos periódicos de temporização para estabelecer uma «hierarquia de ritmos motores»[61]. O valor do ritmo numa interação entre bebé e prestador de cuidados será que o bebé segue e reage em conformidade aos ciclos temporais nas vocalizações e no movimento do prestador de cuidados, ciclos e movimentos esses que não estariam presentes no discurso normal. É banal vermos uma mãe com um bebé no joelho, a subi-lo e a descê-lo, enquanto talvez lhe segure nas mãos, movendo-as ao ritmo de uma qualquer lengalenga que será, no mínimo, meio cantada ou entoada. Além disso, a repetição destas ações, impossíveis na linguagem normal, fortaleceria e promoveria a importante plasticidade da conetividade neuronal específica no novo cérebro que está a ser desenvolvido. E com esse ensaio básico de coordenação sensorial-motor viria a experiência em interações interpessoais e em competências comunicativas. Cross resume a música como «um incentivo natural para a aprendizagem social e cultural humana que tem início na primeira infância»[62].

Todos parecem concordar que a experiência musical implica, necessariamente, movimento. Se, tal como vimos no capítulo 3, «O pensamento é movimento confinado ao cérebro», a música leva esse movimento libertado do cérebro até ao nosso corpo. Nietzsche defendia que «Ouvimos música com os músculos», e é difícil imaginar que não se bata o pé, pelo menos, ou que não nos mexamos ao de leve ao ritmo inebriante da música, ou que não acabemos, mais cedo ou mais tarde, a levantar-nos para dançar. Assim, no seu aspeto mais básico, a exposição à música, e a sua experiência, permite que o cérebro jovem se desenvolva de uma maneira impossível de reproduzir se a música não existisse.

Se é assim tão essencial, que marca deixa a música no cérebro e, logo, na mente? Uma maneira de responder a essa questão é vendo o efeito de diferentes casos de lesões cerebrais na apreciação de música. Por exemplo, um paciente perdeu a resposta emocional à sua música preferida na sequência de uma lesão numa região específica do cérebro (no caso dele, na amígdala esquerda)[63]. Os pacientes com danos na amígdala mostraram ainda menos receio ao ouvir música que normalmente evocaria uma reação negativa forte[64]. Num outro estudo, que empregou imagiologia, pediu-se aos sujeitos que ouvissem música que sabiam que lhes provocaria «arrepios» – apesar do termo bizarro, é uma sensação aparentemente agradável, evocada por certos trechos musicais[65]. Embora não pareça muito científico, esta sensação subjetiva é acompanhada por alterações objetivamente mensuráveis no ritmo cardíaco, na respiração e em outras medições de excitação[66]. Por outro lado, num estudo como este, em que os participantes puderam selecionar a música que evocaria emoções fortes, qualquer tentativa de subjetividade acabará por não contar com termos de comparação quanto a associações e memórias individuais. Conforme os «arrepios» subjetivos aumentam, muitas regiões cerebrais são ativadas (a amígdala e o córtex pré-frontal, entre outras), as quais, por sua vez, estão associadas à recompensa, à motivação, à emoção e à excitação, bem como a outros resultados agradáveis[67].

Em conjunto, estas descobertas mostram que a música pode imitar estímulos biologicamente recompensadores na sua capacidade de ativar circuitos neurais semelhantes numa área como o corpo estriado ventral, que se sabe estar associado a experiências agradáveis[68] como comer chocolate[69] ou ao consumo de drogas com a cocaína[70]. Todavia, a redução verificada na atividade da amígdala, por exemplo, sugere que a sensação positiva também se pode dever ao bloqueio das respostas básicas ao medo. Curiosamente, a música foi identificada como um dos únicos exemplos de um estímulo de excitação positiva capazes de reduzir a atividade nesta região do cérebro[71]. Assim, o «prazer» da música pode dever-se tanto a um puxão como a um empurrão: por um lado, um puxão para a ativação positiva de áreas e circuitos cerebrais ligados à recompensa e, por outro lado e simultaneamente, um empurrão, já que suprime as redes as ligações associadas ao medo e a outras emoções negativas.

Não surpreende que tantas áreas do cérebro sejam ativadas durante uma atividade de tal maneira emotiva. Ninguém esperaria descobrir uma área *exclusiva* do cérebro que fosse seletiva e exclusivamente ativada pela música. Assim, talvez o segredo do processamento da música no cérebro seja esta *combinação* particular de estruturas cerebrais que ela ativa, a par da supressão de áreas ligadas ao medo. Com o seu ritmo «universal», a sua tonalidade ou harmonia, a música dá início a um ciclo repetitivo e expectável de antecipação e prazer. À longa lista de áreas cerebrais participantes, podemos agora também juntar o cerebelo, a estrutura que lembra uma couve-flor no fundo do cérebro. Este minicérebro quase destacado é característico de todos os cérebros vertebrados e foi designado como «piloto automático», pois está associado a uma coordenação sensório-motora automatizada. Se estivermos a bater o pé «inconscientemente» ao ritmo da música, é bem provável que seja o cerebelo que no-lo permite.

Associada a este efeito temos a fascinante descoberta de que a música pode ajudar, temporária mas poderosamente, a aliviar o transtorno de movimentos manifestado na doença de Parkinson[72]. O que levará a isto? A área que sofre a degeneração nesta doença cruel é uma parte central do cérebro associada ao movimento «voluntário» iniciado internamente, mas o cerebelo é poupado a essa devastação neuronal. Assim, sabe-se que quando se pede a um paciente de Parkinson que realize movimentos impelidos por estímulos externos − por exemplo, assentar os pés em marcas ou em folhas de papel no chão −, quase milagrosamente ele parece capaz de andar normalmente[73]. A música pode estar a desempenhar o mesmo papel que estas folhas[74], funcionando por intermédio da audição e não da visão: assistidos por um fluxo contínuo de estímulos auditivos externos, os movimentos do paciente reagem em conformidade. Outra possibilidade, que não é mutuamente exclusiva, é que o prazer causado pela música pode estar a ampliar as reservas escassas do importante químico que se torna deficitário com a doença de Parkinson: a dopamina.

Claro que se a música desencadeia emoções, sobretudo prazer, seria surpreendente se este transmissor esforçado e popular não estivesse envolvido. A Dr.ª Valorie Salimpoor e a sua equipa do Rotman Institute, em Toronto, aventou que se a música suscita sentimentos de euforia e de desejo semelhantes às recompensas palpáveis envolvidos no sistema dopaminérgico, então ouvir música deveria libertar dopamina cerebral. A equipa descobriu então que se liberta dopamina endógena (no corpo estriado) no auge da excitação emocional quando o sujeito está a ouvir música. Também descobriram que o prazer intenso em resposta à música envolve a *antecipação* de uma recompensa, resultante da libertação de dopamina num caminho anatómico distinto daquele que está associado ao pico do prazer propriamente dito[75].

Já em 1956, o autor, compositor e filósofo Leonard Meyer sugeria que esta «tensão» – a antecipação seguida por uma resolução positiva – estava na base da experiência emocional e, desenvolvendo esta ideia, que o movimento de um acorde dissonante para a resolução poderia justificar o prazer na música clássica[76]. A música garante uma sensação de antecipação não ameaçadora a cada cadência, seguida por uma resposta esperada e repetida. No capítulo anterior sugeri que o medo e o prazer andam de mãos dadas, e que a diferença essencial para determinar se uma experiência tinha como resultado medo ou prazer era o grau de previsibilidade e de semelhança no género de estímulos sucessivos. Mais do que qualquer outro estímulo considerado agradável, a música cumpre esses requisitos.

Claro que, embora seja fácil ver por que motivo o ritmo do comer e o saborear sucessivo da comida possam ser agradáveis, o efeito positivo da mera repetição de sequências de sons é menos óbvio: o que tem a música especificamente que faça dela uma atividade exclusivamente humana, e porque passa a nossa espécie tanto tempo a ouvir, a tocar e a dançar ao som da música? Aventaria que a música é diretamente comparável à linguagem, e que o prazer exclusivamente humano – e, com efeito, o seu valor para a sobrevivência – com a música poderá ser mais bem compreendido como homólogo equiparável, mas oposto do mundo verbal.

Há muito que a atividade no hemisfério direito está associada à emoção, e este lado do cérebro ser sensível à música levou muitos teóricos da música, filósofos e neurocientistas a associar a emoção à tonalidade. Trata-se de uma sugestão razoável, já que os tons na música podem ser entendidos como uma caracterização dos tons do discurso humano, o que, por sua vez, indica conteúdo emocional, prosódia: os tons musicais podem ser meros exageros da tonalidade verbal normal[77]. Há outras semelhanças ainda mais óbvias entre a música e a linguagem: ambas as atividades são essencialmente exclusivas da nossa espécie, e ambas são mais notórias devido à sua incrível diversidade nas diferentes culturas, eras históricas, etc., do que por causa de qualquer outra característica manifestamente comum. Ambas possuem regras e estruturas claras e culturalmente dependentes para a sua expressão, de tal modo que têm de ser adquiridas pelo jovem cérebro humano depois do nascimento, já que ambas são criadas numa determinada sociedade e era. Mas se a música é de tal modo comparável à linguagem falada, para quê tê-la também?

Há diferenças cruciais entre estas duas formas essenciais de comunicação humana, o que sugere que elas se complementam, em vez de se duplicarem. Enquanto a linguagem falada evoluiu inicialmente para permitir a interação eficaz entre um pequeno número de pessoas, a música é um meio coletivo mais vasto de transmitir mensagens. E, enquanto as conversas faladas são imprevisíveis e completamente únicas, a música pode ser repetida e, tal como vimos, tem ciclos reconfortantes de antecipação e resolução. Contudo, e ainda mais importante, a música não está limitada, ao contrário da linguagem, à descrição de factos ou ideias extremamente específicos. Além disso, a música pode gerar emoções sem ter de invocar memórias específicas: já vimos que a audição está numa posição muito baixa no que diz respeito à dependência de contextos. Tal como o falecido neurologista Oliver Sacks afirmou com tanta eloquência, «A música não tem conceitos nem faz afirmações; carece de imagens, de símbolos, da matéria da linguagem. Não tem poder de representação. Não tem relação com o mundo»[78]. David Huron conclui, de forma ainda mais sucinta: «A música nunca conseguirá alcançar a referencialidade inequívoca da linguagem, nem a linguagem será capaz de atingir a ambiguidade absoluta da música.»

Desta forma, linguagem e música são duas faces da moeda única da expressão e da comunicação que pertence à nossa espécie, e que se complementam nos seus papéis igualmente importantes, embora diferentes. A música amplifica, exemplifica ou reforça o rumo de uma experiência que esteja a decorrer. Garante uma forma de estarmos no presente, ao contrário da linguagem, essencial para nos referirmos a coisas que não somos capazes de detetar diretamente com os sentidos. Por outro lado, e ao contrário do imediatismo do *rafting*, a música não é reativa: não há estímulos inesperados aos quais temos de reagir de imediato. E quando reagimos, não é numa lógica retaliatória, mas refletindo ou amplificando o que estamos a ouvir, enquanto vamos trauteando, batendo o pé, abanando o corpo.

Se a música está no presente, mas é diferente da interatividade do esqui, por exemplo, até que ponto será esta experiência contínua «sensorial» ou «cognitiva»? Dito de outra forma, quão profunda será a consciência resultante – quão vastas as ondas na água? A resposta, certamente, dependerá do tipo de música em causa, que, por sua vez, dependerá das diferentes reações das diferentes sociedades e gerações. Por exemplo, a música clássica sem um acompanhamento verbal tem um contexto menos definido e enfatiza a audição pura, um sentido que, tal como já vimos, se dirige ao emocional e ao subconsciente, liberto de cenários específicos ou literais: uma pedra atirada com força, mas não necessariamente grande. A pedra seria muito pequena mas teria muita força, sendo seguida por outras pequenas pedras atiradas em rápida sucessão conforme a batida e os ritmos se vão repetindo insistentemente, porventura evocando associações idiossincráticas e efémeras.

Mas não nos apercebemos destas maquinações neurais. Lá vamos conduzindo, com Mozart a entrar-nos pelos ouvidos e a passear-nos no cérebro, a invocar breves ideias, sensações numa sucessão alegre e ilógica, enquanto os nossos olhos, mãos e pés nos navegam sozinhos pelo trânsito. De repente, algo lá à frente intromete-se na nossa consciência; o nosso precioso mundo interior, animado pela música, dissolve-se... com a visão do nosso local de trabalho.

5

No Escritório

Chegou ao fim a música e a apreciação do prazer sensorial no seu mundo privado: agora temos de olhar para fora, de abraçar o ambiente externo, o edifício de vidro monolítico que segue o estilo de tantos blocos de escritórios construídos em meados do século passado. Ao entrarmos no edifício, o nosso humor entra em queda livre: porque será que este espaço de betão e vidro que se ergue à nossa volta nos deixa tão deprimidos? Chegamos à nossa secretária: um posto de trabalho idêntica às que se estendem de ambos os lados de uma longa fila naquele espaço aberto – onde passaremos o resto do dia à frente de um ecrã, no que nos vai parecer uma eternidade.

Passamos, em média, mais de oito horas por dia no emprego[1], pelo que o local de trabalho será um cenário adequado para estudar o impacte do ambiente sobre a nossa mentalidade especificamente humana. É provável que ninguém se surpreenda que os alunos em salas com luz natural apresentem melhores resultados do que os alunos que aprendem com iluminação artificial, ou que o desenho dos quartos de hospital possa influenciar a rapidez com que os pacientes recuperam. No entanto, apesar de termos este conhecimento intuitivo, não percebemos realmente porque assim é, nem o que acontece no cérebro que justifique esses efeitos. Embora o encorajamento do cruzamento da neurociência com a arquitetura possa parecer uma questão de senso comum, os poucos estudos que tentaram investigar a relação entre as duas disciplinas não foram completamente rigorosos[2].

No entanto, não haverá dúvida de que se trata de uma questão vital. Tal como vimos, o brilho, a sonoridade, etc., dos estímulos que chegam aos sentidos puros desempenham um papel fulcral na construção do estado cerebral em cada momento – mas o mesmo pode dizer-se do elemento *cognitivo* personalizado dessas informações (o tamanho da pedra, bem como a força com que é atirada). E se o tamanho da pedra corresponde às ligações neuronais locais a longo prazo, que, por sua vez, são induzidas pelo ambiente constante e a longo prazo, então o local onde passamos oito horas da nossa vida todos os dias será crucial para a formação da consciência. Se os ratos e as ratazanas simples são transformados, a todos os níveis, por um ambiente enriquecido – desde os neurónios e os químicos do cérebro aos complexos circuitos cerebrais e, em última análise, ao comportamento –, como poderá o local de trabalho diário afetar o cérebro de alguém como nós, um ser humano único?

Mas desta vez, se vamos pensar nos efeitos do ambiente diário complexo sobre o cérebro humano, esse ambiente será, inevitavelmente, multifacetado e multissensorial: não podemos encarar o enriquecimento como o estilo de vida monolítico, de «tudo ou nada», que serve para as experiências com ratazanas. O paradigma do enriquecimento ambiental pode ser facilmente criado e usado como cenário experimental para animais de laboratório, mas a questão torna-se muitíssimo mais complexa no caso dos seres humanos, pois em qualquer estudo de enriquecimento será impossível desenvolver um cenário de controlo «diferenciado». Não seria ético isolar uma pessoa, mesmo o mais voluntarioso dos sujeitos, por períodos longos num ambiente deliberadamente pouco estimulante, e muito menos por tão significativo período da sua vida, para garantir um diferencial claro de comparação com indivíduos que virão a ser enriquecidos.

Infelizmente, o mais próximo que temos de uma interferência ambiental com o cérebro humano são as trágicas vítimas nos orfanatos romenos durante o brutal regime de Ceausescu. Devido à subida da taxa de nascimentos em virtude da proibição de abortos e de contraceção, nas décadas de 1970 e 1980 muitas crianças foram abandonadas em orfanatos, a par de crianças com deficiências físicas e mentais. Estas crianças sofreram negligências e abusos institucionais, e a terrível privação a que foram sujeitas teve efeitos óbvios nos seus cérebros – tanto no desenvolvimento físico como mental[3]. Muitas sofreram atrasos significativos no desenvolvimento do controlo da motricidade fina, da linguagem e das funções socioemocionais[4]. Num levantamento aos órfãos romenos entre os vinte e três e os cinquenta meses de idade, todos exibiram défices nos processos mentais que, para grande surpresa dos investigadores, não estavam relacionados com o tempo passado no orfanato, a idade de entrada ou o peso à nascença. O horror do ambiente propriamente dito pareceu dar azo às variações mais subtis[5].

Médicos que estudaram os órfãos observaram uma redução tanto da matéria branca como da matéria cinzenta no cérebro, a par de um grande subaproveitamento de glucose (sinal de subatividade neuronal) numa vasta gama de zonas cerebrais. Também detetaram anormalidade num aspeto central da função cerebral: a conetividade neuronal[6].

As crianças mostravam grande competência no que diz respeito à interação social entre elas, pois fora essa a única atividade permitida. Além disso, alguns dos piores aspetos da privação foram atenuados ao pôr-se as crianças em famílias de acolhimento[7], o que ilustra mais uma vez a infinda adaptabilidade do cérebro ao ambiente, a forma como ele reflete cada momento de experiência e medra normalmente com os estímulos que recebe.

É claro que a maior parte das experiências humanas não pode ser prontamente classificada como pertencente a uma das duas condições distintas: enriquecida ou não. Até um estilo de vida empobrecido ao máximo, caracterizado pela miséria e pelas noites ao relento, pode conter elementos de interação interpessoal estimulantes e experiências memoráveis e instrutivas, quer sejam boas ou más. Há fatores mais subjetivos que desempenham claramente um papel importante, como por exemplo as reações pessoais a determinados acontecimentos, com respetivas interpretações idiossincráticas, a par dos objetivos e motivações individuais de cada pessoa: além disso, cada ser humano poderá considerar enriquecedor um sem-fim de tipos particulares de ambiente. Diz a Dr.ª Diana Frasca, da unidade de reabilitação de Toronto: «Assim, o enriquecimento reflete a complexidade ambiental (a oportunidade de participar em diferentes modalidades desportivas, clubes ou redes sociais, e de participar em atividades intelectualmente exigentes), a inclinação pessoal para participar no ambiente, e a frequência dessa participação.»[8]

A outra diferença, menos óbvia, mas profundamente importante, entre os estudos sobre os efeitos ambientais em humanos e os estudos com ratazanas, é que os resultados nos roedores são medidos segundo uma escala única, seja o aumento dos níveis de químicos, mais neurónios com mais ligações, ou, porventura, um comportamento em que o animal seja mais capaz do que os controlos num determinado teste. Isso não acontece com os seres humanos. Não só cada sujeito reage de forma extremamente individual ao ambiente, como, por sua vez, não é nada óbvio como avaliar os efeitos únicos desse ambiente. Por exemplo, a disponibilidade para provar alimentos novos é uma boa medição de desempenho nas ratazanas quando se testam os níveis de ansiedade: não é fácil imaginar isso como meio credível de avaliação entre humanos, sobretudo por ser possível encontrar o padrão oposto: consumos excessivo de alimentos induzido pelo stresse.

O local de trabalho é um bom sítio para começar a investigação dos efeitos complexos do ambiente sobre a consciência humana: afinal de contas, garante um estilo de vida relativamente mais padronizado e, sem dúvida – graças aos objetivos, regras e hierarquias explícitos –, uma versão ligeiramente simplificada do mundo real. Claro que teremos de olhar além das meras características *físicas* deste ambiente e pensar como interagimos quando nos deslocamos em espaço aberto. A *reação subjetiva* de cada indivíduo vai desempenhar um papel importante na criação de redes e, logo, da consciência. Portanto, o local de trabalho oferece uma boa oportunidade de explorar os aspetos mais sofisticados específicos da mentalidade humana: a identidade e a autoconsciência. Então, por onde começar? Talvez pelo mais óbvio: as características físicas e objetivas que nos rodeiam, sendo que a mais presente, mesmo num escritório, é a cor.

CARACTERÍSTICAS FÍSICAS: COR

Um ser humano com visão normal consegue apreciar uns impressionantes 2,3 milhões de cores discerníveis[9]; e a fisiologia da maneira como a cor é processada no cérebro já foi profundamente investigada e documentada[10]. Não obstante, aquilo que um indivíduo experimenta, em concreto, ao ver cores continua a ser um mistério. Só podemos descrever a nossa perceção, por exemplo, do vermelho, fazendo comparações com vários objetos de cor vermelha – maçãs, sangue, etc. Portanto, a experiência de ver vermelho é amiúde citada como exemplo de qualia, a qualidade esquiva de uma experiência consciente subjetiva que mais ninguém pode partilhar ou experimentar em primeira mão[11]. Talvez a cor seja habitualmente escolhida como exemplo de qualia por ser o elemento mais básico numa experiência consciente.

Contudo, no caso improvável, mas hipotético, de só conseguirmos ver uma extensão de cor contínua e homogénea, continua a ser possível que essa simples experiência possa desempenhar um papel crucial na criação de redes, e, logo, de consciência, no nível mais primitivo de todos: a excitação pura. Recordemos que um dos fatores importantes para a determinação da dimensão de uma rede é o grau de excitação, o qual, por sua vez, é determinado pela produção de dopamina, noradrenalina e outros parentes químicos. Algo tão simples como os comprimentos de onda de diferentes cores pode afetar de maneira diferenciada e direta o nosso nível de excitação, única e exclusivamente devido a quão perto ou não parecem estar objetos com cores diferentes (tudo graças aos diferentes comprimentos de onda).

Há dois séculos, Goethe descreveu o azul como uma cor «fugaz», em contraste com o vermelho, que é «penetrante para o órgão». O comprimento de onda do amarelo é relativamente longo e fundamentalmente excitante: vários estudos psicológicos mostraram que um estímulo amarelo provoca uma reação emocional, podendo animar o espírito. Em contraste, o verde ativa os espectros médio do comprimento de onda das células sensíveis à cor (cones) na retina central[12]. Alguns cientistas sugeriram por isso que por se encontrar no centro do espectro, a luz verde atinge o olho de uma forma que não exige nenhum ajuste ocular, sendo portanto, sem dúvida, mais relaxante e repousante.

Além disso, quando se contrasta uma cor com outra, isso também afeta o nível de excitação. O vermelho tem um comprimento de onda mais longo do que o azul e julga-se que as *diferenças* no comprimento de onda de duas cores levam a que dois quadrados adjacentes dessas cores pareçam estar a distâncias diferentes[13]. Assim, de uma forma abstrata, as cores afetam a consciência humana, simplesmente devido às suas propriedades físicas, e não devido a quaisquer associações «cognitivas» psicológicas que possam suscitar mais tarde.

Que poderá estar a acontecer no plano dos neurónios? Ao afetar diversamente a excitação, as diferentes cores alteram os níveis desses vários químicos modulatórios no centro do cérebro. Como resultado, estes químicos modificam a celeridade com que as redes se formam, determinando a viscosidade da água: a facilidade, ou não, com que as ondas são geradas na água é uma consideração essencial. Um líquido pastoso e estagnado será um meio condutor menos eficaz, abrandando a disseminação das ondas, quando comparado com água completamente limpa e cristalina: assim, a família de químicos moduladores que emanam do centro do cérebro pode determinar a facilidade com que se forma uma rede, bem como a sua extensão, dependendo, literalmente, de quão excitante ou não possa ser determinada cor.

Depois temos a força com que a pedra é atirada. Uma cor de comprimento de onda fixo vai, ainda assim, variar quanto ao brilho: uma mancha vermelha pálida não será tão estimulante como uma mancha brilhante, mesmo sendo ambas vermelhas. Assim, uma cor pode já provocar a consciência de duas formas, tudo devido às suas meras propriedades psicofísicas: em primeiro lugar, o comprimento de onda, que determina o nível de excitação por meio dos vários moduladores (a viscosidade da água), e, em segundo lugar, o brilho (a força do lançamento). O que poderá agora determinar o tamanho da pedra, ou seja, o significado específico da cor?

Sem grande surpresa, há reações tipicamente humanas à cor que jamais surgiriam no repertório dos estudos de enriquecimento ambiental com animais. Por exemplo, a imagiologia cerebral revela que a qualidade espectral da luz pode modular reações cerebrais emocionais individuais nos seres humanos. Os investigadores expuseram sujeitos a estímulos vocálicos emotivos enquanto se submetiam a uma imagiologia por ressonância magnética funcional com períodos alternados de quarenta e dois segundos de luz verde e azul[14]. Os indivíduos registaram maior conetividade funcional nas ligações cerebrais associadas às experiências emocionais (amígdala e hipotálamo) quando expostos à luz verde, e maiores reações noutra área (hipocampo) com luz azul. Uma vez que o hipocampo é importante para a criação de memórias, os investigadores sugeriram que a luz azul promove o processamento ampliado de emoções e memórias para encorajar uma rápida resposta cerebral aos desafios emocionais, e, por sua vez, ajudam na adaptação do organismo ao seu ambiente. Tal interpretação será porventura demasiado simplista – afinal de contas, já vimos que as regiões cerebrais não são minicérebros autónomos –, mas este estudo mostra, pelo menos, que cores diferentes podem afetar de maneira diferente o modo como o cérebro reage aos estímulos ambientais por meio dos respetivos efeitos cognitivos.

Na vida real fora do laboratório é quase impossível descortinar entre esses efeitos diretos da cor pura – a força do lançamento da pedra e a viscosidade da água – e as associações arraigadas que cada cor específica vai desencadear: logo, o *tamanho* da pedra neuronal. Muitos dos efeitos da cor serão mediados pelas associações aprendidas acumuladas entre as cores e o ambiente pessoal: a conetividade neuronal pós-natal que já discutimos será um desses fatores importantes para a determinação do grau de consciência. Por exemplo, se já se estabeleceu que o vermelho fomenta a atenção, isso deve-se a estar associado, por exemplo, ao semáforo que nos obriga a pisar o travão, a par de outros sinais de entrada proibida e toda uma panóplia de riscos e perigos. Contudo, se a cor foi escolhida à partida para este tipo de sinalização devido aos seus efeitos fisiológicos diretos sobre a pulsação, o ritmo cardíaco, etc., será impossível distinguir entre o sensorial e o cognitivo: os efeitos da excitação ampliada pelos moduladores terão um impacte recíproco sobre as associações a determinada cor, pelo que ambos se reforçam mutuamente.

No caso do vermelho, e seguindo o pressuposto de que a cor promove de facto a atenção, quer por motivos inatos quer por motivos aprendidos, o efeito geral seria aprimorar o desempenho em tarefas cognitivas que implicassem atenção aos pormenores («atenção concentrada»): contudo, ao mesmo tempo, um indivíduo pode, em consequência, ser mais vigilante, estar nervoso e ser avesso a riscos e, logo, menos motivado. O desempenho entraria em declínio. Afinal de contas, prestamos atenção não só aos interesses potencialmente benéficos, mas também àqueles que nos poderão prejudicar; quando estes surgem somos, sobretudo, reativos ao risco, mais do que motivados a ser pró-ativos. Entretanto, imaginemos agora que o ambiente que nos cerca contém bastante verde, apelando para o nosso estilo de vida mais primitivo, na floresta, além de sugerir a presença de água. Num plano atávico, ficamos reconfortados com a visão do verde.

No entanto, de uma forma mais negativa, o verde pode transmitir insipidez, já que é a cor mais presente na natureza. Da mesma forma, o azul é prontamente associado ao oceano e ao céu, invocando sentimentos de abertura, paz e tranquilidade.

Decorrente dessas ligações cognitivas, sabe-se que a cor influencia o comportamento dos consumidores[15]. A cor mais comummente usada para o logótipo das grandes empresas – Facebook e Twitter, por exemplo – é o azul; esta cor, por sua vez, está ligada à competência[16]. Devido à associação à água, o azul é adequado para bens funcionais, ao passo que o vermelho, associado ao estatuto, é a cor de eleição para os bens de luxo, como por exemplo os carros desportivos[17]. E é a cor de longe mais estudada desde que o médico britânico Havelock Ellis escreveu, em «The Psychology of Red» (1900), «De todas as cores, o tom mais marcadamente emotivo é, sem dúvida, o vermelho». Das imensas conotações com vida e morte do sangue ao rosto afogueado que trai as emoções mais básicas da fúria ou do embaraço, até à cor da fruta madura, o vermelho tem mais «significado» (logo, potencialmente mais ligações neuronais) do que a maior parte das outras cores[18].

Mas aquela que porventura continuará a ser a característica mais fascinante da cor como parte do ambiente não será tanto a forma como transmite informações à nossa consciência, mas sim o *tipo* subsequente de reações que poderão depois surgir. Por exemplo, o vermelho é preferível se a tarefa em causa obrigar à atenção vigilante do indivíduo – como seja decorar informação importante ou compreender os efeitos secundários de uma nova droga – , já que ativa uma reação de repulsa que poderá ser adequada[19]. Mas o vermelho poderá não ser a melhor cor se procurarmos, quer no trabalho, quer em casa, um ambiente que promova um tipo completamente diferente de comportamento: a criatividade.

Durante uma experiência na Sauder School of Business de Vancouver[20], os efeitos potenciais da cor sobre a criatividade humana implicaram a criação de uma bateria de diferentes testes que avaliassem uma série de atributos psicológicos. Um deles era um simples teste de recordação de palavras com ecrãs que exibiam fundos com cores diferentes; as palavras exibidas num fundo especificamente vermelho pediam aos participantes que comparassem secções de texto e indicassem se eram ou não idênticas; mais uma vez, os casos exemplos com um fundo vermelho num computador tiveram como resultado um melhor desempenho, como medida de precisão. Depois, os sujeitos foram submetidos a um teste mais importante, em que lhes era pedido que indicassem o maior número possível de usos para objetos comuns, recebendo as respostas uma pontuação baseada em quantidade e engenho: tratava-se de uma avaliação de criatividade. A cor de fundo durante o teste não influenciou o número de respostas, mas *melhorou* o engenho, ou seja, a criatividade das respostas apresentadas; desta vez, foi o fundo azul que produziu as respostas mais imaginativas.

Os cientistas que levaram a cabo o estudo também forneceram aos participantes o teste de associações remotas (apresentado no capítulo 3), em que são dadas três palavras, todas elas relacionadas com uma quarta palavra, que terá de ser indicada pelo participante: por exemplo, «prateleira», «ler» e «capa» estão relacionadas com «livro». Curiosamente, foram, mais uma vez, as palavras apresentadas contra um fundo azul que produziram as respostas mais criativas, comparadas com as apresentadas num fundo vermelho. Tal como sugerido por estes estudos, se a tarefa pede criatividade e imaginação, como seja desenhar alguma coisa, ter uma ideia para um produto novo ou participar numa sessão de *brainstorming*, devemos usar uma sala azul; os ambientes vermelhos, por outro lado, são melhores para a memória e para a atenção aos pormenores[21].

O azul está próximo do verde no espectro cromático, e pode também promover a criatividade dando à mente individual a oportunidade de «vaguear livremente», pelo menos metaforicamente, num ambiente natural de árvores verdes e céu azul. Numa investigação reveladora, os cientistas compararam de formas diferentes os efeitos sobre a criatividade da cor verde com o vermelho, o cinzento e o branco[22]. O estudo confrontava os participantes com uma série de tarefas: em primeiro lugar, indicar formas criativas de usar um objeto comum, depois um teste conhecido como «modelo estrutural de inteligência de Berlim», em que se pede aos participantes que desenhem tantos objetos quanto possível com base numa figura geométrica, e, finalmente, a tarefa dos exemplos, em que os participantes têm de apresentar exemplos em quatro categorias diferentes (por exemplo, «coisas redondas») dentro de um prazo estabelecido. Os investigadores descobriram que o verde não era útil nas tarefas analíticas não criativas, mas ajudava mais os participantes em testes criativos do que o vermelho, o branco ou o cinzento. Concluíram que o azul não era *a* cor criativa e sugeriram que os fatores que afetavam o desempenho final seriam o brilho, a intensidade ou qualquer outra interação entre as três cores primárias[23].

Estas conclusões podem parecer rebuscadas ou simplistas. Mas se certas cores *estão* ligadas a certos tipos de respostas, isso dever-se--á, provavelmente, à circunstância de influenciarem os três fatores interativos distintivos que determinam o grau final de consciência – a dimensão das ondas na água: em primeiro lugar, o tamanho da pedra (o grau de associações preexistentes); em segundo lugar, a força com que a pedra é atirada (o grau de luminosidade e brilho); e, em terceiro lugar, a facilidade com que as ondas são geradas, ou seja, a viscosidade da água (a disponibilidade e quantidade de moduladores, o que, por sua vez, está ligado ao grau geral de excitação).

INTERAÇÃO: ESPAÇO ABERTO

A par da cor, há uma característica do ambiente que é tão óbvia que quase parece uma tolice ser referida: o espaço vazio. Embora a perceção da cor possa ser uma experiência passiva unidirecional, acabámos de ver que determinadas cores podem deixar-nos mais alertas ou mais criativos. O espaço à nossa volta convida-nos não só a uma reação, mas também a uma *interação*: a possibilidade de nos deslocarmos fisicamente. A experiência do movimento em espaços definidos vai, por sua vez, transmitir informações ao cérebro, modificando a conetividade neuronal e, logo, alterando o tamanho das pedras, e, por conseguinte, o tamanho da rede e, em última análise, da consciência. O que é, então, este espaço especial que é o ambiente de trabalho?

Desde o tempo dos romanos que o conceito lato de «escritório» ou «gabinete» surge no dia a dia: contudo, inicialmente, a ênfase era depositada no cargo de uma pessoa, e não no local – como no «gabinete», ou ministério, de um governo. Nos séculos seguintes, a sociedade deixou de ser administrada e gerida por um governo burocrático complexo. Só no século XVIII, com organizações como a Companhia das Índias Orientais, se recuperou o conceito de gabinete – mas, desta vez, no sentido de um espaço físico necessário. O gabinete tornou-se independente no início do século XX, devido a uma combinação de invenções tecnológicas diferentes, mas atempadas: a nova iluminação elétrica permitia mais produtividade do que a conseguida com a dispendiosa iluminação a gás, ou com muitas janelas; as máquinas de escrever e de calcular aceleraram o tratamento da informação; os telefones e os telégrafos permitiram que os edifícios de escritórios se tornassem entidades independentes, com linhas seguras, mas remotas, de comunicação; e por fim, a invenção do elevador e da construção com estruturas de aço tornou possível aos arranha-céus dominarem o horizonte urbano. Inevitavelmente, com o tempo, a arquitetura de escritórios evoluiu e tornou-se o centro da experimentação[24]. Os arranha-céus popularizados após a Segunda Guerra Mundial viriam, mais tarde, a promover o sentimento de anonimato e de inflexibilidade entre os trabalhadores.

A ideia, desde o início deste século, tem sido encorajar uma nova forma de trabalho, repensando o espaço físico para que vá ao encontro das necessidades sociais humanas. Em *The 21st-century Office* (2003), Jeremy Myerson e Philip Ross sugerem que o *design* deve ser determinado em função de quatro termos centrais. O primeiro é a *narrativa*: em grande contraste com a uniformidade visual dos gabinetes de outrora, o espaço contemporâneo deverá contar uma história sobre a empresa. Pensemos na sede da empresa de gelados Innocent, em Londres, em que o piso térreo está coberto de *AstroTurf* e o mezanino tem cubículos ao estilo dos restaurantes americanos; nem sequer falta uma cabina telefónica vermelha. O segundo termo é *nodal*: os novos espaços de trabalho contêm secções diferentes, cada uma pensada para satisfazer as várias necessidades da empresa e do funcionário, com espaços de reunião flexíveis, áreas de repouso comunais, etc. O terceiro é *sociável*: um ambiente que encoraje a interação entre funcionários; e o quarto é *nómada*: o espaço de trabalho já não tem necessariamente de ser num espaço fixo, nem o trabalho tem de ser feito num momento específico, já que as tecnologias digitais permitem maior flexibilidade dos estilos de trabalhos[25]. A ideia geral é promover mais sensação de liberdade entre os funcionários, em matéria de tempo e de espaço. Mas terá esta nova perspetiva sido bem-sucedida?

A pesquisa quanto ao impacte do *design* aberto sobre o desempenho divide-se e é contraditória. Por um lado, os espaços de trabalho abertos podem delapidar o bem-estar, devido à falta de privacidade. Por outro lado, já se defendeu o oposto, dizendo-se que promovem a satisfação laboral, a troca de informações e a produtividade. Outra consideração terá de ser, como é óbvio, financeira: o *design* aberto tem, muitas vezes, que ver com pressões financeiras – encaixar mais funcionários em espaços mais pequenos, devido ao aumento das rendas. Curiosamente, mesmo nos escritórios da Google, empresa amiúde considerada como «exemplo que deveria levar as outras organizações a afastar-se do tradicional»[26], o espaço aberto de estilo recreativo está reservado para os departamentos em que o objetivo principal é a *inovação*. Portanto, serão os espaços abertos mais indicados quando a intenção específica é induzir mentes abertas, as quais, por sua vez, têm mais probabilidade de serem criativas?

Dois estudos de caso com empresas que tentaram promover a criatividade no seu espaço de trabalho dão-nos algumas pistas[27]. O primeiro decorreu na sede de um especialista em pensões na Suécia, onde a organização deixou os tradicionais gabinetes pequenos e passou para áreas mais abertas, com «secretárias centrais», postos de trabalho que não pertencem a ninguém a longo prazo, podendo ser usados por qualquer funcionário. A BBC também passou recentemente para esse estilo de trabalho, algo que, segundo parece, levou a muito descontentamento entre os trabalhadores[28].

No caso sueco, todo o pessoal foi instalado em gabinetes abertos, incluindo o diretor executivo e o diretor-geral. Instalaram-se cozinhas confortáveis, com sofás e eletrodomésticos modernos, em cada piso. Concluiu um gestor com grande otimismo: «Quando os funcionários se juntam num espaço partilhado estão no meio do fluxo de informações. Ficam sempre expostos ao que se passa, e podem falar entre mais livremente.»

Contudo, veio a saber-se, graças a entrevistas e a comentários objetivos, que a interação espontânea, a criatividade e a aprendizagem não eram um resultado automático do novo espaço aberto. Embora os funcionários admitissem que era, de facto, mais fácil encontrar as pessoas com quem era preciso falar, as discussões acaloradas nas proximidades eram um fator de distração. As salas de reuniões ficavam rapidamente ocupadas. Outro motivo para os espaços abertos serem pouco populares foi os funcionários sentirem que estavam a ser observados a cada momento, não só pelos outros colegas, mas também pela gestão: houve quem sentisse que, devido à falta de privacidade, eram obrigados a manter uma identidade de trabalho falsa. Muitos dos funcionários acabaram por se aproveitar das oportunidades de flexibilidade laboral, trabalhando com mais frequência em casa. Lá se ia o encorajamento dos espaços abertos da «interação espontânea e criatividade».

O segundo caso decorreu num centro de atendimento telefónico britânico centralizado num espaço aberto batizado como «A Cúpula» e que ambicionava combinar as sensações de «recreação, criatividade e dinamismo». Havia salas de atividades incluídas no plano, como por exemplo uma sala com temática desportiva, com uma máquina de *flippers*, matraquilhos, etc., bem como um café «mediterrânico». A ausência de limites fixos foi essencial para o desenho do espaço. Encorajava-se as secretárias centrais, embora, na prática, isso não acontecesse muito, já que se verificava a criação natural de equipas concorrentes que permaneciam juntas, chegando a personalizar o espaço, mudando mobiliário para demarcar mais claramente o seu território. Alguns funcionários consideraram o ambiente «desgastante» e criticaram a falta de espaço pessoal. Outros afirmaram que a organização estava mais fragmentada e que os limites e as diferenças entre grupos eram ainda mais notórias do que em outras organizações onde haviam trabalhado.

Estes dois estudos sugerem que este tipo de espaços abertos tendem a induzir um sentimento de maior vigilância. Este tipo de conceito acaba por resultar numa espécie de autovigilância em que os funcionários se disciplinam, e de maneiras que frustravam, em vez de facilitarem, a interação espontânea, o divertimento e a aprendizagem. Em vez de levar os funcionários a sentir-se mais criativos e flexíveis, deixou-os mais autoconscientes.

O espaço aberto não é apenas a ausência de objetos, mas em si próprio, o vazio pode ser assustador: um modelo bastante usado para avaliar a ansiedade nas ratazanas é ver quão prontamente se deslocam num espaço aberto[29]. É claro que as ratazanas não se vão preocupar com os pormenores do desempenho profissional – mas há um elemento muito mais básico que pode ser comum entre seres humanos e roedores: os espaços expostos fazem ambas as espécies sentir-se vulneráveis. Para os seres humanos num escritório, esta vulnerabilidade pode traduzir-se num receio de vigilância e no sentimento de falta de privacidade – ambos, por sua vez, ligados à identidade. Afinal de contas, a *privação* é algo inerente ao conceito de privacidade, o excluir de outras pessoas fechando as cortinas, por exemplo. A partir do momento em que esta barreira é erguida, nós, o indivíduo privado, estamos protegidos de uma maneira que não ocorreria caso partilhássemos constantemente os pensamentos e as perceções com os outros: se esses pensamentos e perceções fazem parte integral de quem somos – a nossa identidade –, nesse caso a falta de privacidade num espaço de trabalho aberto pode afetar-nos o sentimento de identidade. Tal espaço pode, assim, não oferecer grande liberdade para sermos nós próprios, mas sim ser o oposto. Quando pensamos como o espaço imediato e o ambiente à nossa volta nos afeta a consciência, temos de ir além das nossas características físicas, até às mais psicológicas.

Em 1927, a Western Electric Company, sediada em Chicago, levou a cabo uma investigação influente quanto ao impacte da melhor iluminação sobre a motivação e a produtividade de vinte mil funcionários numa das suas fábricas[30]. Talvez sem grande surpresa, a produtividade aumentou no grupo que trabalhava num espaço mais iluminado, mas uma outra descoberta, intrigante, foi que o desempenho também melhorou no grupo de controlo que continuava com os mesmos níveis de iluminação baixos que sempre haviam tido. Um fator essencial foi o grupo de controlo ser informado de que ia fazer parte de um estudo psicológico, pelo que, sabendo que seriam alvo de escrutínio, trabalharam com mais afinco. O estudo revelou que os trabalhadores eram motivados não tanto pelas condições físicas, nem sequer por fatores económicos, mas sim por questões «emocionais», como por exemplo o sentimento de inclusão e de serem escutados.

Então, que potencial poderá haver para um tipo de ambiente, baseado nestes fatores «psicológicos» intangíveis, que possa maximizar o bem-estar individual? Uma investigação da College of Architecture and Environmental Design, na Califórnia, concentrou-se num grupo de pessoas de quem se esperava que tivessem pensamentos criativos no trabalho: cientistas de vários centros de pesquisa de universidades diferentes[31]. Talvez inevitavelmente, quando os cientistas receberam mais liberdade de movimentos e acesso a consultas pessoais, a comunicação passou a ser mais fácil e, por sua vez, essa interação levou a mais pensamento imaginativo e inovação. De um modo geral, as disposições que aproximam os cientistas, que os tornam mais visíveis, ou que «aumentam a probabilidade de esbarrarem uns nos outros», promoveram a inovação global. Outro estudo mostrou que 80 por cento das «consultas», definidas como conversas pessoais, ocorreram com reuniões que não estavam planeadas, sendo, isso sim, resultado de visitas não marcadas ou de encontros acidentais, sendo este tipo de interação universalmente preferido[32].

Ter uma conversa com um colega pode ser enriquecedor de várias maneiras: o prazer simples do contacto visual humano; o calor do retorno que nos mostra que aquilo que estamos a dizer é válido, enquanto reparamos na linguagem corporal encorajadora da outra pessoa; sobretudo, as novas ideias que o colega nos pode dar e que levam a pensamentos originais e a novas consequências. E temos ainda o reforço da nossa identidade única, quando esta é afirmada e reconhecida numa conversa em tempo real. Nenhum destes efeitos é mensurável de imediato, mas reforçam as características psicológicas de um ambiente de trabalho que só pode ser posto em prática de maneira indireta, concebendo espaços que, idealmente, permitam apenas a possibilidade de mais conversas.

No entanto, já vimos que os espaços abertos podem pôr em risco a criatividade ou o bem-estar dos funcionários. O espaço ideal parece ser um ambiente que permita privacidade e segurança individuais, mas também que garanta a oportunidade, caso seja isso o escolhido, de se sair para espaços partilhados e ter encontros espontâneos[33]. Ao contrário do paradigma do enriquecimento ambiental nos animais, o impacte do local de trabalho sobre os funcionários é, em essência, uma via de dois sentidos: enquanto as ratazanas podem ser recetores abertos e psicologicamente disponíveis de tudo o que lhes chega, as pessoas têm bastante bagagem pessoal. Os fatores subjetivos e emocionais desempenham um papel mais importante, sendo, por isso mesmo, de esperar variações individuais tanto nas expectativas iniciais como nas reações subsequentes. No entanto, uma vez que o ambiente – em concreto, o ambiente de trabalho – tem efeitos tão claros em tantos planos diferentes, sejam eles a excitação, a perceção, a memória, o bem-estar –, o passo seguinte é ver como esses diferentes fatores no ambiente podem convergir sobre a consciência individual: mais especificamente, a nossa autoconsciência e o sentimento subjetivo de quem somos.

REAÇÕES SUBJETIVAS

Ao contrário do estudo do impacte do ambiente sobre os animais, em que o mundo exterior deixa, quase literalmente, a sua marca num cérebro recetivo, o estudo dos efeitos do ambiente sobre o pensamento e o comportamento humanos implica um conceito muito mais esquivo que, por sua vez, é expresso ou ameaçado pelo espaço que nos rodeia: a identidade.

Parece-me haver cinco critérios necessários à existência de uma identidade pessoal particular[34]: primeiro, estar consciente; segundo, ter uma mente e, a par dela, um sistema de crenças válido; terceiro, agir segundo esses valores num contexto específico; quarto, provocar uma reação com essas ações; quinto entrelaçar esse exemplo específico de ação-reação numa história de vida mais vasta e generalizada. Vejamos cada passo específico com mais pormenor.

Em primeiro lugar, tal como deverá ser óbvio, só podemos ter noção de que temos uma identidade se tivermos capacidade de perceção. Assim, temos de estar conscientes, ou seja, não podemos estar a dormir, nem anestesiados. Em segundo lugar, a nossa «mente» tem de estar operacional – ou seja, não pode estar à deriva sob a influência de drogas ou do álcool, nem pode estar a ser distraída por uma experiência sensorial rápida em que, tal como já vimos, «nos deixamos ir». Temos de ser capazes de experienciar uma interpretação pessoal do que está a acontecer num determinado momento. A nossa mente única – as nossas ligações personalizadas – permitem-nos não só dar sentido ao que está a acontecer, mas também aplicar valores e crenças, que se generalizaram com o passar do tempo com base nas nossas memórias pessoas, e que terão um impacto sobre cada momento individual de experiência. Ou seja, temos não só de estar conscientes, mas também autoconscientes. Antes de avançarmos para os restantes pontos nesta nossa lista de requisitos para uma identidade completa, olhemos com mais atenção para o que é necessário para que tenhamos consciência do que estamos a fazer.

Tal como vimos no capítulo 1, já se dedicou muito estudo neurocientífico aos estados «mais elevados» que constituem a autoconsciência[35] e até que ponto eles ocorrem nos animais, a par dos seres humanos[36]. Embora nem sempre seja necessário ter continuamente noção completa do eu, parece que a perceção das ações próprias pode ser muito importante para determinar o que fazemos subsequentemente. A consciência do que estamos a fazer – conhecimento consciente – pode ser diferenciada do subconsciente por meio de, pasme-se, uma tarefa que implica apostas. Mostraram-se a participantes de um estudo letras individuais que tinham de identificar durante apenas cinco a dez milissegundos. Os participantes responderam com erros numa taxa superior à sorte: isto deverá significar que os estímulos que são apresentados são processados de modo subconsciente. Todavia, quando o período de apresentação foi maior do que quinze milissegundos, dando, presumivelmente, espaço para a «consciência», a precisão aumentou. Quando deparados com a oportunidade de apostar nas suas escolhas após estes estímulos de breve duração, os participantes recusaram-se a elevar a bitola, mesmo quando estavam corretos. Só quando tinham consciência do que acontecera, os sujeitos decidiam arriscar[37].

Esta demonstração operacional, no entanto, não nos ajuda a definir a autoconsciência. Já vimos que a experiência subjetiva «daquilo que sentimos» está dependente das associações pessoais e, logo, de estados emocionais únicos: contudo, não estamos necessariamente conscientes de que *somos nós* que os sentimos. Ou seja, nem sempre precisamos de estar autoconscientes – conscientes de nós próprios. Temos, assim, ainda de perceber como essa autoconsciência diverge, por exemplo, da consciência subjetiva de um bebé que, não obstante, não se apercebe de que é um bebé.

Uma ideia aventa que a autoconsciência difere destes outros estados cerebrais normais porque ela «informa o agente dos seus estados internos». Todavia, esta teoria comete a falácia da leitura[38] de pressupor que existe algum tipo de espectador dentro do cérebro. Quem é este «agente» senão os próprios «estados» cerebrais internos? Assim sendo, esta sugestão não é particularmente útil para se compreender o que poderá estar a acontecer dentro do cérebro. Outra teoria menos vaga é a tese da plasticidade radical. A ideia aqui é que é o processo de aprendizagem propriamente dito que nos torna conscientes – o cérebro não só aprende sobre o mundo exterior, como também possui as representações suas, conhecidas como «metarrepresentações». Esta teoria está associada a duas teorias computacionais da consciência. A primeira diz que a consciência deriva da «fama no cérebro», referida no capítulo 1[39]: qualquer que seja o estado, em qualquer momento, que domine o processamento de informação, será essa a essência da nossa consciência. A segunda diz que estarmos ou não conscientes depende do envolvimento das metarrepresenrações[40].

Todavia, continuamos sem saber por que motivo o processamento «mais elevado» e ter autoconsciência serão tão diferentes, do ponto de vista cerebral, da boa e velha consciência. A tese da plasticidade radical leva o seu autor a concluir: «É por termos consciência de que temos consciência que temos consciência!» Não será algo muito informativo e, além disso, ignora os casos de todos os não humanos, e, por vezes, até na nossa espécie, sobretudo nos bebés, em que a consciência estará presumivelmente a ser experienciada, mas sem autoconsciência. Mesmo quando estas definições e descrições possam ser semanticamente úteis para diferenciar a autoconsciência da consciência, é complicado visualizar a distinção da perspetiva do cérebro físico.

Uma possibilidade é que a diferença não seja propriamente qualitativa, mas sim quantitativa: pode acontecer que, durante o desenvolvimento cerebral, as redes neuronais tenham de ultrapassar uma dimensão mínima para que a autoconsciência seja possível. Não obstante, há questões irritantes que perduram: por que razão uma rede maior, diferenciada apenas pela característica *quantitativa* da dimensão, adquire agora uma nova propriedade funcional – uma metarrepresentação – que é *qualitativa*? Só poderemos olhar para esta questão depois de termos percorrido o nosso dia e chegado às conclusões do final do livro. Ainda assim, mesmo neste momento, este cenário da necessidade de potencialmente gerar redes grandes pode explicar o motivo por que quase todos os animais (com a possível exceção dos primatas sofisticados), bem como os bebés e as crianças pequenas, nunca são autoconscientes. Além disso, uma dimensão de rede continuamente variável também justificaria o motivo por que, de vez em quando, os humanos adultos com uma rede invulgarmente pequena *perdem* a autoconsciência – deixam-se ir. Outras teorias da autoconsciência não comportam esta flexibilidade.

A identidade é algo ainda mais complicado de perceber no que ao cérebro diz respeito. Afinal de contas, se fôssemos parar a uma ilha deserta, teríamos uma mente intacta e seríamos autoconscientes, mas seria mais difícil articular a nossa identidade, o sermos uma pessoa específica, reconhecida pelos outros como tal. Terá, assim, de haver requisitos adicionais para distinguir a autoconsciência destes sentimentos de identidade cruciais – o que nos leva ao terceiro critério. Quando expressamos a nossa identidade, reagimos de uma forma específica, determinada não só pelas nossas crenças e experiências, pela nossa autoconsciência, mas também pelo contexto predominante nesse momento específico, pelo papel que estamos a representar como membro de uma família, de uma equipa desportiva – ou como força de trabalho. Claro que esta «reação» pode ser apenas imaginada, em vez de ser representada no nosso mundo tridimensional.

Consequentemente, as nossas ações vão suscitar reações dos outros, o que, por sua vez, vai modificar as nossas memórias e a forma como da próxima vez reagiremos a determinada situação: isto seria o quarto passo. Chegamos então, em última análise, ao quinto passo: estes momentos de ação-reação num presente consciente serão agora incorporados na narrativa mais vasta do nosso passado--presente-futuro coeso: a nossa história de vida, que é única. É esta perceção subjetiva da nossa história de vida única *num determinado momento e num contexto específico* que constitui a «sensação» imediata da nossa identidade.

Já vimos que o estado de perder a mente é tipificado por uma falta de autoconsciência. Assim, para alcançar a «mera» autoconsciência seria apenas preciso ter uma mente funcional. Contudo, para se apreciar a sensação de se ter uma identidade extremamente específica, terá de ocorrer algo adicional: temos de nos encontrar num contexto (terceiro critério), suscitar reações (quarto critério) e fundir essas ações e reações num contexto ainda mais vasto (quinto critério). Do ponto de vista cerebral, temos de compreender como a nossa vasta conetividade neuronal justifica não só os primeiros dois passos da consciência e da autoconsciência, mas também os terceiro, quarto e quinto passos citados acima – a forma de criarmos a nossa identidade única.

Além de termos uma «mente» funcional autoconsciente, precisamos agora de estar envolvidos numa situação específica em que estamos a jogar por uma equipa, cantamos num coro, tomamos uma refeição com a família ou temos uma discussão no trabalho – uma situação em que temos um papel imediato a desempenhar. Nele, as nossas palavras e ações vão invocar reações daqueles que nos rodeiam, o que, por sua vez, vai determinar como reagiremos, talvez até modificar as nossas visões e crenças mais alargadas. E por mais pequena que seja, esta experiência particular única vai fazer parte, como o proverbial tijolo na parede, da complexa história de vida que nos dá uma identidade continuada. Estas iterações que caracterizam o modo como incorporamos um contexto e um papel específicos no indivíduo complexo que sentimos ser vão basear-se na conetividade cada vez mais complexa das ligações neuronais. Podemos assim imaginar uma pedra ainda maior e, logo, ondas mais vastas na água – uma consciência cada vez mais profunda, à medida que temos a forte sensação de sermos únicos num contexto único.

Uma das consequências de se ter uma sensação de identidade forte é o potencial para a expressão dessa identidade por meio de alguma forma de criatividade. Segundo as palavras de Einstein, «É importante fomentar a individualidade, pois só o indivíduo é capaz de produzir novas ideias». Voltemos então ao contexto do escritório e pensemos como esses ambientes podem fomentar um sentimento forte de identidade individual, algo que ajuda as pessoas a serem realmente criativas. A criatividade e o pensamento criativo são muito procurados numa série de organizações diversificadas: no entanto, não podem ser, pura e simplesmente, descarregados ou comprados, nem há maneira de os garantir. Não admira que os empregadores queiram garantir, pelo menos, a maximização da oportunidade para tão estimado bem no local de trabalho. Uma vez que a identidade estável é tão importante para o bem-estar[41], e como já vimos que um fator crucial no nosso ambiente de trabalho diário é a maneira como diferentes tipos de ambientes nos podem ameaçar ou ajudar a expressar, não surpreende que se dedique muito tempo à conceção de ambientes de trabalho onde os funcionários possam «ser eles próprios».

Como pode, então, um ambiente de trabalho promover a criatividade como expressão máxima do indivíduo? Será de esperar que, logo à partida, haja pessoas bem mais criativas do que outras. Assim, embora possa parecer irrealista ser prescritivo, o psicólogo Øyvind Martinsen criou recentemente uma lista de características de criatividade ao comparar alunos de *marketing* e artistas com gestores de indústrias menos criativas[42] – surgiram então sete qualidades essenciais da mente criativa.

A primeira foi a orientação associativa: segundo o estudo, o indivíduo criativo é imaginativo, divertido e tem um manancial de ideias. Em segundo lugar temos a necessidade de originalidade: o indivíduo tem de resistir às regras e às convenções; tem uma atitude rebelde, em virtude da necessidade de fazer o que mais ninguém faz. Em terceiro lugar vem a motivação: têm necessidade de agir e possuem uma atitude inovadora e o ânimo para enfrentar questões difíceis. Em quarto lugar, a ambição: uma das características da personalidade criativa é a necessidade de ser influente, de atrair a atenção e o reconhecimento. Em quinto lugar, a flexibilidade: o criativo tem a capacidade de ver os diferentes aspetos das questões e de criar soluções ótimas. Em sexto lugar, baixa estabilidade emocional: talvez surpreenda que o indivíduo terá a tendência de sentir emoções negativas, maiores flutuações de humor e estado emocional e falta de autoconfiança. Em sétimo lugar, fraca sociabilidade: as pessoas criativas podem ter falta de consideração pelos outros, encontrando amiúde defeitos nas pessoas e nas suas ideias. Um derradeiro fator na determinação da criatividade pode ser a diversidade cultural. As pesquisas mostram que os sujeitos que viveram e aprenderam no estrangeiro, e que, por isso mesmo, estiveram sujeitos a experiências culturais estranhas intensivas, exibem mais criatividade do que quem não passou por isso[43]. Isso deve-se, em parte, a serem capazes de perceber mais prontamente que o mesmo problema pode ter múltiplas soluções[44].

No entanto, em vez de se limitarem a deixar que um indivíduo seja tão criativo como ditam as suas tendências e talentos naturais e esperar pelo melhor, algumas organizações adotam uma perspetiva mais pró-ativa, tentando moldar o ambiente de trabalho para encorajar essas propensões naturais nos seus funcionários. Não passa por oferecer um grande espaço aberto, algo que poderia ser contraproducente: o ingrediente mais importante pode não ser tanto o ambiente propriamente dito, mas sim a forma como pode ser usado, para «brincar». Há pouco tempo, o *design* dos espaços abertos registou um desvio para a promoção da «diversão», da «espontaneidade» e da «criatividade» por meio do *design*[45]. A brincadeira foi definida como «a exploração do possível»[46], e os recrutadores da NASA e do Jet Propulsion Lab descobriram que os melhores e mais inovadores candidatos eram aqueles que «mexeram» em coisas quando eram pequenos − ou seja, os indivíduos curiosos a ponto de desmontar as coisas para descobrir como trabalhavam.

O esbater dos limites tradicionais entre o trabalho e a brincadeira no local de trabalho teve início na década de 1980. O psicólogo Peter Fleming, atual professor de Gestão e Sociedade na Cass Business School, chamou a atenção para quão invulgar era uma moda assim durar tanto tempo como essa durou. Contudo, ao realizar um estudo de campo num centro de atendimento telefónico australiano, onde a cultura da diversão estava bastante arraigada no espírito da empresa, cerca de metade dos funcionários exibiu algum tipo de cinismo quanto à iniciativa da empresa, sem que se pensasse se uma cultura da diversão poderia estar relacionada com algum tipo de aumento na produtividade ou na inovação[47]. Portanto, não só há poucos indícios de que a «brincadeira» incondicional e ilimitada leve a algum tipo de resultado criativo, como tal oportunidade, aparentemente atraente, poderá mesmo ser contraproducente.

Embora ainda se deva investigar mais esta área, uma outra abordagem foi mais específica: explorar o poder das metáforas comuns, como «pensar fora da caixa», sobre a resolução de problemas e a cognição − literalmente[48]. Os psicólogos identificaram dois tipos diferentes de pensamento: pensamento convergente e pensamento divergente. O pensamento convergente refere-se aos procedimentos intelectuais que envolvem a procura da melhor resposta possível. Num estudo, o pensamento convergente dos participantes foi avaliado numa de três condições: estar sentado dentro de uma caixa quadrada com um metro e meio de lado, estar sentado fora da caixa, ou estar numa sala sem caixa. Os participantes também realizaram um teste de associações remotas, que revelou que o pensamento convergente não sofria alterações quando o indivíduo se sentava dentro de uma caixa ou quando estava numa sala sem caixa, mas *melhorava* quando os participantes se sentavam fora da caixa. Talvez se sentissem menos inibidos quando a circunstância de não se encontrarem encurralados numa caixa se tornava visível.

Em contraste, o pensamento divergente produz muitas soluções diferentes para um problema e caracteriza-se tanto pela fluência (o número total de ideias) como pela flexibilidade (tipos diferentes de ideias). Num estudo para testar esta forma de pensamento mais criativa, os participantes foram incumbidos de tarefas «rabisco» e «lego». Na tarefa rabisco, os participantes teriam de fornecer legendas a dois rabiscos ambíguos ou de enigma visual, depois de terem recebido uma legenda de exemplo para cada: a avaliação escolhida para se chegar a um resultado foi o desvio das respostas dos participantes em relação ao exemplo inicial. Na tarefa lego, os participantes viam vários modelos feitos com peças *Lego* e tinham de indicar até oito objetos que os modelos representassem. As experiências testaram a originalidade das respostas com base na infrequência de certas ideias quando as respostas dos participantes eram estudadas num todo.

Em vez de apresentar uma caixa literal, desta vez, os efeitos do ambiente sobre o pensamento divergente foram testados comparando o efeito de se estar sentado, andar até completar a forma de um retângulo, e andar livremente. Os resultados tanto da tarefa rabisco como da tarefa lego revelaram que quem se encontrava no grupo que andava livremente apresentou mais respostas originais do que quem estava sentado ou andava em retângulos; as respostas apresentadas em cada uma destas situações não diferiram.

Portanto, quando um sujeito está sentado literalmente fora de uma caixa, a resolução de problemas (pensamento convergente) melhora: além disso, um período a caminhar melhorou a originalidade (pensamento divergente), quando comparado com o estar sentado, e ao andar livremente, por oposição a reproduzir a forma retangular de uma caixa grande. Os investigadores deduziram que o estado fora da caixa pode «ajudar a eliminar barreiras mentais inconscientes que limitam a cognição criativa» e que «personificar metáforas criativas parece ajudar a acelerar o motor da criatividade».

Um derradeiro fator que encoraja a criatividade pode parecer surpreendente: o enfado. Será que estar aborrecido pode tornar alguém mais criativo? Durante uma apresentação numa recente conferência na British Psychological Society, um dos oradores, Sandi Mann, levantou uma questão interessante ao ser interrogado quanto à tão badalada importância do estímulo interpessoal e do enriquecimento para a criatividade[49]. Mann apresentou duas experiências: a primeira punha os participantes a ler e a copiar números de uma lista telefónica, antes de realizarem uma tarefa que lhes avaliaria a criatividade, neste caso, conceber usos diferentes para copos de esferovite. Um grupo de controlo realizou o teste de criatividade sem qualquer preâmbulo. Curiosamente, os participantes que copiaram os números de telefone obtiveram melhores resultados no teste de criatividade. Uma possibilidade é que tal possa dever-se ao facto de a tarefa do diretório ter permitido que a mente dos participantes vagueasse num sonho desperto, tendo isso, por sua vez, sido benéfico.

Para explorar esta ideia de modo mais direto, a segunda experiência pediu aos participantes que simplesmente lessem números de uma lista telefónica: a ideia era ter uma tarefa mais passiva e monótona que encorajasse uma divagação ainda maior. Este grupo foi depois comparado com o que copiara os números, bem como com os controlos a quem não fora atribuída nenhuma das tarefas enfadonhas. Desta vez, os participantes que leram os números mostraram mais criatividade do que quem os copiou, que, por sua vez, revelaram maior criatividade do que os controlos. Esta observação fascinante sugere, realmente, que os tipos de atividades que promovem os processos de pensamento criativo são os que não obrigam a reações céleres, e não têm de ser excitantes ou estimulantes – pelo contrário, permitem que a mente vagueie.

UMA TEORIA DE CRIATIVIDADE

Curiosamente, outro estudo recente revelou que a distração ajuda o processo criativo[50]. Talvez permitir que a mente vagueie num ambiente natural pouco exigente promova realmente a criatividade. Afinal de contas, é um cliché dizer que temos as melhores ideias no duche, mas esta rotina diária é, amiúde, o único momento e sítio onde temos oportunidade de permitir que a mente perca a concentração. Outra questão óbvia quanto ao exterior é não haver muita gente – talvez não haja mesmo ninguém – e, tal como vimos, a privacidade é a outra face da moeda da identidade, algo que, tal como Einstein afirmou, é essencial para a criatividade. Vamos então pressupor que temos uma boa noção da nossa identidade individual e que nos encontramos num ambiente liberto de limites e de constrangimentos, tanto de espaço como de tempo: como se chega, então, à criatividade?

Recapitulemos: ao aceder às nossas ligações neuronais personalizadas, e, assim, usando a mente, conseguimos apreciar o mundo além do valor facial dos sentidos. Recordemos a aliança de casamento, que pode ter um significado profundo para uma viúva, por exemplo, mas que não passa de um objeto dourado brilhante para uma criança pequena. Tal como vimos, a nossa conetividade neuronal permite-nos apreciar o significado e o simbolismo, ver uma coisa como substituindo outra que nunca poderia ser inferida apenas das características sensoriais do objeto. Por vezes fazemos associações inadequadas ou excessivas, que levam à interpretação excessiva de uma experiência ou de um objeto, vendo nele um significado que a maioria dos outros consideraria pouco realista ou correto, talvez até um pouco demente. Ver caras nas nuvens ou atribuir a propriedade de dar sorte a um objeto são exemplos comuns de tais associações idiossincráticas e superficiais. De igual forma, a associação de dois acontecimentos sem qualquer relação pode parecer uma superstição tola para alguns indivíduos, mas para outros será um sinal profundamente importante ou algo que é admirável.

As nossas ligações neuronais não só nos permitem dotar objetos, pessoas e suas ações com o nosso significado personalizado, como também nos permitem compreender o mundo onde vivemos e orientarmo-nos nele. Imaginemos alguém que nos aparece mascarado de fantasma: graças às análises da nossa conetividade neuronal, podemos dar sentido ao que estamos a ver, sem termos de aceitar a aparição bizarra pelo seu valor facial. Uma criança pequena, ou alguém que sofra de demência, sem estas ligações, ficará à mercê da experiência sensorial: consequentemente, podem ficar assustados, desorientados e confusos ao verem algo que não «compreendem». Como esta conetividade neuronal personalizada é a base física da nossa individualidade, e se a individualidade é um pré-requisito para a criatividade, isso pode ajudar-nos a desenvolver uma teoria para como esta expressão e concretização do individual pode ser alcançada. Podemos distinguir três fases no processo criativo, todas elas expressas em função de ligações neuronais.

Chamemos à primeira fase *desconstrução*. Uma característica essencial da criatividade é pôr em causa o dogma, quer seja a localização do nariz no rosto (pensemos em Picasso), a instalação do motor num carro (pensemos no design do *Mini*) ou o motivo por que as úlceras não têm, necessariamente, de estar associadas ao stresse (a teoria vanguardista de Barry Marshall)[51]. Do ponto de vista físico, tal processo implicaria a inibição ou o contornar de uma conetividade preexistente entre as células cerebrais, arrasando a compreensão anterior, que por vezes pode ser encarada como parcialidade, preconceito ou dogma.

A segunda fase será a de *novas associações*. Todo o trabalho criativo, quer seja artístico, científico ou uma simples ideia doméstica nova, implica a junção de novos elementos, sejam eles palavras numa combinação original, cores e formas inovadoras, ou a associação de factos anteriormente independentes que levam a uma ideia revolucionária.

Contudo, embora esta fase seja necessária, ainda não é suficiente: pensemos no desenho de uma criança ou no poema de um esquizofrénico[52], que podem juntar combinações invulgares de formas ou palavras, sem que sejam considerados um verdadeiro exemplo de criatividade ou pensamento original.

A terceira fase essencial, a final, será de grande importância. Este requisito crucial obriga a que uma ligação de suma importância – a nova associação –, seja ela formas físicas, sons musicais ou uma teoria científica, tenha *significado* para si própria e para outros: a nova associação deve, não só, ser forjada entre neurónios, mas deve também levar a novas associações e ligações que deem significado ao trabalho. Quanto mais vastas as associações originadas por esta nova conetividade, mais profundo será o significado: maior o momento heureca.

Portanto, qual é o ambiente ótimo onde desenvolver estes passos para o pensamento criativo? As três fases referidas acima baseiam-se num pré-requisito essencial: confiança. A par da confiança chega um sentimento de bem-estar em que não reagimos necessariamente aos outros, mas apreciamos o sermos incondicionalmente nós próprios. O duche é um exemplo maravilhoso deste tipo de ambiente.

Mas, à parte o chuveiro, como seria o espaço inspirador ideal? É claro que, no que diz respeito ao desenvolvimento do pensamento individual, não há um tamanho único. No entanto, o impacte do ambiente sobre o cérebro, e em concreto sobre o cérebro humano, é irrefutável. Várias categorias abrangentes serão fundamentais para a conceção de um ambiente no espaço de trabalho que promova os melhores processos de pensamento individuais. Como é óbvio, há características do *espaço físico propriamente dito* que serão essenciais, como certas cores ou fotografias, ou janelas com vista, idealmente, para cenas naturais (no capítulo 3 vimos como a paisagem pode ser benéfica para o pensamento e para a criatividade). Depois temos características que promovem os diferentes tipos de *interação* entre o indivíduo e esse espaço, como seja o potencial para encontros espontâneos, a oportunidade de caminhar, e as áreas comunais, por oposição a espaços personalizados ou privados. Por fim, também importantes são as características que promovam a *reação subjetiva* do indivíduo ao espaço e que lhe dão uma sensação poderosa de originalidade, de marca de empresa, a par de uma identidade individual. Só quando o indivíduo se sente suficientemente confiante na sua identidade única será capaz de ter pensamentos únicos e, logo, talvez ser criativo.

Para os seres humanos, os efeitos do ambiente físico serão secundários para a interação social, que, por sua vez, está relacionada com a identidade: o seu papel no seio do grupo. Embora as cores e os espaços compassivos possam induzir um sentimento de bem-estar, serão literalmente o cenário para aquilo que se passa na nossa cabeça, com as ligações neuronais a formarem e a reformarem alianças (redes) intermináveis. O espaço de trabalho não é um local onde seja provável maravilharmo-nos ou vivermos momentos memoráveis: seremos autoconscientes durante a maior parte do tempo. E poderá, assim, ser o lugar ideal para estabelecer e exercer a nossa identidade individual.

Assim, a pedra que nos ativa a consciência num determinado momento não será atirada com força, nem os lançamentos serão frequentes, numa sucessão rápida. Em vez disso, o efeito do lançamento da pedra dever-se-á à sua grande dimensão, às muitas ligações neuronais que, por sua vez, processam o comportamento autoconsciente, às reações dos outros a ele e às nossas reações a estas. O grau de excitação não será exagerado, mas, ao mesmo tempo, também não estaremos sonolentos: os químicos moduladores estarão a desempenhar o seu papel com relativa eficiência, de modo que a pedra grande, sem concorrência por parte de um novo sucessor, e mesmo tendo sido atirada devagar, consiga gerar ondas extensas: a consciência será aprofundada. Num mundo perfeito, o equilíbrio entre uma informação sensorial leve e os processos cognitivos interiores vão permitir-nos, senão necessariamente ter uma ideia nova, pelo menos seguir uma linha de raciocínio produtiva... tal como aquela que está a ter agora.

Há quanto tempo está perdido nos seus pensamentos? Olha à sua volta para as paredes vazias, para a janela sobranceira ao estacionamento, para a inócua carpete bege e, por fim, para o computador a hibernar passivamente, com o ecrã sem lhe pedir nada. Mas hoje ainda não foi criativo, nem sequer muito produtivo: você não é assim – alguém que se limita a reagir, sem nunca iniciar. Será que passar o dia num tipo diferente de espaço o teria levado a ser mais eficiente e feliz? Talvez. Devolve o olhar ao instantâneo banal da sua família: a sua esposa, filho e sogra, imobilizados no tempo, tentando parecer alegres, mas com um ar falso forçado. Pode ser que estejam à sua espera, ou talvez não. Seja como for, mais vale ir para casa.

6

Problemas em Casa

Chegámos ao fim de mais um dia... ou talvez ainda não: avizinha-se um serão com a família. A sua esposa, filho e sogra aguardam o seu regresso a casa, mas, ao mesmo tempo, esse regresso é encarado com um misto de sentimentos. Com toda a sinceridade, não está propriamente ansioso por voltar para casa. As coisas não têm corrido muito bem...

Já há algum tempo que o seu filho de catorze anos, Jack, anda com um comportamento estranho: parece ter mudado por completo, tendo deixado de ser o menino feliz, curioso e afetuoso que era. Hoje em dia, assim que regressa da escola, fecha-se no quarto à primeira oportunidade. Quando é obrigado a estar com a família – às refeições, por exemplo –, parece alheio à conversa que decorre à sua volta, passando a maior parte do tempo absorvido pelo telemóvel. Quando volta para casa, depois das saídas, você fica preocupado por agora sentir habitualmente cheiro a tabaco nas roupas dele, e, tendo em conta as ausências frequentes, suspeita que ele possa estar a beber, até mesmo a consumir drogas. Porque se tornou um jovem tão difícil, à semelhança de muitos dos amigos dele?

ADOLESCÊNCIA

A adolescência sempre foi um período de grandes revoluções psicológicas e biológicas. As relações pessoais assumem maior significado e o adolescente começa a desejar experiências divertidas e excitantes. Normalmente, estes anos caracterizam-se por um aumento de procura de contactos sociais, de novidades e atenção, riscos, instabilidade emocional, impulsividade – e imprudência[1]. Uma teoria interessante quanto à atração adolescente por comportamentos arriscados é a teoria da lógica vaga, que defende que, ao contrário do que se julga, os adolescentes não têm nenhumas deficiências nos processos cognitivos, dedicando-se, na verdade, a uma análise mais precisa de riscos-benefícios do que os adultos[2]. A diferença crucial é que os adultos tendem a minimizar o risco global absoluto envolvido, seja qual for o benefício imediato a curto prazo. O indivíduo mais maduro consegue ver o quadro geral e avaliar a mais longo prazo, em vez de se limitar a reagir à situação imediata e às recompensas instantâneas.

A tendência adolescente para a infelicidade e para o mau humor também os leva a procurar estímulos de maior imediatismo e sensação. Quando comparados com outros grupos etários, os adolescentes dão mais importância ao prazer; o conhecimento das suas emoções, ou falta dele, podem também desempenhar um papel em como/quando/porquê têm dificuldades em dominar o seu comportamento. Num teste que apresenta uma tarefa de jogo aos participantes, por exemplo, só os adolescentes mais velhos conseguiram melhorar o desempenho com o tempo, da mesma forma que os adultos. Esta mudança, que ocorre ao mesmo tempo que o surgimento de alterações emocionais aparentemente mais maduras e atenuadas, está, por sua vez, associada a uma redução dos níveis de excitação[3]. Com o passar do tempo, os mecanismos cerebrais para a contenção do impulso vão-se instalando aos poucos.

Estas transições no processamento cognitivo e emocional no período da adolescência deverão refletir um gradual maior funcionamento de uma área que vimos brevemente no capítulo 3 – o córtex pré-frontal[4]. Tal como o nome sugere, este setor do córtex situa-se na frente do cérebro e constitui uma proporção significativa de território cerebral. O córtex pré-frontal é um exemplo concreto da circunstância de as fases da evolução humana (filogenia) se recapitularem, em geral, nas do desenvolvimento individual (ontogenia). Concomitantemente, estes valiosos terrenos neuronais só são dominantes nos primatas (ocupando 33 por cento do cérebro humano, contra apenas 17 por cento nos chimpanzés)[5], e só chega à contribuição total para o processamento cerebral nos humanos no final da adolescência ou no início da casa dos vinte anos[6].

Além disso, como funciona por meio de ligações extensas com todos os outros tipos de regiões cerebrais[7] – sem dúvida, mais do que qualquer outra área –, o córtex pré-frontal incentiva a coesão cerebral. Conforme o adolescente amadurece, as ligações entre o lobo frontal e as zonas do cérebro profundo aumentam, um processo ligado diretamente, chegados ao início dos vinte anos, a um crescente domínio sobre o desempenho. Uma característica deveras reveladora do cérebro adolescente é a atividade generalizada ser comummente detetada em estudos de imagiologia sem relação com tarefas de desempenho específicas, quase como se a mente fosse percorrida por pensamentos aleatórios e desconexos. Tais atividades espontâneas e sem orientação diminuem quando se chega à idade adulta, o que sugere que, à medida que amadurecemos, o nosso cérebro opera um grupo mais organizado de ligações, resultando num processamento mais eficiente. A pesquisa mostra inclusive que a atividade em repouso muda durante o desenvolvimento, para um padrão de atividades integrado, chegando a áreas cerebrais mais distantes; com a maturidade também se verifica o aumento de uma atividade síncrona de longo alcance em regiões ativadas coletivamente. Conforme a adolescência se aproxima do fim, e com o avançar da idade adulta, esta transição mostra um aumento de comunicação entre diferentes regiões cerebrais[8].

Contudo, nem tudo amadurece em simultâneo. Diferentes partes do cérebro amadurecem a um ritmo distinto, algo que, por sua vez, pode explicar o típico desenvolvimento social adolescente, mas a persistente falta de contenção comportamental. As regiões cerebrais bem abaixo do córtex ficam plenamente operacionais bastante mais cedo do que os centros de processamento mais sofisticados, como o córtex pré-frontal[9]. Consequentemente, assistimos a um desequilíbrio que faz pender o comportamento para as recompensas mais imediatas e para o risco: o córtex pré-frontal ainda não totalmente ativo não trava a «Partida!» imediata e reativa que se faz ouvir nas áreas mais primitivas. Além disso, é nesta fase que se verifica o maior auge de toda a vida na atividade de dopamina cerebral[10], o que inibe ainda mais o córtex pré-frontal, já de si pouco ativo[11].

Outra característica da paisagem química do cérebro adolescente é o aumento de oxitocina, uma hormona associada à ligação emocional, também conhecida como «fator da sensação agradável»[12]. Este *cocktail* neuroquímico de dopamina e oxitocina leva a um aumento na busca de sensação e nos riscos que se correm na adolescência[13]. O excesso de dopamina e oxitocina, a par da fraca ação do córtex pré-frontal, prende muito mais os adolescentes no presente, estado que atenua a cognição e a reflexão. O cenário geral é caracterizado pela pressão sensorial do momento, por oposição à inclusão desse momento numa narrativa passado-presente-futuro «relevante».

Por vezes, esta situação persiste pela idade adulta, nomeadamente em pacientes esquizofrénicos, que parecem nunca perder certos aspetos do cérebro imaturo. A esquizofrenia é um transtorno mental complexo e sofisticado que envolve um grande afastamento da «realidade» tal como percebida pela maioria das pessoas, sendo, por isso mesmo, considerada uma psicose. Este livro não é o local certo para encetarmos uma exploração aprofundada deste transtorno fascinante, mas vale a pena explorá-lo de modo sucinto. Entre as características centrais da esquizofrenia contam-se períodos de atenção breves, lógica desordenada, ilusões, incapacidade de interpretar provérbios, padrões invulgares de discurso e distração excessiva[14]. Quando comparados com os adultos «normais», os esquizofrénicos enfatizam mais quaisquer intrusões vindas do mundo sensorial exterior, e podem até sentir que o ambiente externo está a implodir e que as outras pessoas podem ver e ouvir-lhes os pensamentos: o esquizofrénico não tem a sensação familiar e reconfortante de uma barreira entre o cérebro – ou melhor, a mente – e a barragem de estímulos sensoriais que o invade. A ser verdade que, durante o desenvolvimento para a idade adulta, o mundo sensorial é dominado por um mais «cognitivo» na esquizofrenia, essa transição é muito menos enfática. Os sentidos permanecem dominantes, ao passo que as associações personalizadas, as interpretações do mundo, o «significado», são muito mais frágeis e idiossincráticos.

Tanto as crianças como os esquizofrénicos são facilmente dominados pelos acontecimentos no ambiente externo imediato: tal como qualquer pai bem sabe, uma criança que chora por causa do gelado que caiu ao chão do carrinho pode voltar de imediato a sorrir se lhe disserem para olhar para um pássaro ou um avião que passe no céu. Entretanto, na esquizofrenia, as reações cerebrais revelam que esta vulnerabilidade característica às distrações continuou além da infância. Numa experiência, pediu-se a membros de um grupo de pacientes, a par de um grupo de controlo saudável, que ignorasse estímulos auditivos de fundo enquanto realizavam a simples tarefa cognitiva de ordenar letras maiúsculas e dígitos; quando comparados com os controlos, os esquizofrénicos mostraram maiores níveis de distração, demorando mais tempo a completar a tarefa[15]. Se o mundo exterior for excessivamente exigente, talvez não surpreenda que se diga que tanto os mais novos como os esquizofrénicos têm um período de atenção curto[16].

Outro paralelo revelador é nem as crianças nem os esquizofrénicos serem capazes de interpretar provérbios: se lhes for pedido que expliquem a frase «Quem tem telhados de vidro não deve atirar pedras», alguém que sofra de esquizofrenia poderá responder qualquer coisa do género «Se viver numa casa com telhados de vidro e eu atirar uma pedra, o telhado parte-se». De igual forma, uma criança também vê o mundo literalmente, pelo seu valor facial. Uma criança que seja admoestada para não «chorar sobre o leite derramado» poderá olhar à sua volta, confusa, e ficar surpreendida por não ver um copo derrubado. A questão a reter é que tanto os esquizofrénicos como as crianças terão dificuldade para compreender algo como uma coisa diferente. Ao passo que uma criança ainda não tem as ligações totais nas células cerebrais que sustentem a estrutura conceptual cognitiva, para um esquizofrénico, esse resultado pode ocorrer por diferentes motivos. Uma das características habituais dos esquizofrénicos[17] é que, entre muitas outras discrepâncias no cérebro, há um excesso funcional do químico modulador dopamina[18]. Assim, um fator importante poderá ser que os níveis elevados de dopamina suprimem a conetividade cerebral, sobretudo no córtex pré-frontal, onde a dopamina age como inibidor[19], reduzindo assim a robustez dos processos cognitivos internos e logo, por sua vez, enfatizando desproporcionalmente o impacte dos sentidos que chegam.

Outra tendência, que talvez esteja associada ao córtex pré-frontal pouco ativo, o qual, tal como vimos, só amadurece por completo no fim da adolescência[20], é que tanto as crianças como os esquizofrénicos são mais imprudentes do que o adulto médio[21]. Há muito que os neurocientistas sabem que um córtex pré-frontal pouco ativo está associado a maior tendência para os riscos: no século XIX, um homem chamado Phineas Gage, trabalhador ferroviário, estava a lidar com explosivos com uma vara grossa quando uma explosão prematura levou a vara a atravessar-lhe o córtex pré-frontal. O resultado, que se tornou o protótipo da síndrome «frontal» agora bem conhecida, foi que Phineas passou a zangar-se mais depressa, tornou-se mais emotivo e infantil – e mais imprudente.

Assim sendo, tanto a infância como a esquizofrenia invocam a sensação de vida no momento, e uma reatividade instantânea aos estímulos que chegam pelos sentidos puros, em vez de levarem a uma perspetiva mais pró-ativa, pensativa e «cognitiva» à vida. Os estados tanto do cérebro imaturo como do cérebro esquizofrénico correspondem a um córtex pré-frontal pouco ativo, algo causado, nas crianças, pela maturação tardia dessa área e, nos esquizofrénicos, pela quantidade excessiva de dopamina funcional, característica dessa perturbação[22] e que inibe as populações de células na região[23].

Curiosamente, existe ainda um terceiro grupo inesperado de pessoas com um córtex pré-frontal pouco ativo, e que também são caracteristicamente imprudentes[24]: as que têm um índice de massa corporal elevado e são, assim, pesados em relação à altura – os obesos[25]. Neste caso, tal como acontece com a esquizofrenia e com a infância, o presente sensorial pode estar a abafar as consequências a longo prazo: para quem tem excesso de peso significativo, a pressão do ambiente presente é, mais uma vez, de invulgar importância. Afinal de contas, quem come um bolo com creme ou outra guloseima com elevado índice de gordura ou de açúcar tem perfeita noção das consequências para a cintura: no entanto, o prazer imediato do sabor sobrepõe-se a tudo o resto. Por fim, vejamos os jogadores compulsivos: mais uma vez, a atividade pré-frontal é reduzida em quem vive para a emoção do momento quando a roleta gira, por exemplo, quando os dados são lançados ou quando o cavalo de corrida em que apostámos começa a ultrapassar outro[26].

Assim, se em todos estes casos o córtex pré-frontal pouco ativo fomenta a procura da sensação sejam quais forem as consequências, isso pode querer dizer que, em contraste, um córtex pré-frontal totalmente maduro e normalmente ativo vai, de alguma forma, ligar o passado e o futuro ao presente e garantir uma imagem cognitiva mais vasta. Uma outra pista que aponta para esta ideia é os danos no córtex pré-frontal poderem levar a «amnésia de fonte», em que a memória continua intacta, mas é mais genérica e afasta-se de um contexto ou episódio específicos[27]. O paciente não está sincronizado com uma narrativa contínua de acontecimentos particulares, vagueando num presente difuso enformado por memórias genéricas.

Mas poderá isto querer dizer que o córtex pré-frontal é uma espécie de interruptor para nos libertar da pressão do momento? A resposta simples é: não. Não devemos pensar nesta região cerebral como um patrão, mas sim como um facilitador, ou, melhor ainda, como um criador de ligações. Acabámos de ver que uma das características cruciais do córtex pré-frontal é transmitir mais informações a todas as outras áreas corticais do que qualquer outra região do córtex e, logo, desempenhar um papel essencial na coesão cerebral operacional[28]. Assim, se esta troca fundamental de comunicações, por alguma razão, estiver pouco ativa, haverá uma redução acentuada de operações cerebrais holísticas, que normalmente se coordenam para aceder a memórias e para desenvolver planos futuros. Como nos ajuda isto a compreender a consciência?

Recapitulemos a metáfora da pedra na água: o tamanho da pedra será o grau de conetividade neuronal fixa (o fator cognitivo); a força com que é atirada será a intensidade do estímulo que ativa esse momento de consciência (o fator sensorial); a viscosidade da água será a disponibilidade e a concentração dos vários moduladores; a frequência com que as pedras subsequentes são atiradas e o seu respetivo tamanho e força com que são atiradas vão determinar a extensão das ondas num determinado momento, ou seja, a repetição, e, logo, a dimensão, de uma rede, o grau de consciência num qualquer momento.

Portanto, é possível usar o modelo da pedra na água para prever um modo de consciência básico alternativo ao do ser humano adulto normal – caracterizados por traços comuns à infância, à esquizofrenia, à obesidade ou ao jogo compulsivo. Os estímulos sensoriais fortes e puros – e, assim, «significativos» – não dependem de uma conetividade personalizada idiossincrática: a pedra será pequena. A força com que é atirada será desproporcionalmente grande: o volume da música, o brilho das cores, o cheiro poderoso da comida, a velocidade da roleta a girar. Depois, a concorrência das pedras seguintes será grande: o ambiente acelerado implica que uma rede nascente não poderá desenvolver o seu potencial total. Por fim, esta competição será ampliada pelo excesso de dopamina (que altera a viscosidade da água), o que permite o recrutamento fácil de novas redes, a par da inibição do córtex pré-frontal, fragmentando assim a conetividade cerebral a um macronível. Este estado alternativo será, assim, composto por redes invulgarmente pequenas, estando correlacionado com uma fenomenologia em que a pressão dos sentidos é muito mais poderosa; este estado surge às custas do cognitivo. Estes dois modos básicos estão resumidos no quadro 1[29].

Embora sempre tenha sido assim, o anterior equilíbrio entre o «sem mente» e o «relevante» parece agora mais assimétrico. O nosso

«Sem mente»	«Relevante»
Sensação	Cognição
Domínio das sensações fortes	Pensamento domina
	Passado-presente-futuro
Levado pelo ambiente externo	Levado por perceções internas
Pouco «significado»	«Significado» personalizado
Não autoconsciente	Sentimento robusto de eu
Sem referências de tempo ou espaço	Episódios claros ligados sequencialmente
Crianças, esquizofrénicos, jogadores, elevado IMC, toxicodependentes, divertimentos (p. ex., desportos radicais, sexo, dança)	Vida adulta normal
Elevada dopamina	Menos dopamina
Pouca função pré-frontal	Atividade pré-frontal normal
Mundo sem sentido	Mundo relevante
«Correlação de redes pequenas»	«Correlação de redes maiores»

atual ambiente de domínio do ecrã, sobretudo para os jovens «nativos digitais» (definidos, sem dúvida, por todos os nascidos depois de 1990), é cada vez mais caracterizado pela bidimensionalidade e pela utilização de dois sentidos apenas: a audição e a visão. Um levantamento recente mostrou que na faixa etária dos treze aos dezoito anos de idade, a média diária de uso era de onze horas e meia – mas, ainda mais espantoso, esse valor saltava para mais de dezoito horas quando se tinha em consideração o modo multitarefas[30]. Daí se segue que, se o ambiente, de um modo sem precedentes, está a ser transformado, durante tanto tempo, num espaço bidimensional deveras interativo e acelerado, o cérebro vai adaptar-se concomitantemente, tanto para o bem como para o mal, e também de um modo sem precedentes[31].

Contudo, e ainda mais importante, os indícios acumulam-se de que os videojogos[32], bem como as redes sociais[33], promovem a libertação de dopamina no cérebro. Este perfil neurológico é semelhante ao que encontramos nos toxicodependentes e está associado a anormalidades no córtex pré-frontal[34]. É como se as atividades com ecrãs, tão populares, sobretudo entre adolescentes, estivessem a exagerar ainda mais o intemporal desequilíbrio entre o insensato e o importante. Por um lado, a excitação, a compulsão e o prazer absoluto do jogo amplia os níveis de dopamina no cérebro, enquanto o ecrã apela para o modo sensorial, e não para o cognitivo. Esta procura de estímulos acelerados e literais pode fazer com que o modo de pequenas redes seja o padrão na consciência do nativo digital, a um ponto nunca antes visto em gerações anteriores[35]. Não admira que o Jack seja assim...

DEPRESSÃO

Se o Jack está demasiado mergulhado no mundo exterior, mesmo que em linha, a sua esposa, Jane, tem o problema oposto: há tanto tempo que deseja que ela se ligasse *mais* ao mundo exterior. Por alguma motivo, nos últimos tempos, ela não tem estado bem. Está apática e mostra-se desinteressada de tudo o que lhe sugere para se animar. Já não vai ao ginásio e, embora passe grande parte do tempo na cama, parece sempre cansada. Muitas vezes não se dá ao trabalho de tomar uma refeição decente, e fica lavada em lágrimas à mais pequena provocação. Tudo lhe parece um esforço excessivo e por vezes limita-se a ficar deitada, a chorar baixinho, sem motivo aparente. Já nada a faz rir.

Um dos sintomas deste perfil – a depressão clínica – é a anedonia: literalmente, falta de prazer. O indivíduo deprimido sente-se indiferente e anestesiado, por exemplo, à beleza de um pôr do Sol. Sente-se assoberbado por tudo e é incapaz de reagir: afasta-se da complexidade e das exigências da vida diária. O mundo exterior, por seu lado, parece remoto, pardacento e abafado. O grande enigma que atormenta a investigação cerebral em geral é saber se esta subexcitação dos sentidos se deve a o mundo exterior já parecer distante, ou, pelo contrário, se há algum sistema sensorial defeituoso a alimentar o sentimento de isolamento. Seja como for, os dois cenários não têm de ser mutuamente exclusivos. Seja qual for o motivo, o indivíduo deprimido, fechado no seu mundo interior e impávido à pressão do sensorial, consegue rever uma e outra vez uma forte continuidade de pensamento, talvez mesmo uma imaginação persistente e obstinada.

Nos indivíduos deprimidos temos uma alteração da química cerebral, um desequilíbrio, mais uma vez, da família de químicos moduladores das aminas – dopamina, noradrenalina e serotonina – que regulam os níveis de excitação e são responsáveis pela viscosidade metafórica da água. Por isso, é normal que se receite algo na linha do *Prozac*, medicamento descrito, de forma genérica, como «inibidor seletivo da recaptação da serotonina», ou seja, uma droga que promove a disponibilidade da serotonina (sobretudo). Não é de imediato óbvio por que motivo o aumento da serotonina, a par dos seus parentes químicos dopamina e noradrenalina, atenua as quebras de humor, mas a história do tratamento antidepressivo tem as suas raízes em observações antigas que ocorreram por acaso, tal como acontece com grande parte das descobertas científicas...

Na década de 1950, o tratamento receitado para a hipertensão era uma droga chamada «reserpina»[36]. A ideia era que, presumivelmente, se a noradrenalina e o seu familiar próximo adrenalina ativavam o mecanismo de fuga ou luta do corpo aumentando o ritmo cardíaco e a tensão arterial, então uma droga que reduzisse a disponibilidade de noradrenalina deveria ter um efeito terapêutico na inversão desses efeitos em pacientes hipertensos. A reserpina reduz de facto a quantidade de noradrenalina no corpo e, consequentemente, produzia o efeito desejado de baixar a tensão arterial e o ritmo cardíaco. Contudo, em breve tornava-se evidente um efeito secundário terrível: os pacientes agora mais calmos ficavam profundamente deprimidos, a raiar o suicidário[37].

Entretanto, durante essa era, em meados do século xx, um dos problemas mais comuns e fatais era a tuberculose. O tratamento disponível na altura era uma droga chamada «iproniazida», que se revelava eficaz na inibição de uma estirpe particularmente virulenta da doença[38]. A iproniazida aumenta a disponibilidade da dopamina, da noradrenalina e da serotonina por meio da sua ação bioquímica, ao bloquear a enzima (monoamina oxidase) que normalmente degrada esses transmissores: é, por isso mesmo, conhecida como «inibidor de monoamina oxidase». Todavia, mais uma vez verificou-se um efeito secundário imprevisto: os pacientes de tuberculose tornavam-se surpreendentemente eufóricos, não só por estarem a recuperar de uma doença grave, mas como efeito da droga[39].

Em conjunto, estas duas descobertas casuais sugeriram uma possibilidade surpreendente. Se uma droga como a reserpina, que elimina as aminas, deixa as pessoas deprimidas, e se outra droga, como a iproniazida, que aumenta a disponibilidade dessas aminas, provoca euforia, então, de alguma forma, o humor terá de estar associado à família das aminas. Assim sendo, a teoria aminérgica da depressão sugere que uma característica essencial para a determinação do (efeito sobre o) humor é a disponibilidade funcional de aminas no cérebro: se os níveis forem elevados, o mesmo se passa com o humor. Contudo, se os níveis forem anormalmente baixos, o corolário fenomenológico é a depressão clínica[40].

Todavia, a depressão não se prende apenas com o abrir ou fechar de uma torneira de aminas. Por exemplo, sabemos que existe uma «demora terapêutica» de cerca de dez dias desde o início da toma do medicamento até à observação de um efeito benéfico[41]. Assim, não se trata apenas de aumentar os níveis de serotonina, mas sim compreender melhor os efeitos a longo prazo deste aumento de serotonina, bem como de outras aminas, sobre os neurónios relevantes. Uma ideia é que os recetores da serotonina precisam de tempo para recalibrar a sua reação aos recém-elevados níveis do modulador: outra possibilidade que não é mutuamente exclusiva é que o aumento, provocado pela droga, dos níveis de aminas desencadeia um mecanismo separado de reparação do cérebro a longo prazo, como seja a libertação de fatores de crescimento de atuação lenta e, possivelmente, a redução da inflamação. Assim, entram em jogo não só fatores químicos e sinápticos «ascendentes», mas também outros cognitivos «descendentes». Talvez não surpreenda que a plasticidade neuronal mais duradoura se verifique no cérebro pela adaptação à nova paisagem química induzida pela intervenção terapêutica.

Contudo, a plasticidade natural do cérebro pode também ser levada a modificar o cérebro sem recurso a drogas externas. Por exemplo, nos últimos anos, a abordagem psicoterapêutica da teoria comportamental cognitiva à depressão revelou-se particularmente bem-sucedida[42]. Tal como o nome implica, não se emprega medicação; em vez disso, o terapeuta ajuda o paciente deprimido a ver o mundo de uma perspetiva diferente por meio do diálogo. Um modo de interpretar neurocientificamente a teoria comportamental cognitiva seria considerá-la como forma particularmente eficaz de atuação da plasticidade, sendo as ligações neuronais reordenadas para ajudar o paciente a encarar o mundo de maneira diferente: formar-se-ia uma pedra nova.

Quanto mais interagimos com o ambiente, mais ligações cerebrais serão alteradas: todavia, há décadas que se reconheceu que os pacientes deprimidos se afastam do mundo, cortando a interação com o exterior e, sobretudo, evitando o exercício físico. Portanto, têm menos motivos para apresentar ritmo cardíaco elevado, pelo que os níveis de aminas, como a noradrenalina, que acompanham a grande excitação, não serão tão elevados. Uma fascinantes descoberta recente foi que os indivíduos deprimidos também registam declínio da produção de novas células cerebrais – a neurogénese que vimos anteriormente (capítulo 3), fomentada pelo enriquecimento ambiental e pelo exercício físico voluntário, e que permite uma plasticidade ainda maior[43]. Cria-se um círculo virtuoso em que se é recetivo a novos estímulos e experiências, sente-se mais excitação, níveis ampliados de aminas e, consequentemente, humor melhorado. O cenário oposto seria o declínio da neurogénese, acompanhado pelo desinteresse pelo mundo exterior, menos excitação e, logo, humor deprimido: desta vez um círculo vicioso, em que, tal como acontece com a interação do exercício e do bem-estar e com a interação da carência de estímulos e do sentimento de desinteresse, se torna difícil saber o que chegou primeiro, se o ovo se a galinha.

Que poderá acontecer às redes no cérebro deprimido? Imaginemos que um indivíduo se afasta das atividades diárias, sobretudo do exercício extenuante, que passa a maior parte do dia deitado ou, pelo menos, que reduz de um modo geral a interação com o mundo exterior: terá menos experiências e a conetividade neuronal será muito menos propensa à mudança, porque há menos coisas a acontecer, com poucos estímulos novos a chegar ao cérebro. As ligações existentes mantêm-se e tornam-se mais fortes com o uso continuado, que não sofre desafios. Além disso, o cérebro não terá os níveis adequados dos moduladores dopamina e seus parentes aminas que ajudem à formação de novas redes e aumentem a sua renovação. Isto leva a que haja ainda mais probabilidade de que a mesma pedra anormalmente grande crie ondas – uma provável rede – sem qualquer rivalidade: quanto mais lenta a renovação, mais vasta pode ser a rede. Se, a juntar a isso, o foco da concentração deprimida for persistente e ruminante, formar-se-ão ainda mais ligações e a pedra focal será cada vez maior, com uma rede ainda mais extensa. Assim sendo, poderá, desta vez, a depressão clínica estar correlacionada com redes invulgarmente grandes?

A ser esse o caso, então os fatores que determinam as redes pequenas do estado cerebral «sem mente» seriam agora o oposto. E parece ser esse o caso. Por exemplo, o estado «sem mente» de pequenas redes, antes caracterizado por um córtex pré-frontal pouco ativo, surge em claro contraste com a situação dominante na depressão, em que o córtex pré-frontal está excessivamente ativo[44]. Além disso, a rede anormalmente pequena surgida nas experiências sensoriais foi gerada com níveis elevados de dopamina, uma amina que, a par dos seus parentes químicos, e tal como vimos, é deficiente na depressão. Por fim, parte da razão para o estado cerebral de pequenas redes seria haver uma concorrência rápida de novas redes à espera de se formarem, resultado da intensa interação com o mundo exterior – a antítese da depressão, em que o indivíduo cancela a interação com as realidades externas.

Se redes invulgarmente grandes estiverem correlacionadas com a depressão, isso ajudaria a explicar a eficácia ainda bizarra da terapia de eletrochoques, na qual se passa uma corrente elétrica pelo cérebro do paciente muitíssimo deprimido com a ajuda de elétrodos de superfície[45]. Esta terapia, embora à primeira vista grosseira e generalizada, é, não obstante, frequentemente eficaz quando os tratamentos com medicação falham. Talvez a corrente elétrica interrompa a ligação neuronal obstinada – de facto, um efeito secundário comum nesta terapia é a perda de memória –, facilitando assim a formação de novas ligações diferentes: uma espécie de plasticidade forçada. Ao desfazer a pedra grande original, permite-se a formação mais fácil de novas pedras de tamanho normal.

A ideia de que a depressão poderia estar correlacionada com redes anormalmente grandes também se adequaria a outro enigma clínico: o êxito da droga lítio no tratamento do distúrbio bipolar, em que o paciente sofre alterações de humor exageradas, que vão da depressão profunda (digamos, redes grandes) à hiperexcitabilidade, ou mania, com muita das características atribuídas ao modo de redes pequenas[46]. Uma explicação possível pode passar por o lítio ser um parente próximo do sódio na tabela periódica: isso significa que pode agir facilmente como impostor químico no cérebro, tomando o lugar dos iões de sódio. A base da comunicação entre neurónios é o fluxo de iões de sódio para o neurónio, que leva ao início do impulso elétrico, o potencial de ação, que ativa a célula. O lítio pode concorrer com o sódio para atravessar o seu canal especial para o interior do neurónio[47], mas, uma vez lá chegado, não consegue completar a tarefa: a geração de potenciais de ação fica comprometida.

Porque será uma ação tão genérica e básica tão eficaz na supressão de um problema cognitivo sofisticado e complexo como a mania? A depressão maníaca é conhecida como «distúrbio bipolar» devido às polaridades do humor entre as quais o paciente alterna. A fase da mania é a antítese completa da inércia da depressão: é caracterizada pela hiperatividade e pelo comportamento impulsivo, uma mentalidade encurralada no presente, demasiado reativa e distraída pelo mundo exterior – o modo de pequenas redes que atribuímos à criança ou ao esquizofrénico. Em linha com esta ideia, os pacientes bipolares são mais imprudentes e, tal como na esquizofrenia[48], têm igualmente um córtex pré-frontal pouco ativo[49]. Assim, se a fase maníaca do distúrbio bipolar pode ser interpretada numa lógica de redes invulgarmente pequenas, e se a ação do lítio é impedir a maquinaria básica da atividade neuronal, então talvez a eficácia do lítio se prenda com a impossibilidade de formação facilitada de redes sucessivas, a renovação rápida que caracteriza a mente da criança ou do esquizofrénico, e do paciente bipolar na fase maníaca. Em resumo, o lítio serviria para *estabilizar* a criação de redes pelo emprego de um travão químico.

Mas continuamos a ser atormentados por uma questão incómoda, já que esse travão só se aplica à mania: o lítio não é eficaz na fase depressiva do distúrbio bipolar, nem na depressão comum. Porquê? O indício crucial poderá estar no facto de que o lítio é eficaz na depressão – conquanto seja administrado *antes* do início do humor negativo[50]. Embora seja apenas uma hipótese, é possível que a chave da ação do lítio seja a estabilização da atividade neuronal numa norma de base: daí a falta de efeito em indivíduos saudáveis, nos quais as redes já são estáveis, e nos pacientes deprimidos, em que a rede já se tornou invulgarmente grande e duradoura, estando, por isso mesmo, já estabelecida. Em contraste, enquanto as redes se estão a formar, como na mania, ou quando estão prestes a alargar-se, no início da fase deprimida, o lítio pode ser bastante eficaz na propagação neuronal – ou seja, na atividade aumentada.

DOR

Outra semelhança entre a esquizofrenia e a obsessão, que, mais uma vez, é o oposto da depressão clínica, é a sensibilidade à dor. Enquanto os indivíduos esquizofrénicos[51] e maníacos[52] apresentam um limiar de dor elevado – ou seja, sentem-na menos –, os pacientes deprimidos têm um limiar de dor inferior ao normal: sentem mais a dor, problema conhecido como «hiperalgesia»[53]. Assim, se a depressão está correlacionada com redes invulgarmente grandes, e se este estado cerebral, por sua vez, está associado a uma maior perceção da dor, poderão as redes grandes estar associadas, de um modo geral, ao grau subjetivo de dor em todos nós? Há várias razões que apontam para que esta possibilidade intrigante seja verdadeira.

Uma razão é que a dor é expressa por outras associações – pontadas ou ardor, por exemplo –, dependendo estas associações de uma conetividade neuronal extensa[54]. Existe também um limiar diário de dor: por exemplo, num projeto com voluntários saudáveis, os técnicos aplicaram choques elétricos aos dentes dos sujeitos e demonstraram que a melhor altura para uma experiência dolorosa é o meio do dia[55]. Esta flutuação do limiar de dor pode dever-se a jorros moduladores de aminas, que têm um ritmo diário. Um outro aspeto da perceção da dor é parecer maior quanto mais é antecipada[56], supostamente porque a janela temporal mais alargada permite a formação de uma rede.

Outra razão para se sugerir que poderão estar em jogo redes invulgarmente grandes está relacionada com a dor do membro fantasma»[57], em que os amputados continuam a ter sensação num membro ausente. Há muito que os fisiólogos Ronald Melzack e Patrick Wall desenvolveram o conceito da matriz da dor – sem dúvida comparável a uma rede –, em que, se não recebermos o retorno correto do membro (por já lá não estar), os neurónios ficam excessivamente estimulados e é produzida uma rede maior: daí a maior sensação de dor[58]. Além disso, a morfina, um analgésico potente, resulta numa euforia «onírica»: quando os pacientes a tomam, dizem que continuam a sentir a dor, mas isso já não lhes interessa[59]. Sabemos que a morfina atua como bloqueador nos recetores de um opiáceo natural (encefalina) que tende a produzir uma ação inibitória no cérebro e que, por isso, reduz a dimensão da rede[60]. Por fim, os esquizofrénicos – com um estado supostamente de redes pequenas – apresentam um limiar de dor muito elevado[61].

Além disso, no capítulo 2 vimos que, regra geral, os anestésicos põem em causa uma explicação unitária devido à diversidade da sua estrutura química e às ações celulares ascendentes: mas aquilo que poderão ter em comum enquanto ação central é que, ao nível médio das operações cerebrais, reduzem a dimensão das redes. Isto significa que, conforme o anestésico está a fazer efeito, pode haver um paradoxo interessante e contraintuitivo. Se a anestesia age lentamente, já que reduz a capacidade de gerar apenas redes pequenas, isso significa que *antes* de perdermos a consciência experimentamos uma sensação de euforia característica do estado altamente emotivo das redes pequenas. Será uma ideia estranha, mas parece ser real: no passado, antes de os anestésicos serem eficazes como os atuais, os pacientes que estavam prestes a submeter-se a uma cirurgia passavam por fases de obsessão e excitabilidade, procurando as pessoas as «brincadeiras com éter»[62] ou consumindo óxido nitroso como droga recreativa[63] – tal como voltaram a fazer[64]; além disso, a cetamina, um anestésico, é usada frequentemente, em pequenas doses, como droga recreativa[65].

Ao comparar a possível fenomenologia subjetiva das redes grandes e pequenas surge-nos um princípio mais geral. Tenhamos presente que o paciente deprimido relata estar emocionalmente «entorpecido»: a questão não é estarem a sentir-se muito tristes, mas *não sentirem nada*. Entretanto, a criança, o indivíduo obsessivo, o consumidor de drogas e o esquizofrénico sentem, todos eles, emoções intensas, embora tanto positivas como negativas. Tais indícios levam, logicamente, à seguinte hipótese: em primeiro lugar, quanto mais extensa a rede neuronal, menor a emoção pura; em segundo lugar, por isso mesmo, as emoções terão de ser a forma mais básica de consciência. Basta pensar no cão a abanar a cauda ou no bebé a balbuciar para que esta segunda ideia não nos surpreenda.

Pelo prisma da neurociência, podemos agora interpretar a depressão clínica como uma rede invulgarmente grande: a pedra seria grande, com uma conetividade neuronal vasta e extremamente personalizada em ação. Além disso, esta conetividade ampliada pelo cérebro seria favorecida por um córtex pré-frontal muito ativo: não haveria concorrência ou outras distrações vindas do mundo exterior, não seriam atiradas novas pedras e os sentidos estariam de facto entorpecidos – um mundo exterior não sensorial. Uma reposição muito lenta de redes poderia então desenvolver-se sem oposições. Os níveis de excitação seriam baixos e, consequentemente, os níveis de aminas também seriam baixos, com grande viscosidade, servindo para obstar ainda mais à formação de rivais. E tal como a inatividade e a falta de interação com o mundo exterior (falta de pedras a serem atiradas) são sinais de depressão, também a depressão pode resultar da inatividade e do desprendimento.

Nos idosos, a depressão e a falta de interação física com o mundo exterior podem ser particularmente acentuadas[66]. Durante um levantamento que comparou a função cognitiva na vida em comunidade com a de idosos com inteligência normal internados em lares, os investigadores descobriram que os indivíduos mais velhos que viviam em comunidade apresentavam melhores resultados em testes cognitivos do que os internados[67]. Uma forma de testar os efeitos dos diferentes tipos de estilos de vida em idosos saudáveis é observar a relação entre esse estilo de vida e a reserva cognitiva, definida como o grau com que o cérebro consegue criar e usar ligações conceptuais conforme o cérebro envelhece. Talvez sem grande surpresa, maior envolvimento em atividades intelectuais e sociais está associado a menos problemas cognitivos, o que demonstra a verdade do mantra «usar ou largar». Um estilo de vida mentalmente ativo pode ajudar a proteger contra o declínio mental ao aumentar a densidade das sinapses entre as células no cérebro, melhorando assim a eficácia das mensagens chegadas dos neurónios intactos[68].

O treino da memória é de utilidade comprovada para o cérebro dos idosos. Num estudo, os investigadores realizaram exames cerebrais a participantes antes e depois de um programa intensivo de treino de memória de oito semanas[69]. Descobriram que o desempenho melhorara e a espessura cortical aumentara no grupo que se submetera ao treino de memória, garantindo mais indícios de que a capacidade cerebral para a plasticidade continua durante a velhice. Quanto mais experiências que deixem a sua marca no cérebro por via da sua adaptabilidade continuada, maior a «compreensão» – a capacidade de ver uma coisa em função de muitas outras – que reflete a sabedoria que associamos à idade.

Imaginemos o cenário referido no capítulo 2, de um cérebro maduro individual cuidadosamente construído, com ligações que reagiram e foram ativadas, fortalecidas e moldadas por sequências de experiências específicas que mais ninguém teve, nem nunca terá: uma mente individual única. Agora imaginemos que essas ligações extremamente individualizadas estão a ser desmanteladas à medida que as ramificações (dendrites) definham. As pedras potenciais que estariam disponíveis para serem atiradas à água seriam reduzidas a meras pedrinhas. Um indivíduo voltaria a ser como uma criança, no sentido da falta das experiências da mente adulta com que avaliar o que se passa no presente: pessoas e objetos deixariam de ter o significado extremamente personalizado acumulado com tanto cuidado ao longo de toda uma vida. Neste caso veríamos os tristes e trágicos sintomas da doença de Alzheimer, uma forma de demência em que o paciente literalmente «fica fora de si».

DEMÊNCIA

A sua sogra Daisy está agora a viver consigo e, tragicamente, encontra-se nas primeiras fases da demência. Tal como bem sabe, os sintomas são extensos e devastadores: pôde agrupá-los em três categorias principais. Pode elencar os sintomas *cognitivos* como dificuldades de memória, redução da capacidade de aprender coisas novas e compreensão e capacidade de resolução de problemas debilitadas. Daisy está a começar a ter dificuldade em recordar-se de nomes e locais, e já se perdeu uma ou duas vezes. Ocasionalmente, esquece-se de onde deixou as coisas, ou deixa-as em sítios estranhos. Também exibe declínio no discernimento, falta de perceção de perigo, ou então não se veste adequadamente, saindo de casa sem gabardina durante uma chuvada, por exemplo. Cada vez mais se debate para ler, escrever ou manter uma conversa, já que sente problemas com o vocabulário: certa vez falou de «muita água a cair do céu», pois esquecera-se do termo «chuva»; numa outra ocasião falou de uma «casa com rodas», pois não gerou instantaneamente a palavra «caravana».

Temos depois os sintomas *emocionais*, como a irritabilidade e a dificuldade com as interações sociais. As pessoas com Alzheimer agitam-se facilmente com pequenas coisas, além de sofrerem de paranoia, o que as leva a desconfiar dos outros, acusando-os injustamente de más ações. Outro sinal de perda do sistema de equilíbrio neuronal normal é a tendência para um excesso de familiaridade ou para a desinibição sexual durante uma conversa. Os pacientes a quem foi diagnosticada demência revelam-se amiúde impacientes com os outros, por exemplo quando têm de esperar numa fila. As emoções que manifestam podem estar fora de contexto, como por exemplo agressividade desajustada ou gargalhadas ou lágrimas inapropriadas. Por fim, temos os sintomas *físicos* mais óbvios, sobretudo a dificuldade em executar tarefas diárias normais, como cozinhar uma refeição, a higiene pessoal, vestir-se, jardinagem, etc.

A cada poucos segundos há mais uma pessoa no mundo a ser diagnosticada com demência. É mais comum com o avançar da idade, e apenas 2 por cento de vítimas são diagnosticadas antes dos sessenta e cinco anos de idade. Uma vez detetada, os sintomas podem manter-se estáveis até cinco anos, vivendo os pacientes, em média, mais dez anos, dependendo da idade do diagnóstico. Neste momento há 800 000 pessoas com Alzheimer no Reino Unido; este número vai chegar a quase 2 milhões em meados do século. No mundo, com o envelhecimento da população global, haverá cerca de 80 milhões de casos em 2040. A demência não é uma consequência natural do envelhecimento, mas é uma doença que afeta as pessoas mais velhas[70]. Em geral, 70 por cento da demência deve-se especificamente à doença de Alzheimer, algo que só pode ser confirmado *post mortem* por certos marcadores que podem ser identificados no cérebro com a ajuda de corantes. A característica central da demência, seja por causa da doença de Alzheimer ou de qualquer outra doença (como a demência frontotemporal ou a demência de corpos de Lewy), é a perda da conetividade neuronal personalizada que, tal como vimos, faz de cada pessoa um indivíduo único.

Se não conseguimos aceder aos fatores de equilíbrio da nossa co-netividade neuronal personalizada, se os objetos e as pessoas que nos rodeiam deixam de ter significado, cada vez mais somos obrigados a enfrentar o mundo segundo o seu valor facial. Voltamos ao mundo infantil. Por vezes, quando, durante as férias, acordamos num quarto de hotel, a perceção de onde nos encontramos e porquê demora mais um segundo do que o normal, até que a nossa «mente» – a opinião personalizada que temos do mundo – entre em ação. À medida que entramos na idade adulta, passamos a ter como garantida a capacida-de de introduzir na narrativa da nossa vida o momento de consciência presente que experienciamos: isso não acontece no caso dos indiví-duos diagnosticados com demência. A consciência destes é composta por redes pequenas permanentes, condenadas a reduzirem-se cada vez mais: com efeito, Daisy parece estar a desenvolver um tipo de estado mental mais reativo ao momento presente típico das crianças.

Assim, se o estado consciente de alguém com demência puder ser descrito por uma rede neuronal cada vez mais pequena, como pode então considerar-se que os tratamentos atuais estão a produzir efeito ao estabilizar a dimensão presente das redes de um paciente? Os medicamentos atuais como o *Aricept* ajudam temporariamente 50 a 60 por cento das pessoas a quem são receitados, durante os efeitos benéficos cerca de seis meses. Nos melhores casos, os sintomas do paciente podem atenuar-se, ou, pelo menos, manter-se no mesmo nível. Se um paciente permanecer medicado até um ano, isso pode abrandar o ritmo a que os sintomas da memória se tornam piores, bem como levar a melhorias na forma como as pessoas desempe-nham as atividades diárias, como lavar-se, vestir-se e cozinhar.

O *Aricept* funciona aumentando a disponibilidade do transmissor acetilcolina, um dos moduladores essenciais para a facilitação da cria-ção de redes. Quanto aos pontos de equilíbrio, aquele medicamento bloqueia uma enzima que normalmente destrói a acetilcolina, que agora vai surgindo em cada vez menor quantidade, conforme se per-dem as células que a produzem. O *Aricept* vai combater este estado prolongando a disponibilidade deste químico precioso. Infelizmente, isto significa que os efeitos são apenas temporários, pois a droga não chega ao cerne do problema; idealmente, impediria a morte das células que libertam acetilcolina.

Mas agora estamos na posse de uma pista importante, ou seja, que os aglomerados de células que formam o centro da parte primitiva do cérebro que liberta estes moduladores químicos podem ser cruciais. Há muito que somos atormentados pelo mistério em torno do facto de o ciclo inexorável da perda progressiva de células cerebrais que caracterizam a doença de Alzheimer não ser uma característica genérica do sistema nervoso central[71]: só certos grupos de células são vulneráveis, nomeadamente as células centrais que são as primeiras a degenerar-se, muito antes dos primeiros sintomas se tornarem visíveis. Uma informação valiosa, bem conhecida dos clínicos, é que a doença de Alzheimer pode ocorrer amiúde a par do outro grande distúrbio degenerativo, a doença de Parkinson[72]. Enquanto a doença de Alzheimer é um distúrbio cognitivo e a doença de Parkinson uma disfunção do movimento, e embora ambos os problemas resultem diretamente da morte de certos grupos de neurónios, pode ser que exista um mecanismo básico comum subjacente ao ciclo característico e contínuo de morte celular. Os centros celulares onde a perda de células começa, tanto na doença de Alzheimer como na doença de Parkinson, vem de uma parte seletiva do embrião, e, consequentemente, têm propriedades diferentes de todas as restantes células cerebrais. É tentador sugerir que estas propriedades podem explicar o motivo por que estes centros em particular são primária e especificamente vulneráveis à neurodegenerescência. Só as células centrais retêm até à maturidade os mecanismos de crescimento do desenvolvimento. Assim, os processos subjacentes à doença de Alzheimer e à doença de Parkinson podem ser uma forma aberrante de desenvolvimento[73].

Então, que efeito teria tal processo no cérebro em matéria de dinâmica de redes? Se estas células fulcrais começam seletivamente a morrer, verifica-se a libertação de menos membros da família das aminas que facilitem uma rede de tamanho normal: em vez disso, elas tornam-se cada vez mais pequenas – uma característica trágica da demência. Contudo, um fator essencial que distingue o cérebro demente do cérebro em desenvolvimento é que, no bebé, a rede pequena deve-se à modesta conetividade entre as várias ligações neuronais nas regiões «mais elevadas» do cérebro, como o córtex pré-frontal, trabalhando as fontes de aminas em condições, e talvez em excesso. Em contraste, no cérebro degenerescente, as fontes moduladoras estarão a secar, mesmo com a conetividade neuronal preexistente a poder funcionar devidamente durante algum tempo: sabe-se que os sintomas da demência podem só aparecer dez ou vinte anos depois do início do processo de degenerescência. Ou seja, enquanto as redes da infância são pequenas porque a pedra é pequena, as redes na demência são pequenas porque as ondas não conseguem espalhar-se com facilidade.

Contudo, as redes tornam-se ainda mais pequenas, à medida que as pedras se reduzem e a conetividade entre ligações no cérebro vai sendo desmantelada. Segue-se então que, se a pedra puder ser aumentada, talvez as redes possam crescer um pouco, para compensar as ondas menos eficientes. Fenomenologicamente, pode ser o que acontece com tipos diferentes de terapias não farmacológicas que oferecem alguma ajuda na demência. Temos, por exemplo, a terapia da reminiscência, que se revelou eficaz a reduzir os piores efeitos da doença de Alzheimer[74]. Embora um paciente possa ter uma fraca memória para acontecimentos recentes, consegue falar sobre as experiências na guerra, por exemplo, como se fosse ontem. A terapia da reminiscência baseia-se na circunstância de a maior parte das pessoas com demência ter memórias claras do passado às quais se pode aceder para melhorar o humor, o bem-estar e a relação com a família, prestadores de cuidados e outros profissionais que deles cuidam. Isso acontece porque as memórias mais antigas são mais estáveis.

Sabemos que é preciso dois anos para a criação sólida de memórias; o caso famoso de um epilético grave (conhecido dos investigadores, ao longo da vida dele, como «H. M.», mas como Henry Molaison após a sua morte em 2008) mostrou de modo claro este atraso. Henry foi operado por causa da epilepsia: a remoção radical de parte do cérebro associada ao processamento da memória. Consequentemente, ficou amnésico quanto aos acontecimentos não só após a cirurgia, mas também dos dois anos anteriores.

Quando se apresentam objetos aos pacientes com demência, como fotografias, filmes e vídeos, álbuns de recortes e música – com efeito, tudo o que possa ativar uma memória e levar a uma discussão sobre um assunto familiar –, estimulam-se mais ligações do que seria o caso sem esses objetos. Por exemplo, num lar de idosos em Londres há uma «sala da década de 1940», com rádios a válvulas e revistas da altura.

Outra forma de garantir que a rede é tão grande quanto possível é pela utilização dos vários sentidos: por exemplo, com música[75]. Uma peça musical favorita, ou que tenha um significado especial, como por exemplo a canção tocada no casamento de alguém, ou que fosse popular na altura de um primeiro encontro, pode ter um impacte formidável nos pacientes com Alzheimer. Mesmo à medida que as memórias enfraquecem, a música pode continuar a ter um efeito benéfico poderoso. A terapia musical serve-se de melodias, ritmos, instrumentos e canto para melhorar a sensação de bem-estar do paciente. Obviamente, a música tem o grande poder de afetar pensamentos e sentimentos; tal como já vimos, é uma parte essencial do ser humano, um complemento equiparado, mas oposto, à linguagem. Um paciente com demência pode, amiúde, continuar recetivo à música muito depois de se perderem outros processos mentais, como a concentração e a memória, pelo que o poder da música de evocar esses sentimentos pode ser usado para comunicar com as pessoas, mesmo quando elas têm dificuldade em dar sentido a tudo o resto.

No seu livro *Musicofilia*, o neurologista Oliver Sacks relatou a história de Bessie T., de oitenta anos de idade, antiga cantora de *blues* com a doença de Alzheimer, que a deixara com uma amnésia de tal modo severa que ela não conseguia reter nada na mente por mais de um minuto. Durante a preparação para um espetáculo de talentos no lar onde vivia, praticou algumas canções com a terapeuta de música. No dia do espetáculo, Bessie atuou de forma maravilhosa e com grande emoção; espantosamente, lembrou-se de todas as letras. No entanto, momentos depois, ao se afastar do microfone, nem se lembrava de ter cantado[76].

Além da visão e da audição para promover a ativação de mais ligações neuronais, mantendo a pedra o maior possível, temos o olfato e o paladar. Quando se usam comidas ou bebidas favoritas para estimular a discussão sobre visitas a locais especiais, acontecimentos ou as pessoas com quem as costumavam partilhar, os pacientes de Alzheimer têm mais facilidade em recordar-se das coisas. Finalmente, o toque pode também ser usado, estimulado por roupas e ornamentos do passado, a par de joias estimadas ou das medalhas de um ente querido. Nestes exemplos, em que os químicos moduladores (a viscosidade da água) e a conetividade neuronal (o tamanho da pedra) estão abaixo do nível ótimo, aquilo que podemos ainda fortalecer é a força do lançamento da pedra[77].

Que tipo de redes estão a formar-se e a dissolver-se em sucessão neste momento no seu cérebro? Quando gira a chave na porta, há silêncio na casa. Para seu alívio culpado, já todos se retiraram para o quarto – por motivos diferentes: Jack está em comunhão próxima com o telemóvel, enquanto Daisy, qual criança pequena em que se está a transformar, já dorme há horas. Jane estará a olhar para o teto, alheia à sua chegada. Até *Bobo* está no cesto, com o focinho entre as patas estendidas, exausto. A sua única opção é a solidão agridoce do quarto de hóspedes.

7

Sonhar

Grogue, sobe as escadas até ao pequeno quarto. Despe-se e enfia--se debaixo do edredão, e depois deita-se de costas, a olhar para o teto escurecido. De certa fora, o dia passou a voar: parece que ainda agora aqui estava, a obrigar-se a levantar-se, enquanto a sonolência se desvanecia lenta e dificilmente. Mas agora está a seguir pelo caminho oposto. Quando dá por si está a dormir, e a sonhar...

O tempo médio que as diferentes espécies passam a dormir por noite varia profundamente, desde três horas, no caso do burro, até vinte horas, no caso do armadilho. Parece que esta variação reflete as diferentes necessidades ecológicas entre as várias espécies não humanas e é um compromisso, tal como acontecia com os antigos humanos, entre a quantidade de tempo necessário para forragear e o risco dos predadores[1]. Mas dentro do oblívio prolongado do sono há bolsas de tempo em que se encontra numa forma indiscutível de consciência semelhante ao dia, embora também bizarramente diferente: os sonhos. O termo «sonhar» tem sido usado alternadamente com outro, mais técnico, designado «REM» (sigla inglesa para «movimento rápido dos olhos»), uma fase peculiar caracterizada pelo rápido movimento dos olhos atrás das pálpebras fechadas. A distinção entre sono não REM e REM aplica-se em todo o reino animal.

Todavia, recentemente, os neurocientistas descobriram que o estado de sonhos pode por vezes ocorrer independentemente destes sinais marcantes. A pesquisa mostra que embora os sujeitos refiram mais comummente os sonhos depois de terem sido acordados especificamente durante o REM, isso não é uma regra imutável: quando sujeitos acordaram durante sono não REM, os investigadores de um estudo perguntaram-lhes simplesmente o que lhes estava a passar pela cabeça, em vez de lhes perguntarem se estavam a sonhar[2]. Cerca de 50 por cento dos sujeitos acordados do sono não REM descreveu algum tipo de sonho em todas as fases do sono.

Outra dissociação entre a experiência subjetiva dos sonhos e a fase física específica do REM manifesta-se nos acessos noturnos durante um período de não REM, muitas vezes caracterizados por pesadelos. Além disso, os efeitos de lesões em áreas diferentes do cérebro também revelam que o REM não pode ser exclusivamente sinónimo dos sonhos, e vice-versa: as lesões no tronco cerebral primitivo anulam os sinais visíveis do REM, mas poupam os sonhos[3]. Em resumo: ao começarmos a análise dos sonhos, é importante reter que, embora por vezes chamado «sono REM», esta forma fascinante de consciência não está exclusivamente ligada a essa fase do sono.

O OBJETIVO DOS SONHOS

Para o sonhador, na altura, um sonho pode parecer indistinguível da consciência diária, mas, em retrospetiva, ao acordar, é absolutamente diferente. A narrativa fragmentada, a improbabilidade de muito daquilo que acontece − voar, por exemplo, ou a transformação repentina de um indivíduo noutro, etc. − parece ridículo, até embaraçoso, à luz do dia. Qual é, então, o objetivo desta consciência bizarra, tão afastada, mas ao mesmo tempo tão ligada à realidade? Para responder a esta questão, um dos procedimentos habituais dos cientistas tem sido investigar o que acontece quando os humanos são privados da oportunidade de sonhar. Uma vez que os sonhos ocorrem tanto na fase de sono REM como na fase não REM, é impossível privar seletivamente os sujeitos de sonhos, ao mesmo tempo que se deixa que durmam naturalmente durante as outras fases. Não obstante, os efeitos da privação de sono em geral sobre a função cerebral têm vindo a ser documentados ao longo de meio século[4], e todos os indícios apontam para a conclusão óbvia de que o sono em geral, e talvez os sonhos em particular, são claramente importantes para nos permitir lidar com as vicissitudes do dia que se avizinha.

Por exemplo, a pesquisa mostra que trinta e seis horas de privação de sono leva a uma deterioração significativa do desempenho em tarefas que impliquem memória, mesmo quando se administram quantidades significativas de cafeína ao infeliz voluntário, para combater a sonolência[5]. Outro efeito da insónia induzida experimentalmente é os sujeitos mantidos deliberadamente acordados se encontrarem num estado emocional elevado[6], revelando a imagiologia que uma área cerebral ligada às reações emocionais (a amígdala) estará a responder com 60 por cento mais de atividade[7]. O sono REM, sobretudo, parece crucial para dissipar a potência dos estímulos emocionais experimentados no dia seguinte para estímulos emocionais vistos na noite anterior – reduzindo, ao mesmo tempo, a atividade correspondente na amígdala[8]. Ao mesmo tempo, existe um paralelo interessante entre a disfunção emocional exagerada resultante da privação de sono e a induzida pelo LSD, amiúde caracterizada por padrões de sono irregulares[9].

A ideia de que o sono em geral, e os sonhos em particular, cumprem algum tipo de função de consolidação que ajuda o sonhador a lidar com as horas de vigília está longe de ser nova. Contudo, uma coisa é observar os efeitos negativos da privação imposta de sono em casos extremos, mas outra completamente diferente é extrapolar o que pode estar a acontecer no cérebro durante os sonhos normais – ou até compreender sequer o motivo por que sonhamos. O perito em sono Allan Hobson e o seu colega Karl Friston ocuparam-se desta questão básica pressupondo que os sonhos nos garantem um mundo privado que parece ser gerado internamente sem o fardo adicional das informações sensoriais que nos chegam ao cérebro vindas do mundo exterior[10]. Claro que a informação transmitida pelos ouvidos, pelos olhos, pela língua, pelo nariz e pelos dedos não é algo opcional que podemos ou não aceitar, podendo garantir o primeiro passo essencial para que os sonhos cumpram o seu dever. A ideia de Hobson e Friston é que os sonhos dependem profundamente dos sentidos[11], do seu processamento anterior, enquanto estávamos acordados: concomitantemente, o impacte total daquilo que os sentidos têm a transmitir-nos só pode ser apreciado na totalidade com o cérebro «desligado». Consequentemente, o cérebro que sonha torna--se um «gerador de realidade virtual» que permite que o sonhador, quando volta a acordar, se oriente, antecipe e aproveite ao máximo o ambiente da vida real, mesmo que apenas subconscientemente.

À primeira vista, esta ideia parece extremamente plausível: que, nos sonhos, o sonhador está a tentar encontrar explicações para as buscas visuais irreais desencadeadas pela informação dos músculos que comandam os olhos, por via do epónimo movimento rápido dos olhos, levando à reordenação das ligações neuronais à medida que este mundo de fantasia é simplificado. Sem este reparar («podar») *offline* periódico garantido pelos sonhos, as ligações neuronais tornam-se excessivamente complexas e disfuncionais[12]. Talvez o cérebro precise de bloquear temporariamente a informação sensorial que chega às ligações que está a tentar reparar ou consolidar – tal como um canalizador fecha a água para reparar um cano.

Mas porque não pode este processo ocorrer durante o sono normal, sem a experiência subjetiva do sonho? Embora as primeiras teorias sobre a função mais geral do sono se baseassem na ideia de algum tipo de preparação, fosse a acumulação de químicos cerebrais ou o teste de reações adequadas, o que é um facto é que, durante os sonhos, a síntese de novas proteínas costuma ser tão reduzida como durante a vigília: embora possa ocorrer alguma síntese limitada no REM, a maior parte das proteínas é produzida durante o estado sem sonhos[13]. Entretanto, o teste de comportamentos relevantes seria inútil, ou, pelo menos, pouco eficaz, já que a recordação subsequente dos sonhos pode ser, amiúde, instável: não há garantias de que nos iremos recordar daquilo que «aprendemos».

Contudo, outra consequência dos sonhos como fulcrais para a consolidação da memória e para a racionalização das emoções prende-se com esta opção de processar *offline* os acontecimentos e as experiências passadas ser particularmente útil para o cérebro complexo dos animais que exibem níveis elevados de sono REM[14]. Com base em dados de oitenta e três espécies, os cientistas descobriram que os animais com cérebro grande relativamente à dimensão do corpo precisam de uma percentagem de sono REM marcadamente superior[15], o que sugere que os sonhos podem realmente contribuir para a inteligência e para a função cognitiva. Todavia, outros afirmam que as medições do sono REM não batem certo nem com o tamanho do cérebro, nem com a complexidade: muitos animais com poderes cognitivos relativamente modestos exibem, não obstante, um REM substancial, ao passo que muitas espécies com cérebro complexo gera pouco ou nenhum desse tipo de sono. Então, parece que os sonhos relacionados com o REM não são um acrescento sofisticado às ferramentas cognitivas humanas, sendo, quando muito, o oposto – um padrão básico em cérebros de todos os tamanhos e feitios. Contudo, a ser assim, é difícil imaginar aquilo com que cérebros mais simples, e sobretudo os cérebros recentes dos fetos humanos, podem sonhar, e quão diferente seriam da realidade em vigília. Retenha-se apenas que, em consonância com esta dissociação das capacidades mentais, sabe-se que os sonhos são dominantes nos fetos e nos bebés, mas reduzem-se nos adultos, que certamente terão desenvolvido maior capacidade para as funções cognitivas e para resolver os problemas diários.

Jerry Siegel, diretor do Centre for Sleep Research, e o seu grupo na UCLA sugeriram um motivo alternativo para os sonhos: eles indicam uma correlação próxima entre os níveis elevados de sono REM e o facto de um mamífero ser «altricial», por oposição a «precocial»[16]. Os animais altriciais, como os gatos, as ratazanas e os seres humanos, nascem completamente indefesos e incapazes de cuidarem de si próprios, ao contrário dos animais precociais, como os cavalos e os porcos-da-índia, mais capazes de se defenderem desde tenra idade. Enquanto os animais mais prontamente independentes têm menos REM desde o primeiro momento, com pouca variação ao longo da vida, os animais mais carenciados tendem a exibir mais REM, que se vai reduzindo conforme amadurecem. Assim, parece que a imaturidade à nascença poderá ser o melhor previsor de sono REM na vida de determinadas espécies.

A ONTOGENIA E A FILOGENIA
DOS SONHOS

Por volta dos sete meses no útero, o feto humano passa a maior parte do tempo a dormir[17], entrando no REM em ciclos de vinte a quarenta minutos, e depois, quando recém-nascido, este padrão compreende pelo menos metade do tempo total que passam a dormir[18]. Esta quantidade excessiva de aparentes sonhos no feto continua depois do parto, sendo cerca do dobro do dos adultos, em que se estima que um quarto do sono total seja REM[19]. Assim, seja o que for que os sonhos e o REM representam quanto aos estados cerebrais, será algo muito básico e dominante desde cedo tanto para o desenvolvimento individual (ontogenia) como também do ponto de vista evolutivo (filogenia), tanto no feto como nos animais mais simples. Assim sendo, seguramente, a ideia[20] de que o objetivo dos sonhos é consolidar a cognição complexa vai contra a quantidade desproporcionada de REM observada numa fase da vida, e sobretudo no ambiente limitado do útero, em que haverá poucas questões para resolver. À parte a ineficácia do REM como mecanismo biológico potencial para a consolidação da memória e das informações acumuladas durante o dia, seria difícil explicar o motivo por que, nas situações em que cérebros mais modestos têm menos necessidade de consolidar uma memória, eles têm a maior oportunidade aparente – o REM – para o fazer[21].

A NEUROCIÊNCIA DOS SONHOS

Para compreender os sonhos teremos de voltar ao essencial: ao cérebro. Tentemos identificar quaisquer diferenças óbvias nos processos cerebrais que caracterizam estes dois tipo de consciência muito semelhantes, mas, ao mesmo tempo, curiosamente diferentes: a vigília diurna e os sonhos noturnos. A mais fundamental é a relação, ou não, entre o mundo interior do cérebro individual e o ambiente externo. Como pode o cérebro permitir que o sonhador se desligue temporariamente do ambiente físico imediato?

Os músculos ficam paralisados durante os sonhos, o que explica porque um pesadelo comum envolve o desejo ansioso de fugir, enquanto continuamos inexplicavelmente presos ao chão. E, em ocasiões extremamente raras durante a vigília, em que os estímulos são invulgar e intensamente poderosos – quando rimos às gargalhadas, por exemplo, ou a meio de um orgasmo –, há quem de repente entre num sono completo com sonhos![22] Contudo, este mecanismo pode ocasionalmente ser vivido com uma forma mais discreta de imobilidade quando estamos acordados, em momentos de grande excitação ou medo, quando somos incapazes de nos mover porque os músculos das pernas se relaxaram, e daí a expressão «perder a força nas pernas»[23].

Não são apenas os humanos que ficam paralisados em momentos de emoção extrema, como o medo: a imobilização pode ser uma resposta adaptativa concebida para limitar os movimentos como proteção contra predadores, como quando uma ratazana cheira um gato. De alguma forma, um estado emocional poderoso e extremamente carregado, em que a natureza considera que é melhor ficarmos imóveis, também se correlaciona, em casos extremos, com um estado de sonhos, e, o que é mais comum, vice-versa: sonhar implica imobili-dade – a incapacidade de fugir a um perigo que se aproxima. Uma possibilidade é que, nestes casos de perigo ou excitação extremos, o indivíduo não será capaz de agir corretamente, sendo preferível não fazer nada até que seja capaz de reagir com uma resposta adequada, ou pelo menos avaliar as circunstâncias. Contudo, tenhamos presen-te que os animais primitivos, que não terão a capacidade cognitiva de debater tal problema, também se comportam desta forma – pelo que, provavelmente, o mecanismo já existiria, sendo posteriormente adaptado pela evolução às necessidades mais sofisticadas da nossa espécie. Que poderá ser esse mecanismo?

Uma teoria diz que, durante o sono, uma área cerebral frontal des-liga o sistema motor. Em virtude deste bloqueio, a atividade cerebral é encaminhada para trás, para estimular as áreas cerebrais posterio-res ligadas à perceção, mas sem as informações sensoriais normais[24]. Claro que não há motivo para que esta «motivação para trás» não aconteça no sono sem sonhos: portanto, a menos que exista outro inibidor ainda por identificar que seja específico aos sonhos, isto não ajuda a perceber o que faz dos sonhos um processo tão especial.

Um cenário alternativo é que a principal central de retransmissão dos sentidos que entram – o tálamo – se fechar como um portão neuronal durante o sono, impossibilitando a passagem dos sinais sensoriais. Contudo, todos sabemos que o som incómodo do des-pertador *ultrapassa* qualquer suposta barreira. Portanto, a exclusão temporária, embora completa, dos sentidos do cérebro como critério definidor para os sonhos não resulta. Talvez, afinal de contas, os sen-tidos sejam apenas um extra para a consciência já desperta...

Rodolfo Llinás, neurofisiologista da Universidade de Nova Ior-que, e o seu colega Denis Paré propuseram exatamente isso. Aven-taram que, para as funções cerebrais normais, as informações senso-riais são apenas um luxo adicional que por acaso entram ao serviço durante as horas de vigília, mas que são irrelevantes para os sonhos[25]. Llinás e Paré afirmaram ainda que, em todos os outros aspetos, a vigília e os sonhos são estados cerebrais essencialmente equivalentes, provavelmente baseados num circuito neuronal específico – o muito citado e sempre popular circuito talamocortical. Com efeito, eles adiantaram uma versão ainda mais elaborada, sugerindo a existência de dois circuitos distintos: um deles tem uma função não específica de estímulo, ou excitação, ao passo que o outro fornece conteúdo específico, que incluiria as informações sensoriais. Assim, a consciência básica nunca é incentivada pelo exterior, sendo uma característica fundamental intrínseca do cérebro, modulada apenas ocasionalmente pelos sentidos e pelas informações externas adicionais que por acaso transmitam. Por que outro motivo, afirmam Llinás e Paré, teria o tão importante sistema talamocortical apenas uma parte menor da sua conetividade circular ligada à transferência de informações sensoriais diretas?

Contudo, já vimos que não há motivo para se supor que os circuitos talamocorticais sejam cruciais para a consciência[26]. Embora seja uma ideia curiosa que o estado dos sonhos possa ser a definição básica da consciência em geral, a infraestrutura neuronal em que esta ideia se baseia não tem pernas para andar. Em primeiro lugar, é muito improvável que um circuito talamocortical (ou até dois) seja suficiente para a consciência: afinal de contas, um prato com uma fatia de circuitos talamocorticais sem corpo não poderia, de maneira nenhuma, ter uma experiência subjetiva interna. Em segundo lugar, a excitação por si só nunca corresponde à consciência: é possível gerar ritmos de excitação em pacientes em morte cerebral[27].

Seria, porventura, injusto comparar diretamente as teorias díspares de Llinás e Paré com as de Hobson e Friston, já que cada par de investigadores tem objetivos muito diferentes: aqueles apresentam uma *descrição* neurofisiológica do estado do sonho, enquanto estes sugerem uma *explicação* mais funcional e abstrata. Todavia, nenhuma das teorias convence completamente, pois nenhum dos cenários explica realmente todos os aspetos dos sonhos, como seja o perfil ontogénico-filogénico de maior domínio favorecido pelos indefesos evolutivos, ou a participação fulcral de outras áreas cerebrais nos sonhos, além do papel aparentemente tangencial dos circuitos talamocorticais.

Por exemplo, um outro candidato ao envolvimento é a junção anatómica de três áreas do córtex: parietal, occipital e temporal (POT)[28], uma área no fundo do cérebro associada à criação de imagética mental[29]. Os danos nas áreas primárias do córtex – as áreas relacionadas com a visão, por exemplo – resultam numa redução dos respetivos aspetos visuais da imagética dos sonhos, mas só uma lesão nesta área POT funcionalmente mais sofisticada abolirá por completo os sonhos. Contudo, o simples facto de se saber *onde* algo poderá acontecer não nos diz *como* ou *porque* esse processo ocorre. Não parece plausível que uma simples inibição ou ativação entre uma região do cérebro e outras possa servir de interruptor omnipotente para cortar todas as informações do mundo exterior e encerrar o cérebro em si próprio. Afinal de contas, o inegável enigma que é o mundo interior – mesmo refletindo a vida e as experiências do sonhador individual – garante uma experiência subjetiva muito diferente da que encontramos na vida real do estado de vigília.

OS SONHOS REFLETEM A VIDA REAL OU FANTASIAS INTERNAS?

Que acontece, então, fisicamente no cérebro a sonhar? Como e porque são os sonhos subjetivamente tão diferentes da experiência da vigília? Serão um eco daquilo por que passámos anteriormente na realidade ou será um novo mundo de fantasia conjurado apenas no nosso interior e, como tal, independente do mundo exterior? Em jargão neurocientífico, esta dicotomia pode ser apresentada perguntando se os sonhos são, efetivamente, um processo neuronal ascendente, ligados aos mecanismos neuronais da perceção primária, ou um fenómeno descendente que reflita mais uma imaginação sofisticada.

A opinião científica divide-se. De um lado, o perito em sono Allan Hobson defende que o fenómeno é gerado de forma ascendente, graças à fonte de acetilcolina libertada nos centros superiores, sem a inibição por parte dos outros moduladores da sua família química: neste caso, os sonhos serão uma forma básica, mesmo que distorcida e simplificada, de perceção. E, em muitos aspetos, isto parece correto: os sonhos *ecoam* experiências de perceção da vida real. Por exemplo, os pacientes com problemas de perceção de rostos não sonham com rostos[30]. Na mesma linha, quem perde a visão antes dos sete anos consegue ainda invocar imagética visual nos seus sonhos[31], supostamente porque a experiência visual anterior também lhes influenciou as representações posteriores do ambiente, pelo que continuam com a capacidade potencial de produzir imagética visual. Entretanto, o facto de os cegos desde tenra idade não «verem» nos sonhos[32] sugere, mais uma vez, que o repertório disponível ao sonhador corresponde, em grande medida, ao estilo de vida e às experiências durante a vigília: um processo ascendente. Que se passa, então, com o desfasamento temporal que temos no cérebro, em que podemos sonhar com alguma coisa muito tempo depois de ela ter acontecido, ou continuamos a sonhar com pessoas muito depois de as encontrarmos? Supostamente, estas memórias, embora menos recentes, compõem a mesma mentalidade que a que abrange acontecimentos que ocorrem, talvez, apenas ontem.

Para investigar este cenário ascendente mais profundamente, investigadores de Quioto tentaram «descodificar» o conteúdo visual dos sonhos. Sempre que o padrão cerebral das ondas (EEG) dos sujeitos exibia um determinado perfil, estes eram acordados para relatarem as experiências visuais por que tinham passado no sono. Recolheram-se desta forma mais de duzentos sonhos, com um total de trinta a quarenta e cinco horas de experiências com cada voluntário. Embora houvesse algumas exceções coloridas, como por exemplo encontrar celebridades, o grosso dos sonhos relatados pelos sujeitos tinha que ver com a sua vida diária[33].

Mas a exequibilidade ou não do conteúdo não era assim tão importante; a primazia era dada aos conceitos fulcrais surgidos: a estratégia foi procurar termos que surgissem frequentemente nos relatos, como «mulher», «homem», «carro» e «computador». Depois, apresentando fotografias dos objetos corretos aos sujeitos quando acordados, os investigadores puderam desenvolver uma espécie de assinatura individual de encefalografia a cada objeto, comparável posteriormente com os exames antes de se acordarem dos sonhos os participantes. Cada experiência visual específica durante os sonhos esteve correlacionada com os padrões de atividade do cérebro partilhados pela perceção diária de estímulos: a visualização de padrões na vida real em vigília correspondia especificamente ao conteúdo literal do sonho, com tal precisão que possibilitava a previsão daquilo que seria relatado pelo sonhador. Assim, este trabalho corrobora a ideia de que os sonhos e a perceção do dia a dia podem partilhar «representações neurais» – ligações neuronais – nas áreas visuais mais elevadas. Parece que o conteúdo do sonho reflete, realmente, as ligações ascendentes entre células cerebrais individuais, resultado de experiências sensoriais anteriores.

Mas depois temos a ideia oposta: desde o tempo de Sigmund Freud que se defende que sonhar é descendente, algo que emana das áreas mais sofisticadas do cérebro responsáveis pelos processos de pensamento interior mais exóticos e idiossincráticos. A teoria dos sonhos de Freud baseava-se na sua divisão tripartida da mente em Id (fontes dos impulsos de destruição e de procriação), Ego (que interpreta estes impulsos em contextos específicos e plausíveis) e o Superego (que aplica um filtro moral inibidor adicional). Freud sugeria que os sonhos desmascaram o Id, garantindo um espaço onde os impulsos ocultos podem ser praticados. Contudo, estes desejos podem ser de tal modo perturbadores que a mente traduz o conteúdo problemático para uma forma simbólica mais aceitável. Como resultado ocorrem imagens oníricas bizarras e incompreensíveis. Além disso, segundo o pensamento freudiano, o motivo por que não se pode confiar na memória dos sonhos prende-se com o facto de o Superego estar a proteger a mente consciente da dura realidade do seu próprio subconsciente. A ideia é aqui que os sonhos são um processo descendente: gerados por processos mentais sofisticados que chegam da psique, não um meio direto de processamento do mundo agitado do exterior.

A sustentar a teoria descendente dos sonhos temos o contraste óbvio entre os níveis de complexidade nos sonhos e os estados de vigília nas crianças, quando comparados com o dos adultos. Estudos revelaram que os sonhos das crianças em idade pré-escolar não contêm sentimentos ou interações sociais: são cenas estáticas e simples em que a criança não desempenha nenhum papel, estando, por exemplo, a observar um cavalo a comer[34]. Se os sonhos das crianças pequenas fossem diretamente motivados pela perceção, seriam tão animados como a perceção na sua vida em estado de vigília, e encontrar-se-iam ao mesmo nível cognitivo.

Outro motivo para que possa não haver uma ligação direta entre a consciência dos sonhos e a do estado de vigília chega-nos pela via da neurociência clínica, por meio de certos casos em que as lesões cerebrais parecem ter eliminado por completo os sonhos. Em 100 por cento dos casos relatados, as lesões situavam-se especificamente no prosencéfalo. Assim, se o córtex é central, isto sugere que os sonhos não estão diretamente ligados às experiências de perceção ascendentes, sendo desencadeados por centros «mais elevados», como o córtex frontal, bem como pela junção cortical tripartida, a POT, referida acima. A mais plausível localização anatómica para os sonhos será assim na *interação* entre o córtex frontal e a POT[35]. Contudo, desde meados do século XX que outro setor do córtex tem vindo a ser trazido à questão.

O neurocirurgião canadiano Wilder Penfield, que conhecemos no capítulo 1, foi pioneiro da técnica de estimulação direta do cérebro em pacientes epiléticos acordados[36]. O seu trabalho foi de especial relevância, pois ele descobriu que, quando a superfície exposta de outra área cortical (o lobo médio temporal) era estimulada, os pacientes relatavam ocasionalmente que o procedimento desencadeava memórias, mas algo que eles diziam ser «como um sonho». Não havia coordenadas específicas de tempo e espaço que permitissem normalmente, tal como no estado de vigília, que o indivíduo situasse esse episódio no contexto mais vasto do dia, mês ou ano da sua história em construção. Eram, em vez disso, ocorrências aparentemente genéricas que careciam – tal como nos sonhos, mas ao contrário da vida real – de pensamento abstrato, cálculos e planos futuros.

Tal como bem sabemos, a experiência onírica mistura personagens, apresenta uma narrativa quebrada e ilógica, e está desligada do ambiente: assim sendo, pouco surpreende que uma grande diferença entre o estado de vigília e os sonhos seja que a memória de um sonho tende a ser vaga quando comparada com a recordação robusta da existência diária. Não obstante, essa é a mentalidade que caracteriza as psicoses clínicas como a esquizofrenia, em que o paciente (ou sonhador) se encontra num estado quase de delírio, desorientado e desligado do imediatismo da narrativa banal e real à sua volta. Tanto nos sonhos como na esquizofrenia, a lógica e o raciocínio ficam severamente comprometidos e o indivíduo perde o foco na realidade. Em ambos os casos temos uma atenção fugaz que salta de uma pessoa, objeto ou acontecimento desconexo para o seguinte, com uma perspetiva carente de conhecimentos e de autoconsciência, e amiúde caracterizada por ilusões e alucinações.

A avaliação da consciência individual conhecida como «exame do estatuto mental» revela que os relatos de sonhos e os relatos de esquizofrénicos são indistinguíveis[37], embora uma diferença crucial seja que a paranoia é um sintoma fundamental da esquizofrenia que muitas vezes se encontra ausente dos sonhos. No entanto, embora no mundo dos sonhos não haja um contexto elaborado, uma narrativa clara que contenha indivíduos definidos, os quais estamos convencidos de que tramam contra nós, *há*, frequentemente, um sentimento sinistro de inquietação, de perigo que espreita algures, ou de um adversário esquivo que nos persegue.

Os sonhos são caracterizados por emoções fortes, mas emoções apenas de um tipo particularmente ativo, como a fúria, o medo e a alegria, por oposição às emoções mais insípidas e passivas, menos imediatas e mais dependentes de valores e pressupostos: tristeza, vergonha e remorsos. Qual a diferença crucial? Uma possibilidade é que as emoções «ativas» não dependam tanto de um contexto preexistente, de uma ligação neuronal estabelecida no cérebro: uma criança pequena, ou até um animal, vão experimentá-las como reações positivas ou negativas a uma situação presente. A situação é semelhante na esquizofrenia, já que um contexto elaborado será menos preeminente e robusto, o que justifica a falta de lógica e a incapacidade de interpretar provérbios que caracterizam o pensamento esquizofrénico, a par da reatividade exacerbada ao que surge pelo caminho – tal como acontece com as crianças. Por outro lado, só as crianças mais velhas e os adultos sentem as emoções mais «insípidas», dependentes do contexto, pois só os seus cérebros são suficientemente sofisticados para garantir a necessária infraestrutura neuronal – a conetividade – para dar ao cenário o «significado» preexistente que garante o significado específico a essas emoções.

Assim, a diferença básica entre os sonhos e o mundo real é que quando sonhamos existe um afastamento entre os sentimentos e o *contexto* em que esses sentimentos são considerados apropriados. Rir num funeral no mundo real seria inapropriado porque todos os outros dizem que é assim: em contraste, nos sonhos, a norma – o contexto – é estabelecida unicamente pelo sonhador, que só em retrospetiva, ao acordar, seria considerado mentalmente perturbado. Assim, os sonhos não são tanto a repetição precisa da vida diária, mas uma forma poderosa de imaginação que está indireta e vagamente ligada à existência do sonhador durante a vigília. Como tal, os sonhos deverão refletir, de alguma forma, a conetividade fixa do cérebro personalizado, mas não algo igual à forma como um indivíduo desperto sente uma experiência normal no mundo exterior.

Parece que as perspetivas ascendentes *versus* as descendentes também não são úteis para explicar esta diferença, sobretudo porque ambas parecem estar certas. Em vez disso precisamos de um relato que associe as redes pessoais fixas que refletem a vida diária ao conteúdo de estilo esquizofrénico muito diferente da experiência onírica subjetiva.

A esquizofrenia está associada a níveis invulgarmente elevados de dopamina funcional[38], pelo que não surpreenderá que os caminhos que libertam dopamina levem a uma perda de sonhos, ao passo que o aumento da libertação de dopamina intensifica a frequência e a nitidez do conteúdo dos sonhos[39], embora sem qualquer alteração do REM. Os fármacos antipsicóticos receitados para a esquizofrenia e que agem como bloqueadores da dopamina também reduzem os sonhos excessivos e nítidos[40]. Que pode estar a acontecer? O prosencéfalo − especificamente o nosso velho amigo córtex pré-frontal − é a única parte do córtex a receber um grande fornecimento de dopamina da fonte nas áreas mais profundas. Assim, se houver um excesso de dopamina, algo que sabemos vai inibir o córtex pré-frontal, o cérebro vai estar num estado básico semelhante comparável ao da esquizofrenia, um mundo nítido e emotivo que apresenta um raciocínio lógico reduzido[41]. O acontecimento crucial é que, desta vez, a dopamina inibe o córtex pré--frontal[42] − uma situação associada ao sonhar[43]. Mas, esperem aí: já vimos antes que as lesões no córtex pré-frontal levavam ao oposto − a ausência de sonhos[44]. Então, como é que agora uma atividade reduzida nessa mesma área o incentiva? Claramente, a inibição ativa por parte da dopamina a células vivas no córtex pré-frontal será uma situação completamente diferente de se ter essas células completamente mortas[45].

Contudo, não é só a dopamina que está por trás dos sonhos. Uma pista fascinante para se compreender uma paisagem neuroquímica mais vasta é a dor ser normalmente suprimida enquanto estamos a dormir[46], o que explica o estado «onírico» descrito por quem toma o analgésico morfina (batizado segundo o deus grego do sono). A morfina é um analgésico eficaz devido a um sistema de transmissores completamente diferente: os opiáceos. Como se encaixam eles neste quadro?

Tal como já vimos repetidamente em diversos casos ao longo de um dia típico, as redes neuronais providenciam uma útil pedra de Roseta para relacionar a fisiologia objetiva com a experiência subjetiva. No capítulo anterior sugeri que o grau de dor subjetiva sentida poderia estar associada a redes invulgarmente grandes, e podia ser reduzida pela ação inibitória dos opiáceos. Daí decorre que se o alívio da dor pela morfina reduzisse a dimensão de uma rede, então, concomitantemente, a experiência «onírica» característica que se segue também implicaria que as experiências semelhantes dos sonhos reais poderiam estar igualmente associadas a redes pequenas. Curiosamente, a esquizofrenia, um transtorno em que existem paralelos claros com os sonhos e com o estado de redes pequenas, também implica um limiar de dor mais elevado[47].

SONHAR: REDES MAIS PEQUENAS?

Um ponto comum entre as crianças[48] e os esquizofrénicos[49] é terem um cérebro caracterizado pelo funcionamento de níveis elevados de dopamina, com, por sua vez, um córtex pré-frontal pouco ativo. Já vimos que o excesso de dopamina e um córtex pré-frontal pouco ativo podem estar associados a redes pequenas, pelo que os mecanismos aqui em jogo, quaisquer que sejam, podem também aplicar-se aos sonhos.

E se o correlativo fisiológico básico da experiência fenomenológica a que chamamos sonhar tiver redes invulgarmente pequenas? Para testar esta teoria podemos ver se é possível usar a analogia da pedra na água para justificar vários factos e para explicar vários fenómenos e anomalias inexplicados que têm vindo a surgir nas diferentes teorias do sono e dos sonhos.

Em primeiro lugar, o modelo da rede da pedra na água poderá explicar o motivo por que o olfato não surge nos sonhos[50]. Tal como já vimos, mais do que qualquer outro sentido, o olfato não depende de nenhuma atividade interna residual, como seria o caso da visão ou da audição, sendo, isso sim, resultado da força do lançamento da pedra: então, por depender das informações externas, este estímulo está completamente ausente dos sonhos.

Em segundo lugar temos a grande quantidade de tempo que o feto humano e as crias das espécies que não precisam de lidar de imediato com o mundo exterior passam a sonhar: para o feto[51], fechado no útero e com um mínimo de informações sensoriais, os níveis de excitação serão continuamente modestos: a viscosidade da água impede a criação de ondas, ao passo que a força do lançamento da pedra será fraca e esta será pequena, devido à pouca conetividade neuronal. Os sonhos, as redes pequenas, poderão ser o modo por defeito. Nas espécies que não têm de processar informações externas e de interagir eficientemente com tanta intensidade como os indivíduos que amadurecem mais cedo, a pedra, depois do nascimento, continuará sem ser atirada com força: as redes serão relativamente pequenas e a consciência da vigília total não será tão necessária.

Em terceiro lugar temos os efeitos perniciosos da privação de sono, entre eles a falta de sonhos: o problema não é tanto a falta de acumulação de químicos essenciais (algo que vimos que, seja como for, não acontece nos sonhos), mas sim o cérebro estar consciente e desperto – especificamente, está continuamente recetivo ao mundo exterior. A vigília constante implica uma sequência contínua de pedras a serem atiradas à água, levando a que, devido à repetição constante, seja mais difícil formar a plasticidade demorada para criar uma conetividade neuronal de longa duração. As pedras acabam por ser mais pequenas, aumentando a probabilidade de as redes subsequentes serem pequenas – um estado que, tal como vimos, é caracterizado pelo ampliar das emoções, pela falta de lógica e até por doenças mentais.

Em quarto lugar, recordemos os estudos que mostram que o REM e os sonhos podem ocorrer independentemente uns dos outros e que, mesmo sem lesões cerebrais, as pessoas podem experienciar sonhos sem apresentar o característico movimento rápido dos olhos. Assim, para o cérebro, o que podem ter em comum estes dois tipos de sonhos (não REM e REM) que, não obstante, continuem a diferenciá-los como subjacentes a uma experiência onírica subjetiva, por oposição à vigília total? A característica comum pode ser quantitativa e não qualitativa, ou seja, em ambos os casos, as redes são bastante mais pequenas do que durante a vigília. Mas como uma rede é continuamente variável, em vez de ser «tudo ou nada», podemos usar essa escala para diferenciar ainda mais os sonhos não REM dos sonhos REM. Se o estado REM se deve à libertação promíscua da acetilcolina moduladora a partir do tronco cerebral, então ela vai aceder a todas as áreas do córtex, dando assim a oportunidade de se criarem redes relativamente extensas. Por outro lado, se este sistema não for ativado, como no caso dos sonhos não REM, então a dopamina, que sabemos que continua a ser libertada, só poderá agir sobre o seu alvo seletivo muito mais pequeno: o córtex pré-frontal. Independentemente de outros fatores para determinar onde e como se formam as redes cruciais, a ausência de um modulador adicional, como a acetilcolina, levará a que seja provável que sejam ainda mais pequenas. Ainda será possível sonhar, só que mais raramente.

Em quinto lugar, a duração das fases é mais marcada pelas alterações no REM ao longo da noite. O neurocientista Bill Klemm, da Universidade A&M do Texas, aventou a intrigante proposta de que «o cérebro usa o movimento rápido dos olhos para se ajudar a despertar depois de ter tido uma quantidade suficiente de sono»[52]. Essa ideia é sustentada por factos claros: à medida que a noite avança, os episódios de REM tornam-se mais longos e mais frequentes com o aproximar da manhã. É como se tentássemos acordar durante a noite promovendo o REM, tendo cada vez mais êxito com o passar do tempo, já que os períodos de REM se vão prolongando (ver capítulo 2). O REM acaba por ser forte o suficiente para nos arrancar ao sono.

A anatomia relevante sustenta a teoria, já que o córtex informa o tronco cerebral primitivo, onde se ativa a libertação do transmissor acetilcolina[53], o que, por sua vez, regula os movimentos rápidos dos olhos. Assim, se o sono REM aumenta especificamente de duração ao longo da noite, e se, comparado com o não REM, está ligado a redes relativamente maiores que se tornam cada vez mais extensas à medida que o tempo, e a noite, vai passando, a distinção entre a rede REM/sonho e uma rede inicialmente mais pequena para o despertar tornar-se-á cada vez mais indistinta. Se a dimensão da rede funciona ao longo de um contínuo, não só os sonhos não REM serão apenas quantitativamente diferentes, em dimensão da rede, dos sonhos REM, como também será plausível uma transição semelhante dos sonhos REM para a vigília, acompanhada por uma rede crescente: a questão fulcral, quanto ao nível de consciência que experimentamos, seria apenas a dimensão final da rede, difícil de compartimentar em estados de sonho ou sem sonhos. O tamanho da pedra em qualquer momento – ou seja, a conetividade cerebral existente – vai determinar até que ponto se troca, nos sonhos, a vida real por cenários menos lógicos e mais exóticos, ou se a experiência irá refletir mais a realidade.

Este cenário também poderia explicar os sonhos «lúcidos», um estado reconhecido desde o tempo de Aristóteles[54]. O filósofo grego afirmou que «muitas vezes, quando dormimos, há algo na consciência que declara que o que se apresenta não passa de um sonho»: basicamente, o sonhador tem noção de que está a sonhar. Assim sendo, a consciência subjetiva ocorre num contínuo entre os sonhos normais e o despertar: este conteúdo autoconsciente mais sofisticado sugere, sem dúvida, que a rede dos sonhos lúcidos é ainda maior e aumenta ainda mais a probabilidade de se acordar.

Em linha com esta hipótese temos o fenómeno de um «sonho lúcido iniciado ainda acordado», em que o sonhador passa diretamente do estado de vigília normal para um estado de sonhos, sem qualquer lapso aparente de consciência. O adormecido entra, aparentemente, no sono REM com a autoconsciência intacta[55]. Se as redes REM são maiores do que as não REM, e as redes dos sonhos lúcidos são ainda maiores, isso significa que poderão estar mais perto de alcançar a dimensão das redes que caracterizam o estado de vigília; mas, acima de tudo, essas redes estão ligadas diretamente a diferentes graus de consciência, incluindo diferentes graus de sonhos: quanto maior a rede durante um sonho, conforme nos aproximamos mais do estado de vigília, mais provável será que ele vá refletir o conteúdo e a realidade do mundo que experimentamos quando despertos. Assim, as redes de todos os tipos de sonhos serão mais pequenas do que as redes durante o estado de vigília, mas haverá um contínuo que percorre tanto a fantasia interna descendente como as experiências diárias ascendentes, dependendo, por sua vez, do tamanho da pedra – o grau de conetividade neuronal ativada.

As redes são infinitamente dinâmicas e o resultado final, em cada momento, de uma variedade de fatores. Como tal, elas podem ligar células e sinapses de micronível a regiões de macronível, garantindo assim uma base para se compreender o fenómeno dos sonhos, como eles variam de conteúdo, e a sua relação, ou não, com o mundo desperto. Mas, neste momento, afastámo-nos ainda mais desse mundo, entrando num sono mais profundo e sem sonhos... completamente ausente, com o correr da noite.

8

Durante a Noite

O dia foi comprido, mas finalmente acabou. A sucessão de diferentes estados mentais por que passou pode agora ser expressa de forma bilingue – com a terminologia da fisiologia objetiva e com a linguagem correspondente e simultânea da fenomenologia subjetiva. O grau de atividade neuronal, por um lado, é acompanhado, por outro, pelo impacte dos sentidos. Poderíamos falar objetivamente sobre as suas associações preexistentes ou, em termos mais subjetivos, sobre o «significado» pessoal. Contemos ainda com a disponibilidade de moduladores como a dopamina – a analogia fisiológica do sentimento subjetivo da excitação. Contudo, outra característica objetiva é a formação de redes concorrentes, a par do seu corolário na primeira pessoa, a distração, patente nos níveis de rotação de redes: entretanto, a associação da passagem do tempo, uma narrativa do passado, presente e futuro, poderá relacionar-se com o grau de atividade do sofisticado córtex pré-frontal e sua contribuição.

Estes diferentes emparelhamentos, em cada caso duas faces da mesma moeda, levam a que agora possamos alternar entre as características neurocientíficas de uma rede, ao mesmo tempo que nos referimos, constantemente, à fenomenologia subjetiva. Podemos começar com a fisiologia e ver como um resultado semelhante – por exemplo, uma rede invulgarmente pequena – pode surgir de diferentes combinações de vários fatores fisiológicos, como a escassez de conetividade neuronal, níveis elevados do modulador dopamina ou estímulos rápidos. Depois, ao mesmo tempo, podemos seguir na direção oposta e interpretar as atividades diárias, ou tipos familiares de condições mentais, e, logo, de consciência, como a infância ou a esquizofrenia, fazendo-os corresponder, por sua vez, à dinâmica de perfis específicos de redes.

Sobretudo, ao longo da viagem pelo dia vimos como o papel das redes neuronais como intermediárias entre estados objetivos e subjetivos pode explicar vários enigmas: consciência humana *versus* não humana; níveis diferentes de anestesia; a eficácia de um despertador; a distinção entre a audição e a visão; a natureza dos sonhos e até, como acontece com os efeitos do enriquecimento ambiental, o valor para a sobrevivência evolutiva da consciência propriamente dita.

REDES: UMA PEDRA DE ROSETA QUE LIGA A FISIOLOGIA E A FENOMENOLOGIA

São agora possíveis vários tipos de previsão (ver quadro 2) quanto à forma como estes estados de primeira e terceira pessoa poderão interligar-se relativamente a um fator comum, a pedra de Roseta da dimensão total da rede. Na linha superior temos os diferentes fatores, expressos quanto a fisiologia objetiva, os quais podem variar independentemente uns dos outros, como estímulos, conetividade neuronal ou moduladores químicos; na última linha, esses mesmos fatores são expressos quanto a fenomenologia subjetiva.

Como poderá tal quadro ser útil? Vejamos um exemplo: a grande diferença entre depressão e, digamos, a ansiedade é que a depressão apresenta um tema ou cenário contínuo, por exemplo, uma situação inalterável como a morte de um cônjuge, ou um estado químico geral e prolongado: um anular persistente do humor geral. A ansiedade, por outro lado, gera múltiplas cenas rápidas e imaginárias de resultados terríveis como se ocorressem no mundo real: a ansiedade

Conetividade neuronal (tamanho da pedra)	Ativador (força do lançamento da pedra)	Níveis de modulador (viscosidade da água)	Renovação de rede (frequência do lançamento da pedra)	Rede total (dimensão das ondas)	Atividade diária/estado cerebral
Espaçada	Forte	Baixo	Baixa	Pequena	Alarme
Decrescente	Ausente	Baixo	Ausente	Redução constante	Anestesia
Espaçada	Forte	Alto	Alta	Pequena	Infância/animais
Espaçada	Forte	Alto	Alta	Pequena	Desporto vigoroso
Extensa	Fraco	Médio	Baixa	Grande	Correr
Espaçada	Forte	Médio	Alta	Pequena	Paladar/olfato
Extensa	Fraco	Médio	Baixa	Grande	Visão
Espaçada	Forte	Médio	Alta	Pequena	Audição
Espaçada	Forte	Médio	Baixa	Pequena	Toque
Espaçada	Forte	Alto	Alta	Pequena	Música: rave
Extensa	Fraco	Médio	Baixa	Grande	Música: clássica
Extensa	Fraco	Baixo	Baixa	Grande	Trabalhar no escritório
Muito extensa	Forte	Baixo	Muito baixa	Grande	Depressão
Muito extensa	Fraco	Alto	Alta	Grande	Ansiedade
Espaçada	Forte	Alto	Alta	Pequena	Medo
Muito extensa	Forte	Alto	Baixa	Grande	Dor
Extensa	Forte	Alto	Alta	Pequena	Esquizofrenia
Espaçada	Forte	Alto	Baixa	Pequena	Doença de Alzheimer
Espaçada	Fraco	Baixo	Baixa	Pequena	Álcool
Extensa	Forte	Médio	Baixa	Grande	Pensamento abstrato
Extensa	Forte	Baixo	Baixa	Grande	Meditação
Extensa	Fraco	Baixo	Baixa	Pequena	Sonhar
Significado	Grau de estimulação	Excitação	Perceção temporal	Grau de consciência	Fenomenologia

quanto aos pagamentos do empréstimo da casa podem invocar imagens em que se vai a tribunal, em que se fica sem a casa, em que se perde o cônjuge, etc., etc.

Assim, embora tanto a depressão como a ansiedade se baseiem em circuitos neuronais extensos *internos* − uma pedra grande −, os níveis de excitação subsequentes são diferentes em cada caso. Os níveis de moduladores são menores no indivíduo deprimido, sendo mais elevados no caso da ansiedade, bem como do medo, mas a ansiedade difere do medo, pois este depende de estímulos *externos* fortes, precisando, desta vez, de uma pedra mais pequena atirada com força. Assim sendo, com a ansiedade, a renovação das redes neuronais será tão elevada como no caso do medo, mas será induzida por fatores internos, como na depressão: os três estados distintos poderão, consequentemente, ser distinguidos pelas diferentes contribuições dos vários fatores que dão origem à rede final, e, logo, à consciência[1].

Por mais herege que soe, o essencial não é se as previsões de dimensão de rede elencadas no quadro se concretizam ou não, mas sim se essas previsões poderão ser *testáveis*. Aquilo com que a neurociência pode contribuir não serão respostas, mas sim questões informadas que podem ser investigadas empiricamente: segundo a famosa terminologia de Karl Popper, uma «hipótese falsificável»[2]. Contudo, para ir além da validação do papel das redes ao lidar com a fenomenologia subjetiva esquiva derivada do cérebro holístico, precisamos de sujeitos humanos.

No capítulo 2 conhecemos o professor Brian Pollard, da Universidade de Manchester, que desenvolveu uma técnica nova inovadora para estudar o cérebro, conhecida como tomografia funcional por impedância elétrica por resposta provocada. Esta técnica permite à sua equipa observar o cérebro não só em escalas temporais muito pequenas, mas também de uma forma não invasiva que abre caminho aos testes com humanos[3]. Embora outras técnicas também não invasivas como a imagiologia por ressonância magnética funcional sejam comparavelmente indolores e práticas, elas só monitorizam parâmetros indiretos, como as alterações no fluxo sanguíneo, ao passo que a técnica tomográfica desenvolvida por Pollard obtém uma leitura direta das alterações dos estados cerebrais, ou seja, alterações na resistência elétrica neuronal[4]: isto significa que, pela primeira vez, temos o potencial de observar o cérebro humano em tempo real. Podem imaginar o nosso prazer quando o professor Pollard relatou à imprensa que até ao momento, os seus dados pareciam sustentar a abordagem do nosso laboratório à «natureza da consciência propriamente dita»[5]. Com aquela técnica poderá até vir a ser possível testar as previsões apresentadas no quadro. Tais estudos trariam um conhecimento profundo sobre os mecanismos neuronais subjacentes aos vários estados mentais subjetivos.

Mas o perfil das redes que, mesmo nesse caso, se poderiam capturar e analisar seria, quando muito, um índice do grau de consciência, não a demonstração do fenómeno propriamente dito. Não nos esqueçamos de que por mais precisas que sejam, as redes só nos dão uma correlação entre acontecimentos neurais e consciência, não um elo causal. Então, o que acontece em seguida, depois de uma rede se formar?

O CÉREBRO NUM CORPO

Algo essencial e básico que temos ignorado convenientemente até agora é o cérebro existir dentro de um corpo – não está a flutuar numa espécie de recipiente surreal, tal como por vezes os filósofos gostam de imaginar[6]. Em vez disso, o sistema nervoso interage constante e intimamente com os sistemas imunitário e endócrino, caso contrário haveria anarquia biológica: além disso, não teríamos como justificar o efeito dos placebos sobre as doenças, da depressão sobre a saúde, ou de hormonas como a ocitocina, que garantem que nos sentimos ligados e próximos de alguém. Qualquer teoria realista da consciência baseada em correlações neuronais terá de ter em conta a interação constante entre cérebro e corpo.

Assim sendo, a questão seguinte é como pode um aglomerado efémero e frágil de dezenas de milhões de neurónios individuais transmitir uma mensagem coesa ao resto do organismo e seus variados sistemas de gestão. Ou seja, como consegue uma rede particular dar informações a todos os órgãos abaixo das sobrancelhas e, por sua vez, ser influenciada reciprocamente pelas suas diversas maquinações?

Qualquer que seja o tipo de mensagem enviada do cérebro ao resto do corpo, ela tem de transmitir não só a dimensão da rede em causa, mas também o seu grau de atividade intrínseca, a duração da sua janela temporal e informações sobre a região cerebral particular onde cada uma foi gerada. As redes têm o potencial de estar à altura desse desafio, pois oferecem uma leitura composta por vários fatores extremamente variáveis; uma vez que esses fatores podem ser manipulados diferencialmente (tal como no quadro da página 205), vai haver uma leitura global diferente que reflita cada rede individual em cada momento.

Pura e simplesmente não é exequível que cada fator quantitativo e qualitativo diferente que temos vindo a explorar possa ser reproduzido de uma forma exata uma segunda vez: isto significa que, ao contrário de certas regiões cerebrais anatómicas e/ou as suas atividades elétricas específicas, cada rede, onde e quando quer que seja gerada no cérebro, será única – especificidade que, ao compará-la com outras possíveis correlações neurais de consciência (capítulo 1), a torna um candidato muito mais adequado a ser equiparado a um momento único de consciência. Mas, a ser assim, precisamos agora de enviar este pacote combinado de informação qualitativa e quantitativa de maneira que tenha igualmente impacte nos sistemas não neurais e nos órgãos periféricos do corpo – os intestinos, por exemplo –, bem como nos outros grandes sistemas de comando: os sistemas nervoso autónomo, endócrino e imunitário. Terá de existir algum tipo de sistema geral pelo qual se mantenha uma comunicação recíproca entre os órgãos periféricos e os processos corporais e cérebro[7].

Felizmente temos os intermediários perfeitos: as moléculas peptídeas. Os peptídeos são compostos pelos mesmos blocos de construção (aminoácidos) que as proteínas, mas distinguem-se pelo tamanho – podem ser muito, muito mais pequenos. O termo deriva
do grego para «digerir», pois desde há muito que estes compostos
estão associados aos intestinos, embora estejamos prestes a ver que
também podem agir como transmissores poderosos no cérebro. Com
efeito, os intestinos e o cérebro parecem manter um diálogo próximo, uma interação que desde há muito é reconhecida na expressão
«sentir algo lá no fundo»[8]. As células intestinais libertam peptídeos
que, neste caso, agem como hormonas. Estas hormonas peptídeas,
por sua vez, não só afetam a digestão, como também agem sobre os
nervos periféricos, bem como os da espinal medula: como tal, podem influenciar significativamente os processos cerebrais subjacentes
à memória e às emoções, desempenhando uma vasta gama de áreas
cerebrais um papel neste diálogo entre intestinos e cérebro[9]. Mas não
são só os intestinos que, nas profundezas do corpo, conseguem falar
com o cérebro por intermédio destes emissários prestáveis e versá-
teis: por exemplo, um peptídeo que provoca um aumento na tensão
arterial – angiotensina – é produzido nos rins, mas também pode
influenciar uma função cerebral sofisticada como a aprendizagem.

Há muito que os biólogos sabem que certas informações cruciais
e urgentes sobre o corpo, como a temperatura interior, ou os níveis
de glucose e insulina, são enviadas diretamente para regiões-chave
do cérebro, ao passo que as leituras sobre a pressão arterial e o ritmo cardíaco são enviadas para o cérebro por via de diversos mecanismos nas artérias, no coração e em nervos autónomos especializa-
dos[10]. Uma ideia original diz que a integração de todos estes sinais
variados pode assumir a forma de um «estado hedonista»[11] coletivo
de bem-estar. Embora este conceito intrigante continue a ser frus-
trantemente vago, é fácil imaginar outros moduladores, como por
exemplo as hormonas peptídeas, a traduzirem-se, subjetivamente,
em predisposição ou humor. Mas como poderia um estado particular

de consciência como este *regressar* do cérebro para o resto do corpo, para garantir uma conversa constante entre o sistema nervoso central e os órgãos vitais, e os sistemas endócrino e imunitário?

Aquele que talvez seja o caso mais conhecido de uma interação íntima entre estes grandes sistemas de gestão do corpo é um processo que ocorre durante o stresse. Esta experiência familiar é desencadeada por uma hormona especializada (a hormona libertadora de corticotropina) e pelo transmissor noradrenalina que, entre muitas outras coisas, combate a inflamação resultante dos danos nos tecidos. Ao mesmo tempo, este sistema está envolvido em estados psicológicos mais demorados: por exemplo, a sua ativação a longo prazo pode predispor à depressão[12]. Quando esta organização tripartida (sistemas endócrino, imunitário e nervoso central) falha, assistimos a uma série de distúrbios, desde doenças inflamatórias como a artrite reumatoide a problemas mentais menos óbvios.

Embora ainda não se saiba como acontece, sabemos que essa comunicação tripartida tem de ocorrer. Por exemplo, a depressão aumenta a probabilidade de doenças por via de um sistema imunitário comprometido: num estudo de vinte e um anos a mais de dois mil homens americanos de meia-idade, quem mostrou tendência para depressão tinha duas vezes mais risco de vir a desenvolver um cancro fatal mais tarde, independentemente de outros fatores relevantes, como o tabaco ou o historial familiar[13]. Ao mesmo tempo, um levantamento na Noruega mostrou que quem sofre de depressão significativa tem maior risco de morrer com uma das principais causas de morte, mesmo tendo em conta a idade, as condições médicas e as queixas físicas[14]; a depressão também aumentava o risco de desenvolvimento de doenças coronárias[15].

A pesquisa revela que o sistema imunitário pode ser condicionado com o mesmo mecanismo cerebral que alterou os famosos cães do fisiólogo russo Ivan Pavlov: os animais acabaram a salivar ao som de uma campainha, o qual fora associado a comida. Numa experiência com ratazanas, um sabor doce começou a suscitar a mesma reação que um fármaco imunossupressor quando o estímulo alimentar começou a ser administrado isoladamente. As ratazanas acabaram por ficar com um sistema imunitário suprimido não por causa do fármaco, mas devido à mera *associação* dos efeitos do fármaco ao sabor doce: este gosto, por si só, teve o mesmo efeito que o fármaco tóxico e acabou por matar as ratazanas[16].

Faz todo o sentido que uma determinada associação aprendida, como o gosto doce, ative químicos como os peptídeos, que poderão ter um efeito tanto sobre o cérebro como sobre o sistema imunitário. Mas a grande questão continua: como se orquestra tal interação? Seria improvável que produções químicas locais em circuitos diferentes sofressem alterações aleatórias, sem qualquer consideração pelo organismo como um todo: o corpo arriscar-se-ia a receber um dilúvio de mensagens mistas. O cenário cerebral holístico de «estar deprimido» ou o «estado hedonista», ainda mais vago, ou seja, um estado de mente, deverá ter uma representação física. Embora ainda não sejamos capazes de descrever tal processo com pormenores empíricos, as redes surgem com o nível certo de organização cerebral para se correlacionarem com a consciência descendente, enquanto ao mesmo tempo representam a propriedade coletiva de diversos mecanismos e processos cerebrais ascendentes. Mas que tipo de mensagem poderá a geração de uma rede enviar do cérebro ao corpo? Não pode ser simplesmente elétrica – a moeda universal das ligações neuronais –, já que, desta vez, a mensagem teria de percorrer longas distâncias e bastante tecido biológico não neural. A mensagem teria de ser química. Entram em cena os peptídeos...

Além de cumprirem uma série de funções fora do cérebro, os peptídeos trabalham no cérebro como transmissores por direito próprio: a encefalina natural, por exemplo, é análoga à morfina, que trabalha no cérebro para atenuar a perceção da dor. Contudo, uma característica geral fascinante de praticamente todos os peptídeos no sistema nervoso central é estarem com frequência localizados num único neurónio, a par de um transmissor convencional familiar[17]: as células de dopamina, por exemplo, podem também conter encefalina[18]. Porque havia a natureza de sobrecarregar um neurónio com dois transmissores diferentes, se cada um realiza o mesmo trabalho básico?

Mas imaginemos que não é o caso, e que os transmissores convencionais e os peptídeos *não* fazem a mesma coisa. Sabemos agora que, ao contrário da libertação própria de transmissores, os peptídeos são emitidos seletivamente de diferentes subcompartimentos e libertados do neurónio só em condições muito mais concretas: a célula tem de estar muito mais ativa e por mais tempo. Como a centena, mais ou menos, de peptídeos no cérebro[19] pode variar quanto à quantidade libertada (fator quantitativo), bem como na sua diferente identidade química (fator qualitativo) o cérebro tem agora à sua disposição uma poderosa ferramenta adicional: um único parâmetro *digital*, o ritmo de disparo dos potenciais de ação, pode agora ser claramente convertido num parâmetro *analógico*, em que o transmissor peptídico adicional só é libertado quando a atividade continua a um ritmo mais elevado e durante um período continuado. A quantidade de peptídeo libertado, a par da sua identidade muito qualitativa, vai refletir o grau em que um determinado neurónio num lugar determinado tem estado ativo ao longo de um período de tempo prolongado. Assim, talvez a natureza não tenha sido tão extravagante ao atribuir dois tipos de moléculas transmissoras a um único neurónio: uma delas, o transmissor clássico, funciona a um nível local e a curto prazo, ao passo que a outra, o peptídeo, funciona numa maior escala temporal e espacial.

Vimos que uma das características mais básicas de todas as redes, mesmo as relativamente pequenas ou fracas, se prende com serem todas de longa duração: regra geral, centenas de vezes mais longas do que um único potencial de ação, pelo que daí decorre que a geração de redes garantiria circunstâncias perfeitas para a libertação de peptídeos. Esta libertação no cérebro poderia comunicar a outros grupos neuronais, e ao resto do corpo, que uma rede importante se formara, em vez de ser apenas uma sinapse isolada ou duas a estar ativas.

Além disso, esta informação não seria um simples interruptor digital. Em vez disso, o fator qualitativo adicional, a identidade química do peptídeo em questão, poderia dar uma leitura única extremamente individualizada sobre uma rede particular em relação: 1) aos níveis dos diferentes químicos específicos libertados; 2) à duração da libertação; e 3) à combinação particular de vários peptídeos, que por sua vez serviriam de indício quanto à sua dimensão espacial, e até à sua proveniência anatómica, já que diferentes áreas cerebrais terão diferentes assinaturas peptídicas. Por sua vez, estas características, e ao

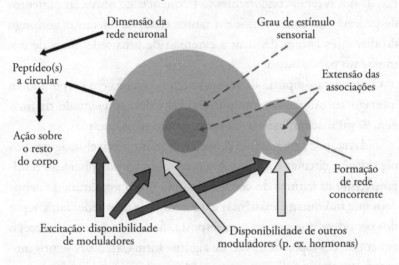

Geração de Consciência

Imagem 9: Um possível mecanismo para a geração de consciência. Os dois conjuntos de círculos concêntricos representam duas redes efémeras de dezenas de milhões de células cerebrais: a rede maior irá dominar em qualquer momento no cérebro, determinando esse momento de consciência. O grau a que as células são recrutadas, e, logo, o grau de consciência, será determinado por uma série de fatores, como seja o vigor das informações sensoriais, ligações preexistentes (associações) e grau de concorrência (distrações), mostrados pelas redes mais pequenas que começam a formar-se. Os químicos de assinatura, como os peptídeos, são libertados pela rede efémera. O tipo, número e concentração desses químicos vai assim constituir uma assinatura única e isolada da rede saliente no cérebro, transmitindo essa informação ao resto do corpo por meio da circulação. Por sua vez, os químicos libertados pelo sistema imunitário e pelos órgãos vitais irão modificar a rede funcional de neurónios, a par de outros químicos, como as hormonas e as aminas, libertados de acordo com a excitação. A consciência está, assim, dependente do funcionamento coeso de todo o corpo[20].

contrário dos acontecimentos celulares ascendentes ou dos macroa-
natómicos descendentes, refletiriam e indicariam uma série variada
de informações funcionais num determinado momento: excitação,
plasticidade (memória), informação sensorial e estado corporal interno (fome, dor, etc.).

Recapitulemos mais uma vez: na geração de uma rede de células
cerebrais ativas, diferentes fatores vão determinar diversamente a sua
dimensão final máxima (a dimensão das ondas), que, por sua vez,
é determinado pelo grau de estímulos sensoriais (a força do lançamento da pedra), a dimensão das associações cognitivas (a pedra), a
disponibilidade de moduladores (a viscosidade da água) e a renovação de novas redes concorrentes (a frequência de novos lançamentos
de pedras). Tal como vimos em tantos cenários diferentes ao longo
do dia, estes fatores definem a extensão de uma rede única de um
momento para o outro.

O esquema simplista da forma como o cérebro e o corpo podem
interagir subsequentemente por via das redes, apresentado na imagem 9, vai suscitar, inevitavelmente, muito mais questões.

Todavia, por agora, não é propriamente improvável imaginarmos
peptídeos a circular e a agir sobre o resto do corpo: a iteração resultante entre as leituras do cérebro de uma única assinatura de peptídeos que indiquem a existência e o estatuto de uma rede única, a par
dos peptídeos que surgem, em resposta, de outros sistemas do corpo
em condições específicas, vai, de alguma forma, traduzir-se nos momentos sucessivos de consciência. Mas como? O problema do que
é esse mundo interior de consciência, e o que acontece no cérebro,
não desapareceu... O que pode o amanhã trazer quando acordarmos?

9

Amanhã

Quando acordamos, não fazemos ideia de quanto tempo estivemos inconscientes, e podemos sentir que nos limitámos a passar pelas brasas por meros momentos, ou então que estivemos comatosos durante muitas horas. Esta experiência familiar de desorientação suscita uma questão fascinante: poderá o facto de o sono envolver tanto uma falta de estimulação sensorial como uma fraca perceção da passagem do tempo significar que os dois estão, de alguma forma, ligados[1]?

A PASSAGEM DO TEMPO

O tempo é a característica mais fundamental da nossa vida. No entanto, quanto mais pensamos na natureza do tempo e da sua passagem, mais a nossa mente fica enredada. Até mesmo a contemplação da unidade básica – um simples segundo – levanta dificuldades: um segundo pode ser definido objetivamente, mas com terminologia técnica confusa, como a duração de 9 192 631 770 períodos da radiação correspondentes à transição entre os dois níveis hiperfinos do estado básico do átomo de césio-133, mas até isso é uma gradação arbitrária[2].

Por outro lado, a experiência da passagem do tempo é indiscutível e é causa de pesar universal para todos nós: a natureza unidirecional que une o passado ao presente e ao futuro, avançando como uma flecha[3], é igual para todos. O antropólogo social Alfred Gell resumiu com bastante eloquência que «não há um país de maravilhas onde as pessoas experimentem o tempo de um modo diverso do nosso, onde não há passado, presente ou futuro»[4]. E embora Isaac Newton acreditasse que o tempo existia por direito próprio[5] e como fenómeno completamente independente, os físicos encaram agora o tempo como estando intimamente ligado ao espaço.

Mas o tempo não é apenas algo que nos espera «lá fora», tal como se poderá perceber mais prontamente o espaço. Quando acordamos do sono ou da anestesia, não temos nenhuma sensação do tempo que passou enquanto estivemos inconscientes. E mesmo quando estamos despertos, a passagem do tempo pode variar muitíssimo, «voando» ou «arrastando-se», consoante aquilo que estamos a fazer e se estamos a retirar prazer disso ou não. O tempo é subjetivo e, consequentemente, faz parte inextricável da consciência. Tal como criamos o nosso próprio mundo interior, também criamos o nosso tempo.

Escusado será dizer que a subjetividade quintessencial do tempo se presta a mais comentários. Por um lado, temos o familiar processo de memória que vai dos segundos aos meses[6], em que a experiência do tempo não é monitorizada no presente, mas sim em retrospetiva. Neste compartimento do tempo retrospetivo, a memória da duração de um acontecimento é um processo distinto da sua ordem cronológica. Depois, por outro lado, temos a sensação direta da passagem do tempo[7], uma perceção imediata, numa escala temporal do subsegundo ao segundo, descrita no início do século xx pelo psicólogo-filósofo E. Robert Kelly como o «presente ilusório»[8], uma ilusão descrita como o «agora» prolongado:

Que se chame presente ilusório, e que o passado, tido como o passado, seja conhecido como passado óbvio. Todas as notas de uma canção parecem, ao ouvinte, estar contidas no presente. Todas as mudanças de posição de um meteoro parecem, ao observador, estar contidas no presente. No instante do final dessa série, nenhuma parte do tempo por eles medido parece ser um passado. Assim, o tempo, considerado relativamente à apreensão humana, consiste de quatro partes, a saber, o passado óbvio, o presente ilusório, o presente real e o futuro. Se omitirmos o presente ilusório, ele consiste de três [...] não existentes – o passado, que não existe, o futuro, que não existe, e o seu contérmino, o presente; a faculdade de onde ele provém encontra-se na ficção do presente ilusório.

PERCEÇÃO DO TEMPO

Como pode um neurocientista começar a tratar este tema tão delicado? Como pode a perceção que temos do tempo ser concretizada no cérebro? Inevitavelmente, a estratégia mais fácil será indagar se existe algum local especial nas nossas ligações neuronais onde a perceção do tempo possa ocorrer... Mas, tendo em conta o omnipresente e constante alerta de saúde para que nunca se atribua uma função sofisticada a uma única área cerebral, não deverá surpreender que toda uma série de regiões tenha sido associada a diferentes tipos de processos cognitivos relacionados com a perceção do tempo.

Por exemplo, um forte pretendente é a estrutura em forma de couve-flor que se encontra na zona posterior do cérebro, o cerebelo: afinal de contas, já se lhe chamou «piloto automático» do cérebro, coordenando informações sensoriais e movimentos de saída numa sequência cronológica. Depois temos os «gânglios basais», um circuito cerebral fulcral para os movimentos internos que, mais uma vez, seria extremamente sensível ao tempo. Outra possibilidade é o córtex parietal, uma área sofisticada do cérebro onde os sentidos e o movimento funcionam em uníssono. Há muito que os neurologistas, graças à imagiologia, aos EEG e aos estudos neurofisiológicos, sabem que as lesões no córtex parietal levam a que se tenha problemas com as tarefas espaciais e com a discriminação temporal[9], sendo esta área importante para a coordenação temporal tanto dos estímulos auditivos como dos visuais[10]: ela desempenha, assim, algum tipo de papel mais executivo, à semelhança do córtex frontal, que também está envolvido na perceção mais sofisticada do tempo[11]. Mais uma vez, tal descoberta não surpreende: as lesões no córtex frontal podem ter como resultado «amnésia de fonte», que não é uma perda de memória propriamente dita, mas sim a dificuldade em dividir a experiência passada em episódios claros, parcelas de tempo e espaço.

Claro que qualquer associação da função à estrutura vai depender de *qual* o aspeto de *qual* função estamos a falar: se o córtex for extirpado por completo, as ratazanas, donas de uma resistência notável, não só continuam vivas e operacionais, como conseguem estimar com êxito intervalos de quarenta segundos[12]. Então, há claramente aspetos da perceção temporal que são mais sofisticados, do ponto de vista cerebral, do que outros[13]. Todavia, listas de partes diferentes da anatomia cerebral não nos vão propriamente ajudar a compreender como a perceção do tempo se torna possível: vamos então não olhar para as regiões cerebrais como se fossem minicérebros independentes, mas sim para a interligação global.

À semelhança da maioria dos processos mentais, como a visão, a perceção temporal não é uma operação simples. Tal como a visão se espalha por cerca de trinta regiões cerebrais diferentes – dedicadas, diversamente, ao processamento cromático, de forma e movimento –, também a perceção do tempo pode ser dividida pelo neurocientista em diferentes fatores que contribuam para a experiência holística final. Por exemplo, tanto a duração como a simultaneidade e a ordem dos estímulos que nos chegam afetam a forma como percebemos o tempo. Assim, tal como a experiência visual final é composta por diferentes elementos que normalmente trabalham de forma concertada, o mesmo acontece com a experiência da passagem do tempo[14].

Claro que isso leva a que nos interroguemos quanto ao que queremos dizer com «trabalhar»...

Todos quantos estudam a neurociência da perceção do tempo concordam que não existe um relógio central no cérebro. O neurocientista americano David Eagleman, figura de vanguarda no campo, afirma que o tempo não é um fenómeno unitário, apontando três exemplos que deverão dissipar a noção de que «o tempo é uma coisa»[15]. O primeiro é que o tempo pode ser subjetivamente diferente em intervalos em outros aspetos objetivamente idênticos[16]: certamente, todos conhecem bem essa sensação, tendo já passado uma hora aborrecida numa sala de espera e uma hora divertida na nossa tasca preferida.

Em segundo lugar, se ouvirmos um som «bizarro» diferente (ou seja, algo diferente de tudo o resto) numa série de estímulos repetidos e, em todos os restantes aspetos, idênticos, percebemos a duração do tempo como mais longa entre o bizarro e o estímulo seguinte e//ou anterior. Todavia, esta expansão do tempo percebido – digamos, o tom de um som, ou o ritmo de um estímulo tremeluzente – não se altera concomitantemente. Esta observação mostra, mais uma vez, que a perceção do tempo não é um processo unificado, sendo, isso sim, composto por operações neurais independentes que regra geral seriam coordenadas a um nível subconsciente, mas que podem ser diferenciadas claramente em situação laboratorial, tal como neste exemplo[17].

O terceiro exemplo chega de uma experiência fascinante e invulgar preparada deliberadamente para «abrandar», em que os voluntários são submetidos a situações aparentemente fatais. A maioria de nós, a determinada altura, passa pela sensação de experimentar o tempo a gaguejar em fotogramas – a dilatar-se –, durante um momento de grande risco físico, por exemplo, ou quando recebemos uma notícia particularmente má. Se a perceção do tempo fosse «uma coisa», então estes momentos prolongados levariam a uma experiência mais forte do tempo num todo, como se estivéssemos a ver uma sequência de vídeo em câmara lenta, em que seríamos capazes de nos aperceber de muitos mais pormenores. Mas este estudo em particular revelou que tal não é assim...

Pediu-se aos participantes que caíssem de costas de uma torre de cinquenta metros para uma rede de segurança estendida no fundo[18]. Estes voluntários audazes relataram, em retrospetiva, tal como seria de esperar, que, com efeito, a duração da queda pareceu durar mais tempo; 36 por cento disse que a queda foi mais longa quando comparada com as quedas observadas aos outros sujeitos. Mas o ponto a reter é que não houve indícios de que estes sujeitos tivessem uma experiência expandida mais pormenorizada do tempo *durante* a queda propriamente dita: não conseguiram indicar aspetos adicionais do mundo à volta deles. Em contraste, o presente ilusório, em que experimentamos o tempo a passar no aqui e agora, teria mais pormenores – segundo a moda atual da atenção plena (*mindfulness*)[19].

Dos resultados observados com os voluntários em queda, Eagleman concluiu que uma vez que a memória está a ser usada para a perceção *retrospetiva* do tempo, é possível agrupar mais memórias e associações num episódio assustador, dilatando isto, por sua vez, a perceção do tempo. Ou seja, quanto mais memórias ou associações tivermos de um acontecimento, maior a duração que julgamos ter tido. Como a perceção do tempo da mesma situação será diferente se ela estiver a decorrer (o presente ilusório) ou se for recordada, ele não pode ser «uma coisa».

Outra possibilidade é que a passagem do tempo pode, segundo as palavras de Eagleman, estar «codificada na evolução dos padrões de atividade das ligações neuronais»[20]. A sugestão aqui presente é que o crescimento de qualquer ligação neuronal ao longo do tempo – pelo fortalecimento das sinapses, por exemplo – irá «codificar» efetivamente esse período de tempo específico. Mas tal cenário limita-se a mudar a ênfase, de acontecimentos objetivos no mundo exterior para acontecimentos objetivos que ocorrem no cérebro: continuamos com o problema de como entraria aqui a *subjetividade* da perceção do tempo. O problema continua sem resposta[21].

Na minha opinião, este tipo de abordagem baseada no conceito de codificação, seja em que nível de função cerebral for, contará sempre com o mesmo problema. Se algo for codificado, algures ou de algum modo, terá de voltar a ser descodificado para que tenha valor ou significado: é essa a razão para a existência dos códigos. E se a consciência for uma parte inextricável da perceção do tempo, então qualquer noção de descodificação leva-nos, mais uma vez, para a falácia da leitura (ver também os capítulos 1 e 4) de quem ou o que se encontra como recetor. Em vez disso, talvez seja mais útil baixar as nossas expetativas, tal como temos vindo a fazer, e procurar apenas correlações de perceção do tempo no cérebro, para depois tentarmos discernir algum princípio subjacente.

A dilatação do tempo – sobrestimar quanto tempo passou – ocorre na nossa vida diária numa série de condições diferentes, mas estas podem partilhar um mecanismo neuronal subjacente comum no cérebro. Em primeiro lugar, a maior atenção dada a um estímulo vai fazer com que o tempo pareça durar mais tempo, como na atenção plena, por exemplo, ou nas experiências do «bizarro», onde o processamento de um estímulo diferente pareceu demorar mais tempo[22], ou nas situações supostamente «perigosas»[23].

Em segundo lugar, a nossa perceção do tempo a passar é, na verdade, proporcional à magnitude da força do estímulo: estímulos maiores/mais brilhantes em maior número prolongam a duração subjetiva do tempo[24]. Um terceiro fator é a emoção forte[25]: por exemplo, o tempo é percebido como mais longo quando se apresentam rostos zangados, ou, o que será mais provável na vida real, quando estamos imersos numa relação ou atividade intensas. O ponto comum aqui é o aumento subjacente da excitação. O medo estará presente em acidentes, e, tal como vimos, nos cenários em que se verifica risco de vida em geral, quando o tempo «congela».

Um quarto exemplo muito diferente é a infância – período reconhecidamente caracterizado pelo sentimento de se ter todo o tempo do mundo. As crianças vivem «no tempo», ou seja, muito no presente. Por exemplo, já foi relatado que uma criança de onze anos estima a passagem de um dia como um quatro mil avos da vida, mas um adulto de cinquenta e cinco anos dar-lhe-á um valor de um vinte mil avos, pelo que um dia aleatório é muito mais longo para uma criança do que para um adulto. Para as crianças com transtornos de atenção, o tempo passa particularmente mais devagar[26], tal como acontece com os esquizofrénicos[27], para quem o tempo deixou de ser um fluxo tranquilo de acontecimentos[28], sendo composto por incidentes fragmentados em que os sentidos se ampliam e em que cada momento exige mais atenção. Os estimulantes que aumentam os níveis de excitação também levam a uma sobrestimação do tempo[29], ao passo que as drogas depressivas que reduzem a excitação têm o efeito oposto[30].

Estas várias descobertas sugerem a existência de uma clara sobreposição de fatores interrelacionados, associados a uma sobrestimação da passagem do tempo: o significado da excitação, da emoção, dos estimulantes e do DAHA, implicando tudo isso, entre outras coisas, um sistema de dopamina excessivamente ativo[31]. O excesso de dopamina, por sua vez, levaria à supressão do córtex pré-frontal[32], o que já vimos ser afim dos estados infantis, e onde há maior probabilidade de interação mais vigorosa com o mundo exterior, o que por sua vez leva a um processamento de informação mais imediato[33] – tal como nos acidentes.

A nossa sensação subjetiva do tempo também é afetada pelo movimento[34] e pela complexidade[35] dos acontecimentos: assim, uma ideia é que o cérebro estima a passagem do tempo com base no simples número de acontecimentos – efetivamente, o número de informações que chegam ao cérebro. A ser assim, então isso justificaria o cenário oposto, em que não há nenhuma informação a entrar: durante o sono ou a anestesia, em que o tempo parece ter passado num instante.

O que se passa não é que se tenha mais oportunidade para apreciar o que nos rodeia no presente ilusório quando o tempo abranda, mas sim o contrário: quando processamos mais informação do que a que habitualmente nos chega, o tempo *como consequência* parece abrandar, mas só em retrospetiva, quando recordamos um acontecimento. É a quantidade de informação entrada que se acumulou que impulsiona a perceção do tempo, e não o contrário.

Cada estímulo que nos chega tem as suas próprias coordenadas no espaço e no tempo, sendo impossível separar os dois. Curiosamente, as crianças costumam fundir o tempo e o espaço[36] e são incapazes, por exemplo, de compreender a história da lebre e da tartaruga – não percebem o conceito de que mais rápido nem sempre é o mesmo que mais percorrido. De importância fulcral no mundo físico é o conceito de «múltiplo espaciotemporal», em que as três dimensões do espaço se combinam com a quarta dimensão do tempo[37]: talvez, então, quando o cérebro processa a informação essencial que estabelece o ritmo da subsequente perceção de passagem do tempo, as relações espaciotemporais do estímulo em questão continuem preservadas. Assim, a perceção do tempo para o cérebro pode não ser um parâmetro explícito, pode não ser uma espécie de neurossegundo, mas sim um padrão de mudança baseado no espaço e no tempo a agir de forma concertada.

Esta ideia está longe de ser nova. Em 1915, Émile Durkheim identificou o tempo e o espaço como «as estruturas sólidas que enquadram o pensamento», enquanto em 1953 o neurologista Macdonald Critchley[38] frisou que «a desorientação temporal pura [...] que ocorra independentemente de distúrbios espaciais é um fenómeno mais raro, pois é mais comum que surjam combinados». E em 1975, o psicólogo James Gibson afirmou que «não há tal coisa como a perceção do tempo, apenas de perceções e locomoções». Isto viria até a levar o neurocientista Vincent Walsh a chegar ao ponto de propor que, no cérebro, «tempo, espaço e número são calculados segundo uma métrica comum»[39].

Esta possibilidade é diretamente ilustrada por uma investigação fascinante[40], em que os sujeitos avaliaram a passagem do tempo enquanto observavam diferentes tipos de ambientes espaciais. Em cada experiência havia três tipos diferentes de modelo – miniaturas ferroviárias, modelos de uma sala de estar e modelos abstratos –, todos apresentados em escalas maiores ou menores. O objeto na escala mais pequena foi depois associado pelos sujeitos a uma compressão do seu tempo subjetivo. Mais uma vez, pareceu que o efeito sobre a perceção do tempo está relacionada com diferenças na densidade da informação a ser processada, mas, desta vez, em ambientes de escala espacial diferente. Numa experiência comparável[41], sujeitos a observar ambientes em escalas diferentes passaram por alterações sistemáticas na experiência do tempo. Curiosamente, quanto maior a escala espacial, mais demorava, aparentemente, o tempo a passar.

Se espaço e tempo estão interligados, isso trará implicações intrigantes para a forma como vemos o mundo. Pode acontecer que os espaços em grande escala, como lagos e montanhas, possam levar à perceção de muito mais tempo a passar do que será o caso: por exemplo, a imersão em ambientes naturais ou grandiosos, como catedrais, é uma boa maneira de garantir que o tempo abranda, já que tais lugares provocam um sentimento de maravilhamento e de calma, os quais, por sua vez, voltam a estar ligados à perceção da dilatação do tempo[42]. Assim, para compreender como percebemos o tempo, precisamos de algum tipo de mecanismo espaciotemporal no cérebro...

REDES NO ESPAÇO E NO TEMPO

Mais uma vez, as redes poderão ser o desejado: podemos pô-las ao serviço como a pedra de Roseta que liga a fisiologia à fenomenologia e ver até que ponto a perceção temporal se poderá enquadrar na analogia da pedra na água. Acabámos de ver que a perceção da passagem do tempo é conduzida pelo grau de estímulos de entrada, e nunca ao contrário. As redes ajudariam a criar este fenómeno unidirecional, já que *nunca* são preexistentes: tal como temos visto, a sua dinâmica única é determinada por uma série de fatores diferentes, variando cada um em cada momento.

Quando o tempo passa devagar, imagine uma grande renovação de redes que, por isso, permanecem pequenas, já que as informações sensoriais se apressam uma atrás da outra: encontramos isto no caso de acidentes, crianças, esquizofrénicos, utilizadores de estimulantes, etc. Podemos também acrescentar a esta lista uma condição aparentemente paradoxal, o estado do enfado, em que o tempo passa lentamente porque nenhum estímulo é significativo ou poderoso o suficiente para criar redes maiores. Obviamente, o oposto, quando o tempo voa, é quando estamos entregues a uma única atividade que exige toda a nossa concentração, como por exemplo ler um romance cativante: a renovação de redes é lenta. Contudo, o exemplo mais extremo, aquele que começou por levar a esta viagem pela perceção do tempo, é quando acordamos do sono ou da anestesia, altura em que não houve qualquer entrada de informação sensorial, em que se verificou uma total ausência da passagem do tempo: de repente, é de manhã.

Com a experiência dos voluntários a cair[43] vimos que a entrada de informações sensoriais no cérebro não pode ser amplificada pela perceção dilatada do tempo: assim, a perceção subjetiva em *retrospetiva* do tempo não pode ser um simples resultado de redes específicas, pois elas já foram geradas e, portanto, não podem ser modificadas. Se pensarmos na analogia da pedra na água, entra em jogo um novo fator. À intensidade do estímulo (a força do lançamento), ao significado (o tamanho da pedra) e à excitação (a viscosidade da água) podemos juntar a renovação das redes dentro de um período de tempo específico. Esta *renovação* das redes será essencial para determinar as características de um cenário marcadamente hipotético e abrangente que associa a experiência resultante a um qualquer momento particular de consciência.

A atividade de qualquer rede decompõe-se tanto no espaço com no tempo após várias centenas de milissegundos, o limite crucial para a ocorrência da consciência descoberto por Libet e outros[44]. Assim, nenhum rede poderá ser uma correlação direta da consciência decorrente. Mas e se a *decomposição* aparente em cada caso de rede particular fosse, subsequentemente, o fator crucial que desencadeia o início de algo ainda mais significativo e muito mais extenso? Este «algo» seria uma espécie de entidade singular holística que abrangesse o espaço e o tempo, justificando a experiência de um presente ilusório – ou seja, a própria consciência. Exploremos, então, como tal entidade global hipotética – este «algo» – pode concretizar-se. Fora dos limites altamente artificiais dos cenários laboratoriais com ratazanas anestesiadas ou cortes cerebrais, um cenário muito mais provável na vida real é que se gerem redes múltiplas por todo o cérebro e depois se fundam durante um determinado período de tempo.

Tal efeito holístico nunca poderia ser detetado no cérebro vivo tridimensional com as ferramentas de que dispomos – a que não é alheia a circunstância de também ainda não termos formulado concretamente o que procurar. Mas, se não estivéssemos limitados pelas armadilhas da experimentação prática, talvez uma ciência teórica mais liberta pudesse ajudar-nos a formar uma imagem nova mais precisa do que pode acontecer no cérebro holístico que se correlacione com momentos de consciência. Vejamos se conseguimos criar redes hipotéticas. Nesse caso seria possível avançar e tentar perceber como as múltiplas redes podem interagir entre si numa determinada janela temporal. Mas para avançarmos temos de identificar as ferramentas neuronais que possibilitarão uma rede que seja.

DENTRO DAS REDES

Tradicionalmente, o elemento básico das operações cerebrais é a sinapse individual. Assim, um pressuposto inicial razoável será que a dinâmica das redes será determinada, em última análise, pelo processo familiar da transmissão sináptica. Mas se uma rede se limitasse a ser a aglomeração de sinapses, teríamos problemas em explicar o que vemos, tanto relativamento ao tempo como ao espaço...

Quanto ao espaço, as leis que regem a transmissão sináptica clássica iriam prever uma rede bem mais pequena do que acontece realmente: os limites da rede (ver imagem 2) projetam-se três a dez vezes mais do que seria tipicamente previsto[45]. Quanto ao tempo, sabemos que são precisos cerca de 300 milissegundos para que a atividade das redes decaia até 20 por cento que seja da sua força máxima[46], sendo preciso ainda mais tempo para que desapareça completamente[47]. Em contraste, a escala temporal da tradicional atividade sináptica teria um máximo de apenas vinte milissegundos[48].

Nos fotogramas da imagem 10 podemos ver um contraste entre a transmissão sináptica e os mecanismos adicionais que terão de estar subjacentes a uma rede. Note-se que, enquanto a transmissão de um sinal do tálamo para o córtex, por transmissão sináptica clássica, demora apenas cinco milissegundos a percorrer um ou dois milímetros, são precisos mais vinte milissegundos para que a rede se espalhe pelo córtex até atingir a dimensão total[49]. Provavelmente estará a decorrer algo adicional.

Podem entrar em jogo dois tipos de comunicação importantes, mas menos familiares, entre as células cerebrais: um ocorre numa escala muito maior do que a sinapse (transmissão de volume), ao passo que a outra é muito mais minimalista (junções comunicantes). Vejamos cada uma brevemente.

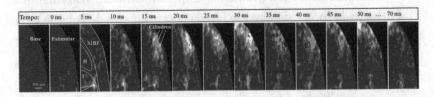

Imagem 10: Redes neuronais num corte de cérebro de ratazana, visualizadas com corantes sensíveis à voltagem (Fermani, Badin e Greenfield, enviado para publicação). Enquanto a normal informação sináptica demora 5 ms para viajar até 2 mm, entre o tálamo e o córtex (ver fotograma que mostra a atividade após 5 ms), a rede seguinte demora quatro vezes mais a espalhar-se cerca de 0,5 mm de raio (ver fotograma aos 20 ms). (Para ver este exame a cores, ver extratexto 7.)

A transmissão de volume tem esse nome porque permite interações entre neurónios de uma forma muito menos específica e significativamente mais lenta, mas com a contrapartida de envolver muito mais células em qualquer altura. Esta proposição em tempos revolucionária já foi de tal modo investigada nos últimos trinta anos que é agora aceite como forma de comunicação alternativa e é amiúde tratada como homóloga equivalente à clássica transmissão sináptica «fixa»[50].

Com efeito, desde a década de 1970 que se sabe que os transmissores clássicos, como a dopamina, podem ser libertados, à semelhança de outras moléculas bioativas, de partes do neurónio que lembram os ramos de uma árvore (dendrites) e que, regra geral, têm um papel muito diferente. Normalmente, as dendrites são vistas como a zona de receção do neurónio que serviria de alvo para os contactos (terminais axónicos sinápticos) que chegam de outros neurónios. Contudo, parece agora um princípio geral que as dendrites podem libertar substâncias por alta recreação, fazendo-o independentemente dos sinais elétricos gerados no corpo celular. Além disso, a libertação de substâncias pelas dendrites verifica-se numa área mais extensa e muito menos precisa, sugerindo um processo modulatório contrastante com características bem diferentes da história da transmissão sináptica clássica (um potencial de ação a disparar, propagação de informação ao longo de um axónio e libertação muito específica, a partir do terminal do axónio, de um transmissor que percorre uma sinapse)[51].

Mas ainda temos um problema: enquanto a transmissão sináptica é demasiado local e demasiado rápida, a transmissão de volume seria demasiado lenta para a criação de redes[52]. É bastante provável que também esteja em jogo um terceiro tipo de comunicação neuronal, o que poderá ser o complemento ideal para a breve transmissão sináptica localizada, por um lado, e a transmissão de volume, mais prolongada mas lenta, por outro.

Este terceiro processo não envolve nenhuns neuroquímicos, dependendo, em vez disso, da disseminação de corrente por meio de «junções comunicantes»: contactos diretos entre células[53]. Curiosamente, nas redes neuronais, as oscilações muito rápidas (200 Hz) na atividade não são mediadas por sinapses, mas sim por disseminação de corrente por via destas junções comunicantes[54]: assim, se são oscilações rápidas que estão subjacentes à atividade continuada vista nas redes[55], então, embora demorem mais tempo a começar para chegar a um máximo, uma vez iniciada[56], a disseminação de atividade chegará mais longe do que aquilo a que qualquer sinal de uma sinapse poderia almejar. E esta disseminação vasta alargada de atividade estaria na mesma escala que caracteriza as redes em todos os tipos de cenário. Assim, as redes serão uma correlação neuronal bastante adequada para os requisitos espaciotemporais necessários à consciência, pois, ao contrário dos circuitos neuronais localizados, eles não ficam fixos com o tempo, nem estão circunscritos espacialmente.

Estes três processos separados que determinam a formação, a duração e a destruição de uma rede não deverão operar de forma independente[57], funcionado juntos. Mas a maior questão de todas ainda permanece: o que acontece *depois* de uma rede ter sido gerada para criar um momento de consciência? O momento poderá conter uma pista...

UMA METARREDE?

Tal como acabámos de ver, não faria sentido que uma rede única fosse a base da consciência: no limite crucial dos 300 milissegundos, o seu sinal estaria nuns míseros 20 por cento de força[58]. Claro que talvez a ideia seja essa: e se o momento de decadência dos 20 por cento aos 300 milissegundos observado localmente numa rede fosse indicador do ativador de uma iniciação mais global e vasta de uma correlação neural holística de consciência... Imaginemos um cenário em que redes individuais em todo o cérebro pudessem operar independentemente *até* cerca de 300 milissegundos, mas nesse momento, quando entram em decadência, a sua atividade, ou melhor, a sua energia, fosse transmitida para uma espécie de aglomerado coletivo.

Este aglomerado – chamemos-lhe metarrede – poderia corresponder a estados cerebrais holísticos isolados, especificamente, um momento de consciência, pelos seguintes motivos. Em primeiro lugar, a atividade neural parece só contribuir para um estado de consciência quando este é prolongado[59]: esta janela temporal é equiparável à decadência de uma rede quando os potenciais elétricos registados no cérebro são os mesmos para os estímulos «vistos» *versus* «não vistos» até ao limite crucial de 270 milissegundos[60]. Em segundo lugar, a anestesia, que, por definição, abole a consciência, prolonga marcadamente a duração de uma rede individual[61]. Em terceiro lugar, uma janela temporal com esta duração aproximada marca a primeira diferenciação espacial dos padrões diferentes nas redes para uma diferenciação subjetiva das modalidades sensoriais[62]. Em quarto lugar, a energia terá de ser conservada nalguma forma química, elétrica ou térmica. No caso do calor, a pressão vai aumentar, e vice-versa: talvez isto explique o motivo por que a pressão mais elevada, e, logo, o aumento de energia térmica, levam ao surgimento de consciência em animais anestesiados[63] e a um grande aumento na dimensão das redes[64].

Seja qual for a sua forma, esta transferência de energia em grande escala tem um impacte ainda mais vasto na atividade de fundo que caracteriza o cérebro vivo[65]. Esta atividade fica prontamente sensível a uma distorção temporária proveniente da transferência única de energia, levando a «ondas» globais/holísticas que podem ser a correlação real e final de um momento de consciência. Assim, qualquer rede neuronal, a par de outras geradas noutras partes do cérebro – e, relevante, no mesmo período de tempo –, pode tornar-se agora a pedra em muito mais água: uma metarrede única.

Mas onde e quando poderia essa metarrede ser detetada, e, mais ainda, medida? Recordemos: não pode haver um local anatómico único. Precisamos, isso sim, de visualizar uma forma de integração em grande escala, aglomerados neuronais espacialmente definidos que possam ocorrer numa janela temporal de várias centenas de milissegundos – significando isso numa espécie de «múltiplo espaciotemporal». Uma vez que o múltiplo é um conceito matemático que combina o espaço e o tempo num contínuo único, com o tempo como quarta dimensão, o mais provável é que uma metarrede venha a ser descrita por físicos teóricos e não por neurocientistas. Afinal de contas, ao integrar o espaço e o tempo num múltiplo único, os físicos já conseguiram desenvolver princípios básicos gerais e descrever de modo uniforme o funcionamento do mundo, desde o supergaláctico ao subatómico[66].

Contudo, se um momento de consciência estiver realmente correlacionado num determinado momento com uma metarrede, por sua vez expressa como múltiplo espaciotemporal, ficaríamos livres da tarefa contraintuitiva e intelectualmente frustrante de tentar fixar a consciência em pontos anatomicamente definidos do cérebro, algo que, tal como vimos no capítulo 1, obriga a demasiado esforço em troca de relativamente poucos conhecimentos. Além disso, se o tempo, tal como o espaço, é agora um fator crucial, tal cenário poderia acomodar aquilo que temos vindo a aprender nestes capítulos sobre a diferenciação da audição e da visão e as discrepâncias diferenciais no espaço-tempo, bem como sobre a passagem subjetiva desse mesmo tempo, algo que talvez esteja associado à renovação de redes.

A diferente energia química, elétrica e térmica de cada caso irá então, de alguma forma, traduzir-se num momento de consciência. Esta «alguma forma» é, sem dúvida, o mais complexo dos conceitos, algo que nos obrigou finalmente a travar. Mesmo que fôssemos capazes de criar modelos matemáticos rigorosos e corretos não só das redes que vemos, mas também de uma metarrede teórica invisível que poderia ser a derradeira correlação da consciência – mesmo então, ficaríamos sem saber como estabelecer uma relação causal e depois acompanhar os fenómenos físicos objetivos até ao subjetivo e pessoal: é mesmo um problema complicado.

Mas teremos mesmo de parar por aqui? Até conseguirmos formular uma solução que nos satisfaça, será quase impossível apresentar um qualquer tipo de resposta que vá além da correlação com a causalidade. À semelhança do meu falecido pai, a quem este livro é dedicado, há quem continue confuso com não se poder «usar uma faca de manteiga para cortar manteiga»: ou seja, será sempre impossível ao cérebro desconstruir-se. Porque não desistir e trabalhar em algo de aplicação mais prática e imediata, algo que tenha o mérito adicional de atrair mais rapidamente bolsas de investigação?

Mas não podemos desistir antes de sequer começarmos a explorar os tecidos o mais fundo que conseguirmos; temos de nos esforçar até ao nosso limite intelectual. E, pelo caminho, mesmo que por enquanto tenhamos de esquecer o enigma da água e do vinho, a neurociência poderá proporcionar uma contribuição valiosa, uma contribuição que pode e deve complementar a filosofia, a psiquiatria, a psicologia, a física e a matemática. Se juntarmos os nossos esforços numa perspetiva multidisciplinar, e se levarmos a imaginação ao limite, talvez, finalmente, a compreensão do milagre da experiência em primeira mão se torne um pouco menos impossível... Afinal de contas, amanhã é outro dia.

Notas

1. NO ESCURO

1 Blakemore, C. e Greenfield, S. A. *Mindwaves: Thoughts on Intelligence, Identity and Consciousness* (1987).

2 Smith, J. D., Shields, W. E. e Washburn, D. A. «The comparative psychology of uncertainty monitoring and metacognition». *Behavioral and Brain Sciences*, 26, 317–39; discussão 340–73 (2003); ver também Haynes, J.-D. & Rees, G. «Decoding mental states from brain activity in humans». *Nature Reviews Neuroscience*, 7, 523–34 (2006).

3 Crick, F. e Koch, G. «A framework for consciousness». *Nature Neuroscience*, 6, 119--26 (2003).

4 Gazzaniga, M. S. «Forty-five years of split-brain research and still going strong». *Nature Reviews Neuroscience*, 6, 653–9 (2005).

5 Weiskrantz, L. «Blindsight revisited». *Current Opinion in Neurobiology*, 6, 215–20 (1996).

6 Chun, M. M. e Wolfe, J. M. «Visual attention» in *Blackwell Handbook of Perception* (2000); ver também O'Regan, J. K. e Noe, A. «A sensorimotor account of vision and visual consciousness». *Behavioral and Brain Sciences*, 24, 939–73; discussão 973–1031 (2001).

7 Um exemplo de atenção sem consciência. Em estudos em que os investigadores conseguem criar uma espécie de visão cega experimental, os experimentadores servem-se de uma técnica bastante usada em laboratório a que os psicólogos chamam «dissimulação». O experimentador apresenta um estímulo visual, a «máscara», ao sujeito, imediatamente depois (dissimulação anterior) ou antes (dissimulação posterior) de outro estímulo visual breve que dura menos de quinze milésimos de segundo. O resultado é que, em ambos os paradigmas, o sujeito não tem noção do estímulo-alvo, mas, tal como acontece na visão cega clínica, ele, não obstante, incorpora o estímulo no pensamento subconsciente. Um sujeito pode recordar palavras tornadas «invi-

síveis» na altura através da «dissimulação» anterior, mas só quando presta atenção. Numa outra experiência, imagens de nus masculinos ou femininos atraíram a atenção quando o sujeito nem sequer estava consciente da imagem: as imagens estavam «invisíveis» para o sujeito devido a um fenómeno chamado «supressão por dissimulação». Naccache, L., Blandin, E. e Dehaene, S. «Unconscious masked priming depends on temporal attention». *Psychological Science*, 13, 416–24 (2002). Jiang, Y. *et al.* «A gender-and-sexual-orientation-dependent spatial attentional effect of invisible images». *Proceedings of the National Academy of Sciences of the United States of America*, 103, 17048–52 (2006).

8 Mack, A. e Rock, I. «Inattentional blindness». *MIT Press Cambridge*, 12, 180–4 (1998).

9 Li, F. F. *et al.* «Rapid natural scene categorization in the near absence of attention». *Proceedings of the National Academy of Sciences of the United States of America*, 99, 9596–601 (2002).

10 Reddy, L., Reddy, L. e Koch, C. «Face identification in the near-absence of focal attention». *Vision Research*, 46, 2336–43 (2006).

11 Rees, G. e Frith, C. D. «Methodologies for identifying the neural correlates of consciousness», in *The Blackwell Companion to Consciousness*, 551–66 (2007). Ocorre um efeito semelhante quando alguém começa por estar consciente de algo e depois fica consciente de outra coisa. A forma mais simples de induzir esta experiência é causar «rivalidade binocular», em que se apresenta uma imagem a um olho e uma imagem muito diferente ao outro: as duas imagens entram em competição, com a primeira a ser dominante, e depois a outra, durante vários segundos à vez. Para se compreender ao certo o que se passa no cérebro podem ser levadas a cabo experiências semelhantes com macacos enquanto se regista a atividade de células cerebrais isoladas. Num estudo apresentou-se aos animais diferentes imagens de grelhas com várias orientações, pelo que a consciência «alternou» entre traços horizontais e verticais. Os resultados do registo da atividade cerebral mostraram que os neurónios de uma determinada parte da camada exterior do cérebro (o córtex), especificamente uma área no lado da cabeça (o lobo temporal inferior), só reagiam ao estímulo dominante: uma vez que esta região cerebral é uma parte menos sofisticada e de processamento tardio do cérebro, isenta do processamento imediato e inicial de estímulos visuais, chegou-se à conclusão de que a consciência deveria envolver neurónios nesta parte. Entretanto, as áreas mais básicas e primárias de processamento visual poderiam ser associadas à atenção, mas não à consciência. Esta ideia seria confirmada pela observação de que os pacientes que se encontram num estado vegetativo continuado e, logo, não consciente, podem, ainda assim, evocar atividade nas áreas primárias. Será nas fases posteriores, ou «mais elevadas» de processamento dos sentidos no cérebro que deveremos encontrar pistas para a base física da consciência. Blake, R. e Logothetis, N. K. «Visual competition». *Nature Reviews Neuroscience*, 3, 13–21 (2002). Sheinberg, D. L. e Logothetis, N. K. «The role of temporal cortical areas in perceptual organization». *Proceedings of the National Academy of Sciences of the United States of America*, 94, 3408–13 (1997). Lee, S-H., Blake, R. e Heeger, D. J. «Hierarchy of cortical responses underlying binocular rivalry». *Nature Neuroscience*, 10, 1048–54 (2007). Laureys, S. *et al.* «Cortical processing of noxious somatosensory stimuli in the persistent vegetative state». *Neuroimage* 17, 732–41 (2002).

12 Surgiu originalmente numa revista de banda desenhada britânica, *The Beezer*, sendo depois publicada em *The Beano* e *The Dandy*, todas editadas pela D. C. Thomson & Co.

13 Felleman, D. J. e Van Essen, D. C. «Distributed hierarchical processing in the primate cerebral cortex». *Cerebral Cortex*, 1, 1–47 (1991).

14 Velly, L. J. *et al.* «Differential dynamic of action on cortical and subcortical structures of anesthetic agents during induction of anesthesia». *Anesthesiology*, 107, 202–12 (2007).

15 Penfield, W. e Jasper, H. *Epilepsy and the Functional Anatomy of the Human Brain* (Little, Brown & Co., 1954).

16 Merker, B. «Consciousness without a cerebral cortex: a challenge for neuroscience and medicine». *Behavioral and Brain Sciences*, 30, 63–81; discussão 81–134 (2007); ver também Panksepp, J. e Biven, L. *Archaeology of Mind: Neuroevolutionary Origins of Human Emotions*. (W. W. Norton, 2012).

17 Penfield e Jasper, 1954; ver também Blumenfeld, H. «Consciousness and epilepsy: why are patients with absence seizures absent?» *Progress in Brain Research*, 150, 271–86 (2005).

18 Uma recente análise de Anthony Hudetz destaca reduções globais no metabolismo cerebral durante a anestesia geral. O autor refere uma heterogeneidade regional, mas essa heterogeneidade é diferente consoante o anestésico usado, sugerindo que não há uma área específica e comum do cérebro que seja responsável. É provável que as redes sejam mais importantes. Afirma o autor: «A perda de consciência anestésica não é um bloqueio da transferência de informação corticofugal, mas sim uma interrupção da integração de informação cortical elevada. Os principais candidatos a redes funcionais do prosencéfalo que desempenhem um papel crítico na manutenção do estado de consciência são as que se situam na região parietal-pré-cúneo-cingulado posterior e nas regiões talâmicas não específicas.» Hudetz, A. G. «General anesthesia and human brain connectivity». *Brain Connectivity*, 2, 291–302 (2012).

19 Embora citada amiúde, a única referência que nos surge pertence a um manual, *Psychology in Medicine*, publicado em 1992 (atualmente esgotado), da autoria de I. Chris McManus. No capítulo 23, ele escreve: «Recordemos a velha anedota em que retiramos uma válvula a um rádio, ouvimo-lo começar a assobiar e partimos erradamente do princípio de que a função dessa válvula era impedir que o aparelho assobiasse. O funcionamento patológico só pode ser interpretado pelo conhecimento adequado do funcionamento normal.» http://www.ucl.ac.uk/medical-education/publications/psychology-in-medicine.

20 Todavia, só recentemente voltou a ser aventada a possibilidade de uma zona cerebral privilegiada para a consciência. Mohamad Koubeissi e os colegas procederam a exames do cérebro de uma paciente severamente epilética que, devido ao problema, ia ser alvo de neurocirurgia invasiva. Por mero acaso, descobriram que o estímulo de uma determinada área (o claustrum) deixava a paciente inconsciente: uma vez terminado o estímulo, o indivíduo voltava a ficar reativo. Teriam os cientistas descoberto, senão o «centro da» consciência, pelo menos o seu centro de comando, tal como sugerido originalmente, há algum tempo, por Francis Crick? Sem grande surpresa, a resposta tem de ser não. Há uma série de problemas com este relato. Os primeiros são meramente técnicos: a descoberta não se baseia numa amostragem apropriada, mas sim num único paciente, e, ademais, alguém com um cérebro anormal, ao qual faltava parte de uma região (o hipocampo) associada à memória; qualquer indício, para ser convincente, terá de ser obtido de um grupo muito mais vasto de sujeitos. Além disso, e uma vez que nunca seriam usados indivíduos completamente saudáveis

como sujeitos de cirurgia cerebral invasiva, o grau de lesões cerebrais teria de ser consistente no seio do grupo de sujeitos, tendo quaisquer conclusões a que se chegasse de estar limitadas pelo facto de que essa lesão poderia representar uma diferença profunda. O segundo tipo de problema prende-se com o risco de excesso de interpretação. Embora o claustrum seja a única área, de momento, documentada que, quando estimulada, induz a inconsciência, como podemos afirmar, com alguma certeza, que se trata de um efeito exclusivo sem que se estimulem exaustivamente todas as restantes áreas cerebrais em condições semelhantes? Com efeito, há já vários anos que os neurocientistas sabem que o estímulo de múltiplas áreas completamente diferentes (locais entre o globo pálido interno e o núcleo basal de Meynert) pode restaurar subitamente a consciência em pacientes anestesiados. Então, o que faz do claustrum uma região cerebral única? Quando muito, e ignorando quaisquer reservas técnicas, o melhor que podemos dizer é que está ligado a muitas outras áreas cerebrais – o motivo, logo à partida, para ter sido escolhido por Crick. O estímulo desta área, bem como em áreas como o globo pálido, levariam, de alguma forma, a alterações nos estados cerebrais globais. O terceiro tipo de problema prende-se com a forma como definimos consciência neste caso, usando a estratégia operacional. A paciente no estudo de Koubeissi não estava inconsciente tal como seria o caso durante uma anestesia ou durante o sono: o estímulo levou, isso sim, a «uma completa suspensão de comportamento volitivo e a insensibilidade», algo talvez mais análogo a um estado de transe. Mas será que isso significa que a paciente estava deveras inconsciente no sentido clínico, ou que se podia garantir que não teria nenhuma experiência subjetiva? Curiosamente, Anil Seth, da Universidade do Sussex, interpretou a descoberta tentando diferenciar entre consciência e vigília: ao que parece, a paciente estava acordada, mas não consciente! No entanto, o dicionário, que vale o que vale, equipara os dois termos e define a consciência como «atividade total da mente e dos sentidos, com a que decorre durante o estado de vigília». A menos que sejam mais elaboradas e justificadas mais profundamente, as nuances da definição empregue por Seth desafiam o senso comum. O quarto tipo de problema prende-se com o excesso de dependência de metáforas para compreender os dados. Francis Crick, cujas ideias são alegadamente validadas por este relato, comparara o claustrum ao «maestro de uma orquestra», a coordenar todas as outras áreas cerebrais. Mas que significaria isso? Que o claustrum é uma espécie de chefe? Se for unicamente porque esta área cerebral se encontra numa espécie de encruzilhada anatómica, porquê atribuir-lhe automaticamente funções executivas, em vez de ser apenas uma espécie de coordenadora, na melhor das hipóteses, ou de conduta, na pior? Seja como for, Koubeissi escolheu uma metáfora completamente diferente da de Crick e comparou o estímulo do claustrum a um interruptor – digamos, como a ignição de um carro – que liga e desliga a consciência. No entanto, é óbvio que um interruptor e um maestro terão funções muito diferentes. Ademais, mesmo nesse relato, o «interruptor» parece ser mais analógico do que um simples ligar-desligar e não um simples interruptor: «ela [a paciente] foi gradualmente falando mais baixo ou movendo-se cada vez menos até ficar inconsciente». Assim, o pressuposto de que os investigadores estavam a observar a indução de inconsciência terá de ser posta em causa, a par da ideia de que a inconsciência terá simplesmente sido ligada e desligada. Koubeissi, M. Z. *et al.* «Electrical stimulation of a small brain area reversibly disrupts consciousness». *Epilepsy and Behavior*, 37, 32–5 (2014). Stevens, C. F. «Consciousness: Crick and the claustrum». *Nature*, 435, 1040–1 (2005). Bagary, M. «Epilepsy, consciousness and neurostimulation». *Behavioural Neurology*, 24, 75–81 (2011).

21 Haynes, J. e Rees, G. «Decoding mental states from brain activity in humans». *Nature Reviews Neuroscience* 7, 523–34 (2006).

22 Blakemore, C. e Greenfield, S. A., Hacker Peter orgs., cap. 31 in *Mindwaves: Thoughts on Intelligence, Identity and Consciousness*, 485–505 (1987).

23 Maguire, E. A. *et al.* «Navigation-related structural change in the hippocampi of taxi drivers». *Proceedings of the National Academy of Sciences of the United States of America*, 97, 4398–403 (2000).

24 Garcia-Lazaro, H. G. *et al.* «Neuroanatomy of episodic and semantic memory in humans: a brief review of neuroimaging studies». *Neurology India*, 60, 613–17; ver também Squire, L. R. «Memory and brain systems: 1969–2009». *Journal of Neuroscience*, 29, 12711–16 (2009).

25 Alkire, M. T. *et al.* «Thalamic microinjection of nicotine reverses sevoflurane-induced loss of righting reflex in the rat». *Anesthesiology*, 107, 264–72 (2007).

26 Posner, J. B. e Plum, F. *Plum and Posner's Diagnosis of Stupor and Coma.* (Oxford University Press, 2007); ver também Miller, J. W. e Ferrendelli, J. A. «The central medial nucleus: thalamic site of seizure regulation». *Brain Research*, 508, 297–300 (1990); e Miller, J. W. e Ferrendelli, J. A. «Characterization of GABAergic seizure regulation in the midline thalamus». *Neuropharmacology*, 29, 649–55 (1990).

27 Alkire, M. T., Haier, R. J. e Fallon, J. H. «Toward a unified theory of narcosis: brain imaging evidence for a thalamocortical switch as the neurophysiologic basis of anesthetic-induced unconsciousness». *Consciousness and Cognition*, 9, 370–86 (2000).

28 Tononi, G. «An information integration theory of consciousness». *BMC Neuroscience*, 5, 42–64 (2004); ver também Massimini, M. *et al.* «Triggering sleep slow waves by transcranial magnetic stimulation». *Proceedings of the National Academy of Sciences of the United States of America*, 104, 8496–501 (2007).

29 As oscilações gama parecem depender especificamente de ligações recorrentes entre os neurónios excitatórios e um subconjunto das restantes células cerebrais inibitórias, capazes de disparar rápida e predominantemente a partir de sinapses próximas da parte principal (corpo celular) dos neurónios excitatórios: o objetivo desta ação seria que durante a atividade gama, cada célula excitatória só precisa de disparar potenciais de ação apenas durante uma pequena fração de ciclos, mas o total que contribui para cada ciclo garante impulso excitatório suficiente para que os neurónios inibitórios disparem em cada ciclo: uma espécie de marxismo neuronal, em que cada indivíduo que trabalha intermitentemente garante uma produção coletiva contínua. Mann, E. O., *et al.* «Perisomatic feedback inhibition underlies cholinergically induced fast network oscillations in the rat hippocampus in vitro». *Neuron*, 45, 105–17 (2005). Fisahn, A., *et al.* «Cholinergic induction of network oscillations at 40Hz in the hippocampus in vitro». *Nature*, 394, 186–9 (1998).

30 Singer, W. «Neuronal synchrony: a versatile code for the definition of relations?» *Neuron*, 24, 49–65, 111–25 (1999); ver também Singer, W. e Gray, C. M. «Visual feature integration and the temporal correlation hypothesis». *Annual Review of Neuroscience*, 18, 555–86 (1995); e Tononi, G., Sporns, O. e Edelman, G. M. «Re-entry and the problem of integrating multiple cortical areas: simulation of dynamic integration in the visual system». *Cerebral Cortex*, 2, 310–35 (1992).

31 Wu, J. Y., *et al.* «Spatiotemporal properties of an evoked population activity in rat sensory cortical slices». *Journal of Neurophysiology*, 86, 2461–74 (2001).

32 Koubeissi *et al.*, 2014.

33 Tononi, G. e Koch, C. «The neural correlates of consciousness: an update». *Annals of the New York Academy of Sciences*, 1124, 239–61 (2008).

34 Bachmann, T. *Microgenetic Approach to the Conscious Mind.* (John Benjamins, 2000).

35 Sergent, C., Baillet, S. e Dehaene, S. «Timing of the brain events underlying access to consciousness during the attentional blink». *Nature Neuroscience*, 8, 1391–400 (2005).

36 Libet, B. *Mind Time: The Temporal Factor in Consciousness.* (Harvard University Press, 2004).

37 Edelman, G. M. *The Remembered Present: A Biological Theory of Consciousness.* (Basic Books, 1989).

38 Rossi, A. F., Desimone, R. e Ungerleider, L. G. «Contextual modulation in primary visual cortex of macaques». *Journal of Neuroscience*, 21, 1698–709 (2001).

39 Pascual-Leone, A. e Walsh, V. «Fast back projections from the motion to the primary visual area necessary for visual awareness». *Science*, 292, 510–12 (2001).

40 Todman, D., «Wilder Penfield (1891–1976)». *Journal of Neurology*, 255, 1104–5 (2008).

41 Quiroga, R. *et al.* «Invariant visual representation by single neurons in the human brain». *Nature*, 435, 1102–7 (2005).

42 Kandel, E. R. «An introduction to the work of David Hubel and Torsten Wiesel». *Journal of Physiology*, 587, 2733–41 (2009).

43 Gross, C. G. «Genealogy of the "grandmother cell"». *Neuroscientist*, 8, 512–18 (2002); ver também Jagadeesh, B. «Recognizing grandmother». *Nature Neuroscience*, 12, 1083–5 (2009).

44 Quiroga, R. Q., Fried, I. e Koch, C. «Brain cells for grandmother». *Scientific American*, 308, 30–5 (2013).

45 Biederman, I. «Recognition-by-components: a theory of human image understanding». *Psychological Review*, 94, 115–47 (1987); ver também Marr, D. e Nishihara, H. K. «Representation and recognition of the spatial organization of three-dimensional shapes». *Proceedings of the Royal Society of London B: Biological Sciences*, 200, 269–94 (1978); e Booth, M. C. A. e Rolls, E. T. «View-invariant representations of familiar objects by neurons in the inferior temporal visual cortex». *Cerebral Cortex*, 8, 510–23 (1998); e Bulthoff, H. H., Edelman, S. Y. e Tarr, M. J. «How are three-dimensional objects represented in the brain?» *Cerebral Cortex*, 5, 247–60 (1995); e Vetter, T., Hurlbert, A. e Poggio, T. «View-based models of 3D object recognition: invariance to imaging transformations». *Cerebral Cortex*, 5, 261–9 (1995); e Logothetis, N. K. e Pauls, J. «Psychophysical and physiological evidence for viewer-centered object representations in the primate». *Cerebral Cortex*, 5, 270–88 (1995).

46 Connor, C. E. «Neuroscience: friends and grandmothers». *Nature*, 435, 1036–7 (2005).

47 A ideia era que os princípios da teoria quântica (a física do muito pequeno) podiam garantir um processo alternativo para a geração de consciência que envolvesse várias possibilidades hipotéticas que seriam reduzidas a uma única certeza através da

observação empírica (colapso da função de onda). Numa versão da teoria quântica (a interpretação de Copenhaga, que tenta associar as formulações teóricas da mecânica quântica aos dados experimentais correspondentes), o ato de observação em si leva a que o sistema observado venha a ficar num tipo de vários estados potenciais anteriores – «redução subjetiva» –, já que é necessário um observador. No entanto, no cérebro, onde não existe um observador externo, os acontecimentos quânticos teriam de «colapsar» espontaneamente, sem que ninguém o observasse: ou seja, objetivamente. Cramer, J. «The transactional interpretation of quantum mechanics». *Review of Modern Physics*, 58, 647–87 (1986).

48 Hameroff, S. e Penrose, R. «Consciousness in the universe: a review of the "Orch OR" theory». *Physics of Life Reviews*, 11, 39–78 (2014).

49 Tal como seria de esperar, este cenário extremamente original levanta muitas questões e problemas. A mais imediata é o cérebro ser demasiado quente para que ocorram acontecimentos quânticos, já que a sua coerência exige uma temperatura ambiente de 310 K, algo que seria perturbado pela energia térmica do cérebro naturalmente quente. Por outro lado, o físico Herbert Frohlich sugeriu que o cérebro pode ser uma exceção muito especial, já que, ao contrário dos acontecimentos no mundo exterior, a coerência no cérebro pode ser criada e mantida pela energia garantida por reações químicas ocorridas no interior da célula. Frohlich estimou que as moléculas de tubulina podem ser excitadas de modo coerente durante entre 10-12 a 10-9 segundos, ou seja, um nanossegundo. Todavia, se, tal como sugerido pelo trabalho de Benjamin Libet (2004), um momento de consciência tem cerca de 500 milissegundos, seriam precisas aproximadamente 109 moléculas de tubulina, ou seja, o número encontrado num total de 100 a 100 000 neurónios. No entanto, este número seria demasiado reduzido para que se conseguisse uma coerência quântica relevante: até um simples e breve clarão de luz ativa uns estimados 107 neurónios no cérebro de um gato. Contudo, mais recentemente, Hameroff e Penrose responderam à aparente incompatibilidade decisiva entre acontecimentos quânticos e o calor cerebral citando a observação de que certos fenómenos (transferência de *spin* quântico) se intensificam em temperaturas mais elevadas, além de lembrarem que as plantas usam acontecimentos quânticos na fotossíntese à temperatura ambiente. Também ocorrem efeitos quânticos quentes na orientação dos pássaros, nos canais iónicos (em que os poros das membranas celulares permitem que os iões, do sódio e do potássio, por exemplo, passem do exterior para o interior e vice-versa), no olfato, e no enovelamento das proteínas (o processo pelo qual uma cadeia proteica adquire a sua estrutura tridimensional). Uma descrição revista da consciência com base na teoria quântica publicada em 2013, baseia-se agora na «frequência de batimento» de microtúbulos, supostamente correspondendo às oscilações das ondas cerebrais em frequências como os 40 Hz, algo que, tal como vimos, tem vindo a ser popular como correlação neural da consciência: mas também vimos que tal sincronia coletiva está longe de ser aceite como padrão de ouro. Com efeito, pode ser que essas oscilações constantes sejam o modo-padrão de funcionamento do cérebro, o «ruído» de fundo sobre o qual se sobrepõe o importante «sinal» detetável de uma experiência consciente. A ser assim, o grande objetivo será identificar e descrever esse sinal. Todavia, ainda mais importante para a teoria, identificou-se uma fonte de energia no interior das células de uma reação bioquímica específica (a hidrólise de guanosina-trifosfato em guanosina-difosfato). Pelo menos parte da energia fornecida por esta quebra pode excitar vibrações, atribuíveis à dinâmica dos microtúbulos, induzidas pelos campos eletromagnéticos da central de energia das células (mitocôndrias). Bernroider, G. e

Roy, S. «Quantum entanglement of K+ ions, multiple channel states and the role of noise in the brain». SPIE Third International Symposium on Fluctuations and Noise (orgs. Stocks, N. G., Abbott, D. e Morse, R. P.), 205–14 (International Society for Optics and Photonics, 2005). Engel, G. S. *et al.* «Evidence for wavelike energy transfer through quantum coherence in photosynthetic systems». *Nature*, 446, 782–6 (2007). Frohlich, H. «The extraordinary dielectric properties of biological materials and the action of enzymes». *Proceedings of the Natural Academy of Sciences of the United States of America*, 72, 4211–15 (1975). Grinvald, A. *et al.* «Cortical point-spread function and long-range lateral interactions revealed by real-time optical imaging of macaque monkey primary visual cortex». *Journal of Neuroscience*, 14, 2545–68 (1994). Gauger, E. M. *et al.* «Sustained quantum coherence and entanglement in the avian compass». *Physical Review Letters*, 106, 040503 (2011). Hildner, R. *et al.* «Quantum coherent energy transfer over varying pathways in single light-harvesting complexes». *Science*, 340, 1448–51 (2013). Libet, B., Wright, E. W. e Gleason, C. A. «Preparation-or-intention-to-act in relation to pre-event potentials recorded at the vertex». *Electroencephalography and Clinical Neurophysiology*, 56, 367–72 (1983). Ouyang, M. e Awschalom, D. D. «Coherent spin transfer between molecularly bridged quantum dots». *Science*, 301, 1074–8 (2003). Pokorny, J. «Excitation of vibrations in microtubules in living cells». *Bioelectrochemistry*, 63, 321–6 (2004). Turin, L. «A spectroscopic mechanism for primary olfactory reception». *Chemical Senses*, 21, 773–91 (1996).

50 Hameroff e Penrose frisam que a coesão neuronal poderia ser alcançada pela disseminação de atividade via «junções celulares» (contactos elétricos de baixa resistência onde uma célula é contínua com outra): mas o esquema Orch OR teria de suportar a conhecida diversidade química que pode modificar de forma tão poderosa a consciência com várias drogas psicoativas. Seja como for, ainda não há motivo para abandonar a clássica transmissão de mensagens sinápticas. Uma forma de garantir o envolvimento de mais neurónios, o comportamento diferente dos microtúbulos cerebrais e que os mensageiros químicos específicos desempenham um papel variado surge com a seguinte sugestão da neurocientista Nancy Woolf. Antes que a tubulina nos microtúbulos se possa reconfigurar para que se produzam as ondas quânticas necessárias, é preciso desativar uma determinada proteína (a proteína associada aos microtúbulos, MAP2): este químico é mais ou menos como uma cola que mantém os microtúbulos configurados num padrão local independente. Curiosamente, a MAP2 não é genérica a todas as células, e, mesmo no córtex cerebral, só se encontra em cerca de 15 por cento das células: além disso, só é ativada por certos mensageiros químicos que se ligam aos seus recetores. São os requisitos exatos de que os neurocientistas precisam para apagar a consciência de acordo com diferentes regiões cerebrais, sensibilidade a drogas, etc. Quando um transmissor se agrega ao seu alvo molecular (recetor), ele inibe a MAP2, permitindo, assim, que os microtúbulos se associem no alinhamento paralelo uniforme necessário para um fluxo súbito de «decoerência» quântica e um momento de consciência. Assim que se completa a ação do transmissor, os microtúbulos reconfiguram-se num padrão novo. O cérebro ter-se-á alterado permanentemente e esse momento de consciência não regressará. Este cenário poderá ser interessante para unificar a teoria quântica com acontecimentos de macroescala. Contudo, o problema com esta NCC no seio das células – seja a versão original de Penrose e Hameroff, a versão revista ou a variante híbrida aqui apresentada – é o facto de depender de muitos pressupostos e, nada mais, nada menos, do que de uma aplicação nova da física. Neste momento também não conta com qualquer

validação empírica. Woolf, N. J. «A possible role for cholinergic neurons of the basal forebrain and pontomesencephalon in consciousness». *Consciousness and Cognition*, 6, 574‒96 (1997).

51 Dehaene, S., Kerszberg, M. e Changeux, J. P. «A neuronal model of a global workspace in effortful cognitive tasks». *Proceedings of the Natural Academy of Sciences of the United States of America*, 95, 14529‒34 (1998); ver também Barrs, B. J. *A Cognitive Theory of Consciousness*. (Cambridge University Press, 1988).

52 Dennett, D. C. «Are we explaining consciousness yet?» *Cognition*, 79, 221‒37 (2001); ver também Dennett, D. C. *Consciousness Explained*. (Basic Books, 1991).

53 Pampsiquismo significa literalmente tudo («pan») tem uma mente («psique»): para um relato moderno sobre esta antiga linha de pensamento ver, por exemplo, os escritos de David Chalmers, http://consc.net/papers/panpsychism.pdf.

54 Tononi, 2004. Ver também E. Tononi, «Integrated information theory of consciousness: an updated account». *Archives Italiennes Biologie*, 150, 290‒326 (2012).

55 Tononi introduz o termo «phi» como medição desta informação integrada: grupos locais de neurónios em áreas-chave do cérebro maximizam o phi numa janela temporal de dezenas a centenas de milissegundos. Assim, o sistema talamocortical, com a complexidade recíproca que exibe, é citado como exemplo de um phi «elevado».

56 McGinn, C. *The Mysterious Flame: Conscious Minds in a Material World*. (Basic Books, 1999).

57 Crick, F. e Koch, (2003)

58 Dennett, 1991.

59 Libet, Wright e Gleason, 1983.

60 Tononi, Sporns e Edelman, 1992.

61 Kurzweil, R. *How to Create a Mind: The Secret of Human Thought Revealed*. (Viking, 2012).

62 https://gigaom.com/2014/06/25/googles-ray-kurzweil-on-the-moment-when-computers-will-become-conscious.

63 Bergquist, F. e Ludwig, M. «Dendritic transmitter release: a comparison of two model systems». *Journal of Neuroendocrinology*, 20, 677‒86 (2008).

64 Damásio, A. *The Feeling of What Happens: Body, Emotion and the Making of Consciousness*. (Harcourt Brace, 2000). [Edição portuguesa revista e com novo prefácio: *O Sentimento de Si: Corpo, Emoção e Consciência*, Lisboa, Temas e Debates/Círculo de Leitores, 2013.]

65 Anil Seth, da Universidade do Sussex, distinguiu os modelos de consciência das NCC e, até, das «teorias» em geral: segundo afirma, a principal distinção é só os modelos garantirem «uma ligação explanatória» entre a atividade neural e a consciência. Contudo, embora tenha sugerido que a diferença crucial dos modelos que tanto lhe agradam seja a «implementação mecanística», são poucos os modelos até à data que verdadeiramente se baseiem em mecanismos neuronais inovadores em que haja boas razões para pensar que não são apenas necessários, mas também suficientes para a consciência. Em contraste com a definição de Seth, pessoalmente afirmaria que a um nível ainda mais fundamental, a característica crucial de um modelo será, seguramente, que extraia e reproduza as características marcantes num sistema à custa dos

sistemas exteriores. Por exemplo, se quisermos modelar o voo, a característica crucial seria desafiar a gravidade, sendo possível rejeitar quaisquer considerações quanto a bicos e penas. No entanto, quando pretendemos «modelar» a consciência, como saber de antemão qual a sua característica mais saliente? E se soubéssemos qual é, não precisaríamos de desenvolver um modelo. Seth, A. «Models of consciousness». *Scholarpedia*, 2, 1328 (2007).

66 McGinn, C. *The Mysterious Flame: Conscious Minds in a Material World.* (Basic Books, 1999).

67 Chalmers, D. J. «The puzzle of conscious experience». *Scientific American*, 273, 80–6 (1995); ver também Chalmers, D. J. «Facing up to the problem of consciousness». *Journal of Consciousness Studies*, 2, 200–19 (1995).

2. ACORDAR

1 As ondas teta têm uma amplitude característica de 10 microvolts e uma frequência de quatro a oito ciclos por segundo. Lancel, M. «Cortical and subcortical EEG in relation to sleep-wake behavior in mammalian species». *Neuropsychobiology*, 28(3), 154–9 (1993). Basar E. e Guntekin B. «Review of delta, theta, alpha, beta and gamma response oscillations in neuropsychiatric disorders». *Supplements to Clinical Neurophysiology*, 62, 303–41 (2013).

2 A duração do sono REM aumenta, passando de dez minutos, no primeiro ciclo, para até cinquenta minutos no ciclo final. Ver capítulo 28 e imagem 28.7A *in* Purves, D. *et al.* (orgs.) *Neuroscience.* (Sinauer, 2012).

3 *Ibid.*

4 Há muito que a dopamina, a noradrenalina, a histamina, a serotonina e a acetilcolina foram estabelecidas como transmissores «clássicos», sendo libertados do extremo de um processo especializado nas células cerebrais (o terminal do axónio) para atravessar o fosso estreito (sinapse) até à célula-alvo seguinte: o transmissor estabelece então um contacto molecular com a sua proteína especializada própria (um recetor), gerando-se um novo potencial de ação na célula-alvo. Para um relato pormenorizado ver Kandel, E., Schwartz, James H. e Jessell, T., *Principles of Neural Science*, 5.ª ed. (Elsevier, 2012).

5 Aston-Jones, G. e Bloom, F. E. «Activity of norepinephrine-containing locus coeruleus neurons in behaving rats anticipates fluctuations in the sleep-waking cycle». *Journal of Neuroscience*, 1, 876–86 (1981); ver também Kocsis, B. *et al.* «Serotonergic neuron diversity: identification of raphe neurons with discharges time-locked to the hippocampal theta rhythm». *Proceedings of the Natural Academy of Sciences of the United States of America*, 103, 1059–64 (2006); e Steininger, T. L. *et al.* «Sleep-waking discharge of neurons in the posterior lateral hypothalamus of the albino rat». *Brain Research*, 840, 138–47 (1999); e Takahashi, K., Lin, J.-S. e Sakai, K. «Neuronal activity of histaminergic tuberomammillary neurons during wake-sleep states in the mouse». *Journal of Neuroscience*, 26, 10292–8 (2006); e Takahashi, K. *et al.* «Locus coeruleus neuronal activity during the sleep-waking cycle in mice». *Neuroscience*, 169, 1115–26 (2010); e Jacobs, B. L. e Fornal, C. A. «Activity of brain serotonergic neurons in the behaving animal». *Pharmacological Reviews*, 43, 563–78 (1991).

6 Hobson, J. A. «Sleep and dreaming: induction and mediation of REM sleep by cholinergic mechanisms». *Opinion in Neurobiology*, 2, 6, 759–63 (Dez. 1992).

7 Lee, S. H. e Dan, Y. «Neuromodulation of brain states». *Neuron*, 76, 109–222 (2012).

8 Greenfield, S. A. *The Private Life of the Brain* (Penguin, 2000). Para dois exemplos contrastantes de modulação pela acetilcolina, ver: Cole, A. E. e Nicoll, R. A. «Acetylcholine mediates a slow synaptic potential in hippocampal pyramidal cells». *Science*, 221, 1299–301 (1983); e McCormick, D. A. e Prince, D. A. «Mechanisms of action of acetylcholine in the guinea-pig cerebral cortex in vitro». *Journal of Physiology*, 375, 169–94 (1986).

9 Guedel, A. E. *Inhalational Anesthesia: A Fundamental Guide.* (Macmillan, 1937).

10 Entretanto, uma possível quarta fase – um estado meramente teórico – é aquela em que se administrou tal quantidade de anestésico que a parte primitiva do cérebro logo acima da espinal medula (o tronco cerebral) permanece ativa, mas deixa de disparar os essenciais potenciais de ação. Uma vez que estas células comandam a respiração e o ritmo cardíaco, iria deixar de respirar e a tensão arterial ficaria perigosamente baixa, dificultando a irrigação de órgãos vitais. Dito de outra forma, morreria. Mas não há grandes motivos para preocupação: uma vez que estes «riscos» descritos por Guedel se deveram, provavelmente, a uma combinação de hipoxia e hipotensão, realmente causados pelos efeitos de uma dose elevada de anestésico no cérebro, podem ser atualmente mitigados e são potencialmente reversíveis.

11 A monitorização do BIS mede o efeito do anestésico sobre a magnitude e/ou a coordenação dos sinais elétricos cerebrais, sendo a sua produção representada por um número final único. Por esse motivo, o real valor do BIS e a informação por ele transmitida são motivos de debate: contudo, todos os clínicos reconhecem que um dos problemas é as medições do BIS não refletirem toda a ação anestésica de igual forma, sendo insensíveis a determinados agentes que, não obstante, induzem a inconsciência (por exemplo, o óxido nitroso, a cetamina e o xénon). Uma teoria para esta sensibilidade limitada diz que o BIS que se baseia em monitores de EEG acompanha alterações cerebrais específicas induzidas apenas por certos anestésicos que agem predominantemente por meio de certos sistemas químicos, mas não de outros. Pandit, J. J. e Cook, T. M. «National Institute for Clinical Excellence guidance on measuring depth of anaesthesia: limitations of EEG-based technology». *British Journal of Anaesthesia*, 112, 385–6 (2014).

12 Por vezes, as conclusões dependem bastante de interpretações estatísticas que não são evidentes e que exigem grande esforço e formação para serem replicadas. Por exemplo, UnCheol Lee e sua equipa relataram que a cetamina produzia realmente no EEG efeitos diferentes dos produzidos pelo propofol e pelo sevoflurano. Para chegarem a esta conclusão tiveram de usar algoritmos matemáticos e estatísticos complexos; ao mesmo tempo reconheceram que outros estudos que haviam empregado funções analíticas igualmente complexas haviam produzido resultados, de um modo geral, opostos. Barrett, A. B. *et al.* «Granger causality analysis of steady-state electroencephalographic signals during propofol-induced anaesthesia». *PLoS One*, 7 (2012). Cruse, D. *et al.* «Detecting awareness in the vegetative state: electroencephalographic evidence for attempted movements to command». *PLoS One*, 7, e49933 (2012). Goldfine, A. M. *et al.* «Reanalysis of "Bedside detection of awareness in the vegetative state: a cohort study"». *Lancet*, 381, 289–91 (2013). Lee, U. *et al.* «Disruption of frontal-parietal communication by ketamine,

propofol and sevoflurane». *Anesthesiology*, 118, 1264–75 (2013). Mashour, G. A. e Avidan, M. S. «Capturing covert consciousness». *Lancet*, 381, 271–2 (2013). Menon, R. e Kim, S. «Spatial and temporal limits in cognitive neuroimaging with fMRI». *Trends in Cognitive Science*, 3, 207–16 (1999). Nicolaou, N., Hourris, S., Alexandrou, P. e Georgiou, J. «EEG-based automatic classification of "awake" versus "anesthetized" state in general anesthesia using Granger causality». *PLoS One*, 7, e33869 (2012). Uma tentativa recente, por parte de uma equipa que empregou análise complexa com EEG, afirmou que os pacientes em estado vegetativo persistente tendiam a estar despertos: mas esta sugestão foi refutada pela nova análise dos mesmos dados por outros grupos. Com efeito, um outro clínico chegou ao ponto de afirmar: «A interpretação, exclusivamente com base em dados neuro-fisiológicos, de estados de consciência está crucialmente dependente do modelo estatístico.» Entretanto, um outro método, a imagiologia cerebral, está longe de ser ideal. A imagiologia por ressonância magnética funcional e outras técnicas de imagiologia dão-nos uma leitura do fluxo sanguíneo no interior do cérebro, mas não diretamente da atividade neuronal: tal como vimos no capítulo anterior, a janela temporal para medir os acontecimentos cerebrais não combina com efeitos em tempo real. Assim, é difícil avaliar as discrepâncias entre diferentes anestésicos com estes métodos, sendo, por isso mesmo, ainda mais difíceis de explicar relativamente ao processo cerebral final, único e comum.

13 Stiles, J. e Jernigan, T. L. «The basics of brain development». *Neuropsychology Review*, 20, 327–48 (2010).

14 Greenfield, S. A. *Journey to the Centres of the Mind*. (W. H. Freeman, 1995); Greenfield, S. A. *The Private Life of the Brain: Emotions, Consciousness and the Secret of the Self*. (Wiley, 2000). Koch, C. e Greenfield, Susan. «How does consciousness happen?» *Scientific American*, 297, 76–83 (2007).

15 Tononi, G. e Koch, C. «The neural correlates of consciousness: an update». *Annals of the New York Academy of Sciences*, 1124, 239–61 (2008).

16 Por exemplo (usando anestesia de halotano), os lobos frontal, temporal, parietal e occipital, o cingulado anterior, os gânglios basais, o tálamo, o hipocampo, o mesencéfalo e o cerebelo apresentaram um metabolismo de glucose reduzido durante a anestesia. Alkire, M. T. *et al.* «Functional brain imaging during anesthesia in humans: effects of halothane on global and regional cerebral glucose metabolism». *Anesthesiology*, 90, 701–9 (1999).

17 Alkire, M. T., Hudetz, A. G. e Tononi, G. «Consciousness and anesthesia». *Science*, 322, 876–80 (2008).

18 Lewis, L. D. *et al.* «Rapid fragmentation of neuronal networks at the onset of propofol-induced unconsciousness». *Proceedings of the Natural Academy of Sciences of the United States of America*, 109, E3377–86 (2012).

19 Massimini, M. *et al.* «Triggering sleep slow waves by transcranial magnetic stimulation». *Proceedings of the Natural Academy of Sciences of the United States of America*, 104, 8496–501 (2007).

20 Hebb, D. O. *The Organization of Behavior: A Neuropsychological Theory*. (Wiley, 1949).

21 Spatz, H. C. «Hebb's concept of synaptic plasticity and neuronal cell assemblies». *Behavioural Brain Research*, 78, 3–7 (1996).

22 Kandel, E. R. e Schwartz, J. H. «Molecular biology of learning: modulation of transmitter release». *Science*, 218, 433–43 (1982).

23 Hebb, 1949.

24 A imagiologia com corantes sensíveis a voltagem evoluiu de técnica inovadora e rara, há mais de vinte anos, para forma, de grande êxito e uso generalizado, de representar a atividade neural. Em 1968, Tasaki *et al.* foram os primeiros a usá-la para medir a atividade elétrica do axónio gigante da lula. A tecnologia foi desenvolvida sobretudo por Alan Waggoner (Waggoner, A. S. *Journal of Membrane Biology*, 27, 317–34, que sintetizou e testou um grande número de diferentes corantes. A origem da ação do corante por nós usado é o eletrocromismo, comumente conhecido como «efeito de Stark», que é o equivalente elétrico do efeito de Zeeman magnético. Embora não suficientes, são necessários três critérios para que um corante seja categorizado como eletrocrómico: 1) ocorrem alterações eletrocrómicas numa escala temporal de subnanossegundo, pois não dependem de movimento molecular, 2) o primeiro derivado do espectro de absorção ou excitação deve ter a mesma inclinação que o espectro de diferença, já que $\Delta\varepsilon$ é proporcional a $\partial\varepsilon/\partial\lambda$ (ε = extinção «efetiva») e 3) o cromóforo deve ser assimétrico. Embora estes critérios não fossem cumpridos pelos antigos corantes merocianina, cianina e oxonol, o di-4-ANEPPS, bem como outros novos corantes, cumprem-nos. Todos estes corantes contêm o cromóforo aminosteril piridina. Segundo a teoria, a fotoexcitação resulta do afastamento da carga positiva da extremidade de piridina para a extremidade de aminofenol da molécula. O cromóforo está ancorado na membrana, pelo que o vetor desta mudança é perpendicular à membrana e, assim, paralelo ao campo elétrico. Estima-se que a mudança seja na ordem dos 0,3 nm (em que um nanómetro (nm) é um milionésimo de milímetro). Acredita-se que o campo elétrico impede assim a relocação intramolecular da carga positiva, resultando nos efeitos óticos sensíveis à voltagem medidos. No caso do di-4--ANEPPS é preciso ter em conta um outro mecanismo. Uma «redissolução» induzida pelo campo desloca o grupo de naftaleno carregado para a superfície da membrana e torce a molécula, resultando num desvio para o azul mais fraco no espectro de fluorescência, rendimento quântico reduzido e alargamento do espectro. Grinvald, A. *et al.* «Cortical point-spread function and long-range lateral interactions revealed by real-time optical imaging of macaque monkey primary visual cortex». *Journal of Neuroscience*, 14, 2545–68 (1994). Cohen, L. B. *et al.* «Changes in axon fluorescence during activity: molecular probes of membrane potential». *Journal of Membrane Biology*, 19, 1–36 (1974). Waggoner, A. S. e Grinvald, A. «Mechanisms of rapid optical changes of potential sensitive dyes». *Annals of the New York Academy of Sciences*, 303, 217–41 (1977). Waggoner, A. S. «The use of cyanine dyes for the determination of membrane potentials in cells, organelles and vesicles». *Methods in Enzymology*, 55, 689–95 (1979). Fluhler, E., Burnham, V. G. e Loew, L. M. «Spectra, membrane binding and potentiometric responses of new charge shift probes». *Biochemistry*, 24, 5749–55 (1985). Ebner, T. J. e Chen, G. «Use of voltage-sensitive dyes and optical recordings in the central nervous system». *Progress in Neurobiology*, 46, 463–506 (1995). Fromherz, P. e Lambacher, A. «Spectra of voltage-sensitive fluorescence of styryl-dye in neuron membrane». *Biochimica et Biophysica Acta*, 1068, 149–56 (1991).

25 Contudo, a imagiologia com corantes sensíveis a voltagem por si só não consegue detetar potenciais de ação únicos: a resolução espacial é de cerca de $100 \times 100 \times 100$ micrómetros, o que abrangeria entre cinquenta e cem corpos celulares de neurónios,

a par dos processos de ligação a centenas de outros neurónios. Assim, Amiram Grinvald e o seu grupo foram pioneiros no primeiro passo crucial de quantificar e validar estes agrupamentos extremamente efémeros, mostrando que a ativação espontânea de neurónios isolados está correlacionada com a atividade da rede neuronal associada. Mesmo precisando de técnicas complementares da abordagem ascendente, a técnica está, por outro lado, perfeitamente apta a revelar o nível de mesoescala da organização cerebral. Ver também Grinvald, A. *et al.* «Cortical point-spread function and long-range lateral interactions revealed by real-time optical imaging of macaque monkey primary visual cortex». *Journal of Neuroscience*, 14, 2545-68 (1994). Arieli, A. e Grinvald, A. «Optical imaging combined with targeted electrical recordings, microstimulation or tracer injections». *Journal of Neuroscientific Methods*, 116, 15-28 (2002). Tominaga, T. *et al.* «Quantification of optical signals with electrophysiological signals in neural activitiesof di-4-ANEPPS stained rat hippocampal slices». *Journal of Neuroscientific Methods*, 102, 11-23 (2000).

26 Esta definição de redes não é adotada universalmente: o termo tem sido usado para fenómenos muito diferentes, por exemplo como sinónimo de colunas corticais que são «exemplos anatomicamente bem definidos de redes neuronais», sendo o sono visto como mero produto de estados de atividade prévios, dependentes, por sua vez, de transmissão convencional. Krueger J. M. *et al.* «Sleep as a fundamental property of neuronal assemblies». *National Review of Neuroscience*, 9 (12): 910-19 (2008).

27 Grinvald *et al.* 1994.

28 Devonshire, I. M. *et al.* «Effects of urethane anaesthesia on sensory processing in the rat barrel cortex revealed by combined optical imaging and electrophysiology». *European Journal of Neuroscience*, 32, 786-97 (2010).

29 Grinvald *et al.*, 1994.

30 Se aceitarmos que o diâmetro médio de uma célula celular é de cerca de 40 μm (cerca de quarenta milésimos de um metro) e que entre 5 a 10 por cento do volume cerebral total é o fluido que banha essas células, então esta teria cerca de 1265 neurónios de diâmetro, e se o alargamento da atividade criasse uma esfera perfeita, 1,06 mil milhões de neurónios. É claro que, neste tipo de experiência com um corte bidimensional, não é possível considerar a forma tridimensional, e, mesmo que fosse, não haveria motivo para pressupor que o agrupamento seria esférico: claro que o importante é termos noção do grande número de neurónios envolvidos. O aspeto negativo da imagiologia com corantes sensíveis a voltagem é não poder ser usada em cérebros humanos, pois é invasiva, trabalhando o corante potencialmente tóxico diretamente nas células cerebrais vivas. Não obstante, as técnicas não invasivas usadas na imagiologia cerebral humana só nos apresentam medidas muito indiretas da atividade cerebral, nomeadamente o aumento do fluxo sanguíneo exigido por um maior número de células cerebrais ativas: como tal, haverá sempre um atraso, pelo que é necessário obter uma média de reação ao longo de vários segundos. Embora estejam agora a registar-se alguns avanços no sentido de se desenvolver a imagiologia não invasiva em tempo real, a resolução continua várias ordens de magnitude mais longa do que um potencial de ação. Stoeckel, L. E. *et al.* «Optimizing real-time fMRI neurofeedback for therapeutic discovery and development». *NeuroImage: Clinical*, 5, 245-55 (2014). Assim, por exemplo, a sequência de acontecimentos registados na imagem 2 teria passado despercebida mesmo com o recurso a corantes sensíveis a voltagem. Todavia, uma diferença importante é que a rede ativada no córtice sensorial intacto é ainda maior do que *in vitro*, medindo pelo menos 2,5 milímetros e não

1 milímetro, como acontece nas experiências com cortes: esta discrepância dever-se-á, provavelmente, a que o acontecimento é mais «real» quando temos uma maior disponibilidade de moduladores naturalmente ocorrentes, mais conetividade e um número ainda maior de impulsos funcionais que chegam ao cérebro. Devonshire *et al.*, 2010.

31 Llinás, R. e Sasaki, K. «The functional organization of the olivocerebellar system as examined by multiple purkinje cell recordings». *European Journal of Neuroscience*, 1, 587–602 (1989).

32 Wu sugeriu quatro outros mecanismos para esta onda de propagação não invocada: em primeiro lugar, um único oscilador excita com diferentes atrasos; em segundo lugar, a excitação direta entre neurónios gera um «impulso de propagação»; em terceiro lugar, um oscilador principal associado; ou, em quarto lugar, estímulos múltiplos. A sua equipa comparou estes fenómenos a «inteligência de enxame» ou «ondas de estádio» que emanam coletivamente de milhões a milhares de milhões de neurónios. Eles podem ocorrer espontaneamente, podem ser invocados como uma «pedra na água», ou, o que é mais provável, podem associar-se e produzir estados cerebrais ricos e extremamente variáveis de um momento para o outro. Wu, J.-Y., Xiaoying Huang e Chuan Zhang. «Propagating waves of activity in the neocortex: what they are, what they do». *Neuroscientist*, 14, 487–502 (2008).

33 Greenfield, S. A. e Collins, T. F. T. «A neuroscientific approach to consciousness». *Progress in Brain Research*, 150, 11–23 (2005).

34 Collins, T. F. T. *et al.* «Dynamics of neuronal assemblies are modulated by anaesthetics but not analgesics». *European Journal of Anaesthesiology*, 24, 609–14 (2007).

35 Blumenfeld, H. «Consciousness and epilepsy: why are patients with absence seizures absent?» *Progress in Brain Research*, 150, 271–86 (2005); ver também Penfield, W. e Jasper, H. *Epilepsy and the Functional Anatomy of the Human Brain* (Little, Brown & Co., 1954).

36 Davies, D. L. e Alkana, R. L. «Benzodiazepine agonist and inverse agonist coupling in GABAA receptors antagonized by increased atmospheric pressure». *European Journal of Pharmacology*, 469, 37–45 (2003); ver também Johnson, F. H. e Flagler, E. A. «Hydrostatic pressure reversal of narcosis in tadpoles». *Science*, 112, 91–2 (1950); e Johnson, F. H. e Flagler, E. A. «Activity of narcotized amphibian larvae under hydrostatic pressure». *Journal of Cellular Physiology*, 37, 15–25 (1951).

37 Wlodarczyk, A., McMillan, P. F. e Greenfield, S. A. «High pressure effects in anaesthesia and narcosis». *Chemical Society Reviews*, 35, 890–8 (2006).

38 Pode também haver efeitos da pressão elevada na reversão da anestesia ao nível das células individuais. Algum do trabalho original sobre a inversão com a pressão foi realizado por David White e G. H. Hulands em finais da década de 1960 e início da de 1970, em células individuais. White, D. C. e Halsey, M. J. «Effects of changes in temperature and pressure during experimental anaesthesia». *British Journal of Anaesthesia*, 46, 196–201 (1974).

39 Uma vez que não há uma região cerebral específica para a consciência, e como a imagiologia cerebral convencional mostra uma redução de atividade cerebral geral com a anestesia, até agora, o hipocampo tem servido de parte representativa do cérebro para visualizar as redes. Não obstante, ele nunca foi adiantado como parte do mínimo anatómico quando os investigadores procuram as áreas cerebrais candidatas relevantes. Em contraste, o circuito talamocortical é um desses candidatos, embora ainda não se tenha explicado satisfatoriamente como ou porque desempenha ele um

papel especial na consciência. Ainda assim, trata-se de um circuito cerebral óbvio a explorar caso se pretenda alargar a exploração além das regiões cerebrais isoladas, para outras regiões ligadas. Alkire *et al.*, 1999.

40 Wlodarczyk, McMillan e Greenfield, 2006.

41 Devonshire *et al.*, 2010.

42 Collins *et al.*, 2007.

43 Wlodarczyk, McMillan e Greenfield, 2006.

44 Devonshire *et al.*, 2010.

45 Bryan, A. *et al.* «Functional electrical impedance tomography by evoked response: a new device for the study of human brain function during anaesthesia». *Proceedings of the Anaesthetic Research Society Meeting*, 428–9 (2010).

46 Devonshire *et al.*, 2010.

47 *Ibid.*

48 Blundon, J. A. e Zakharenko, S. S. «Dissecting the components of long-term poten-tiation». *Neuroscientist*, 14, 598–608 (2008).

3. PASSEAR O CÃO

1 Loh, K. K. e Kanai, R. «Higher media multi-tasking activity is associated with smal-ler gray-matter density in the anterior cingulate cortex». *PLoS One*, 9, e106698 (2014).

2 Schaefer, S. *et al.* «Cognitive performance is improved while walking: differences in cognitive–sensorimotor couplings between children and young adults». *European Journal of Developmental Psychology*, 7, 371–89 (2010).

3 Berman, M. G., Jonides, J. e Kaplan, S. «The cognitive benefits of interacting with nature». *Psychological Science*, 19, 1207–12 (2008).

4 *Ibid.*

5 Atchley, R. A., Strayer, D. L. e Atchley, P. «Creativity in the wild: improving creative reasoning through immersion in natural settings». *PLoS One*, 7, e51474 (2012).

6 Stourton, E. *Diary of a Dog Walker: Time Spent Following a Lead.* (Doubleday, 2011).

7 Wells, M. J. e Young, J. Z. «The effect of splitting part of the brain or removal of the median inferior frontal lobe on touch learning in octopus». *Journal of Experimental Biology*, 50, 515–26 (1969); ver também Wells, M. J. e Young, J. Z. «The median inferior frontal lobe and touch learning in the octopus». *Journal of Experimental Biology*, 56, 381–402 (1972).

8 Sutherland, N. S. «Shape discrimination in rat, octopus and goldfish: a comparative study». *Journal of Comparative Physiological Psychology*, 67, 160–76 (1969).

9 Fiorito, G., Agnisola, C., d'Addio, M., Valanzano, A. e Calamdrei, G. «Scopola-mine impairs memory recall in Octopus vulgaris». *Neuroscience Letters*, 253, 87–90 (1998).

10 Moriyama, T. e Gunji, Y.-P. «Autonomous learning in maze solution by octopus». *Ethology*, 103, 499–513 (1997).

11 Fiorito, G. e Scotto, P. «Observational learning in Octopus vulgaris». *Science*, 256, 545-7 (1992).

12 Giuditta, A. *et al.* «Nuclear counts in the brain lobes of Octopus vulgaris as a function of body size». *Brain Research*, 25, 55-62 (1971).

13 Herculano-Houzel, S. «The human brain in numbers: a linearly scaled-up primate brain». *Frontiers in Human Neuroscience*, 3, 31 (2009).

14 Juorio, A. V. «Catecholamines and 5-hydroxytryptamine in nervous tissue of cephalopods». *Journal of Physiology*, 216, 213-26 (1971).

15 Diamond, M. C., Krech, D. e Rosenzweig, M. R. «The effects of an enriched environment on the histology of the rat cerebral cortex». *Journal of Comparative Neurology*, 123, 111-20 (1964).

16 Benefícios de um ambiente enriquecido: aumento do corpo celular dos neurónios; aumento geral do peso do cérebro; aumento da espessura do córtex; maior número de «espinhas» dendríticas (protuberâncias minúsculas em ramificações das células que permitem contactos extremamente específicos); aumento da dimensão das junções sinápticas, e, logo, das ligações; e aumento do número de glias – a célula gestora que garante um microambiente benigno para os atores centrais: os neurónios.

17 Valero, J. *et al.*, «Short-term environmental enrichment rescues adult neurogenesis and memory deficits in APPSw,Ind transgenic mice». PLoS One, 6, 2 (2011).

18 Speisman, R. B. *et al.* «Environmental enrichment restores neurogenesis and rapid acquisition in aged rats». *Neurobiology of Aging*, 34, 263-74 (2013).

19 Van Dellen, A. *et al.* «Delaying the onset of Huntington's in mice». *Nature*, 404, 721-2 (2000).

20 Young, D. *et al.* «Environmental enrichment inhibits spontaneous apoptosis, prevents seizures and is neuroprotective». *Nature Medicine*, 5, 448-53 (1999); ver também Johansson, B. B. «Functional outcome in rats transferred to an enriched environment 15 days after focal brain ischemia». *Stroke*, 27, 324-6 (1996).

21 Amaral, O. B. *et al.* «Duration of environmental enrichment influences the magnitude and persistence of its behavioral effects on mice». *Physiology & Behavior*, 93, 388-94 (2008).

22 Parece que o enriquecimento ambiental pode ter igualmente efeitos menos óbvios. Visons alojados em gaiolas não enriquecidas passam mais tempo a interagir com objetos novos, independentemente de serem negativos, recompensadores ou neutros, quando são finalmente introduzidos na gaiola: o visom acabado de recompensar estabeleceu mais rapidamente contacto com estes objetos do que os animais alojados em gaiolas enriquecidas. A conclusão a que se chegou com estas observações foi que existia maior «enfado» nestes animais não enriquecidos. Temos de ter o cuidado de não ver demasiado nestes resultados – daí as aspas: sempre que empregamos termos mais adequados ao repertório comportamental humano, talvez seja prudente não os tomarmos demasiado literalmente. Os visons não são humanos, e não lhes podemos atribuir um estado mental sofisticado, como o enfado, sem qualificação. Basta referir que o ambiente enriquecido foi, por si só, uma experiência de tal maneira nova que abafou a «novidade» dos componentes individuais e ofereceu um diferencial muito maior, quando comparado com o estilo de vida anterior, do que para animais menos habituados a receber

objetos novos. Todavia, um breve sabor de enriquecimento pode ser pior do que nenhum enriquecimento. Ao não conseguirem dedicar-se a comportamentos motivados, alguns animais em cativeiro exibem um comportamento estereotipado: movimentos repetitivos e sem objetivo, regra geral indicadores de stresse elevado. Nesses casos, o enriquecimento pode reduzir tais movimentos, mas, depois de serem alojados num ambiente enriquecido, os animais podem exibir comportamentos ainda piores do que os que estão alojados continuamente em gaiolas não enriquecidas. Meagher, R. K. e Mason, G. J. «Environmental enrichment reduces signs of boredom in caged mink». *PLoS One*, 7, e49180 (2012). Ver também Latham, N. e Mason, G. «Frustration and perseveration in stereotypic captive animals: is a taste of enrichment worse than none at all?» *Behavioural Brain Research*, 211, 96–104 (2010).

23 Mora, F., Segovia, G. e del Arco, A. «Aging, plasticity and environmental enrichment: structural changes and neurotransmitter dynamics in several areas of the brain». *Brain Research Review*, 55, 78–88 (2007). Kozorovitskiy, Y. *et al.* «Experience induces structural and biochemical changes in the adult primate brain». *Proceedings of the National Academy of Sciences of the United States of America*, 102, 17478–82 (2005).

24 Kolb, B. *Brain, Plasticity and Behaviour*, cap 1. Laurence Erlbaum Assoc (1995)

25 Greenfield, S. A. *Mind Change: How Digital Technologies are Leaving Their Mark on Our Brains.* (Random House, 2014).

26 Além disso verifica-se um aumento na densidade das sinapses entre as vinte e oito semanas de gestação e as setenta semanas, cerca de trinta semanas antes do nascimento. A densidade das sinapses atinge o auge com 600 milhões de sinapses por milímetro cúbico aos oito meses, antes de estabilizar, por volta dos dez anos de idade, nos 300 milhões. Huttenlocher, P. *et al.* «Synaptogenesis in human visual cortex – evidence for synapse elimination during normal development». *Neuroscience Letters*, 33, 247–52 (1982).

27 Gogtay, N. *et al.* «Dynamic mapping of human cortical development during childhood through early adulthood». *Proceedings of the National Academy of Sciences of the United States of America*, 101, 8174–9 (2004).

28 Entretanto, as células em áreas de «associação» (as áreas do córtex que não estão primariamente envolvidas no processamento sensorial ou motor), como o córtex pré-frontal, sofrem um declínio mais prolongado do que, por exemplo, o córtex sensorial, onde se julga que a intensidade das fases de crescimento e de declínio estão subjacentes a «períodos críticos» nas modalidades sensoriais, quando, tal como o termo sugere, as janelas temporais são cruciais para a criação dos circuitos corretos. Curiosamente, o volume de «matéria branca» – ou seja, as fibras de ligação – continua a aumentar durante o período de tempo abrangido neste estudo, devido ao aumento de mielinização – o isolamento que melhora a condutividade dos nervos e faz parte dos transtornos verificados com a esclerose múltipla, uma doença devastadora, em que se deteriora.

29 Maguire, E. A. *et al.* «Navigation-related structural change in the hippocampi of taxi drivers». *Proceedings of the National Academy of Sciences of the United States of America*, 97, 4398–403 (2000).

30 Gaser, C. e Schlaug, G. «Brain structures differ between musicians and non-musicians». *Journal of Neuroscience*, 23, 9240–5 (2003).

31 Bengtsson, S. L. *et al.* «Extensive piano practising has regionally specific effects on white matter development». *Nature Neuroscience*, 8, 1148–50 (2005).

32 Jancke, L. *et al.* «The architecture of the golfer's brain». *PLoS One*, 4, e4785 (2009).

33 Park, I. S. *et al.* «Experience-dependent plasticity of cerebellar vermis in basketball players». *Cerebellum*, 8, 334–9 (2009).

34 Mechelli, A. *et al.* «Neurolinguistics: structural plasticity in the bilingual brain». *Nature*, 431, 757 (2004); ver também Stein, M. *et al.* «Structural plasticity in the language system related to increased second-language proficiency». *Cortex*, 48, 458–65 (2012).

35 Draganski, B. *et al.* «Neuroplasticity: changes in grey matter induced by training». *Nature*, 427, 311–12 (2004); ver também Driemeyer, J. *et al.* «Changes in gray matter induced by learning – revisited». *PLoS One*, 3, e2669 (2008).

36 Pascual-Leone, A. *et al.* «Modulation of muscle responses evoked by transcranial magnetic stimulation during the acquisition of new fine motor skills». *Journal of Neurophysiology*, 74, 1037–45 (1995).

37 Bailey, C. H. e Kandel, E. R. «Synaptic remodeling, synaptic growth and the storage of long-term memory in Aplysia». *Progress in Brain Research*, 169, 179–98 (2008).

38 Ridley, M. *Nature via Nurture: Genes, Experience and What Makes Us Human.* (Harper Perennial, 2004).

39 Greenfield, 2014; ver também Greenfield, S. A. *You and Me: The Neuroscience of Identity.* (Notting Hill Editions, 2011).

40 Pittenger, C. e Kandel, E. R. «In search of general mechanisms for long-lasting plasticity: Aplysia and the hippocampus». *Philosophical Transactions of the Royal Society of London B: Biological Sciences*, 358, 757–63 (2003); para uma explicação básica da potenciação a longo prazo e da depressão a longo prazo ver S. A. Greenfield, *The Human Brain: A Guided Tour* (Orion, 1997); para uma descrição mais completa e técnica ver D. Purves, *Neuroscience* (Sinauer Press, 2011, 5.ª ed.).

41 Deidda, G., Bozarth, I. F. e Cancedda, L. «Modulation of GABAergic transmission in development and neurodevelopmental disorders: investigating physiology and pathology to gain therapeutic perspectives». *Frontiers in Cellular Neuroscience*, 8, 119 (2014).

42 Storer, K. P. e Reeke, G. N. «γ-Aminobutyric acid receptor type A receptor potentiation reduces firing of neuronal assemblies in a computational cortical model». *Anesthesiology*, 117, 780–90 (2012).

43 Olds, J. e Milner, P. «Positive reinforcement produced by electrical stimulation of septal area and other regions of rat brain». *Journal of Comparative Physiological Psychology*, 47, 419–27 (1954).

44 A dopamina é inibitória do córtex pré-frontal. Ver Ferron, A. *et al.* «Inhibitory influence of the mesocortical dopaminergic system on spontaneous activity or excitatory response induced from the thalamic mediodorsal nucleus in the rat medial prefrontal cortex». *Brain Research*, 302, 257–65 (1984). Gao, W.-J., Wang, Y. e Goldman-Rakic, P. S. «Dopamine modulation of perisomatic and peridendritic inhibition in prefrontal cortex». *Journal of Neuroscience*, 23, 1622–30 (2003). Cole,

M. W. e Schneider, W. «The cognitive control network: integrated cortical regions with dissociable functions». *Neuroimage*, 37, 343–60 (2007). Cole, M. W., Pathak, S. e Schneider, W. «Identifying the brain's most globally connected regions». *NeuroImage*, 49, 3132–48 (2010). Cools, R. e d'Esposito, M. «Inverted-U-shaped dopamine actions on human working memory and cognitive control». *Biological Psychiatry*, 69, e113–25 (2011). Graças a esta ação inibitória, a dopamina poderia limitar a dimensão das redes operando a três níveis diferentes. Em *primeiro lugar*, quanto aos neurónios isolados, por um efeito modulatório direto, causando uma inibição clara dos neurónios numa região cerebral específica, o córtex pré-frontal. Em *segundo lugar*, por sistemas anatómicos indiretos no cérebro holístico: o córtex pré-frontal está ligado a mais áreas do cérebro do que qualquer outra parte. Assim, se a dopamina inibe uma área tão essencial, sobretudo nos humanos, a organização global do cérebro torna-se mais fragmentada, e, logo, será menos provável que se forme qualquer rede que vá além da normal compartimentação anatómica. Em *terceiro lugar*, e finalmente, a dopamina poderia reduzir a dimensão das redes num plano comportamental indireto. Sabe-se que drogas como a anfetamina, que libertam dopamina no cérebro, têm efeitos estimulantes globais, que resultam em hiperatividade. Nesse estado, em que os níveis de dopamina são elevados, haverá maior probabilidade de o utilizador hiperativo ter mais oportunidade de usufruir de uma sensação imediata do ambiente que o rodeia do que ter uma opinião «cognitiva» prolongada sobre um objeto ou uma pessoa: procura-se um novo estímulo, atira-se efetivamente uma pedra nova à água, antes que os efeitos do anterior tenham hipótese de atingir o raio potencial total das ondas originais: tal como vimos, este será um mundo de redes concorrentes e, logo, de dimensão reduzida, devido à sua rápida sucessão.

45 Ver também um efeito comparável com dopamina *in* Susanta Bandyopadhyay e John J. Hablitz (2007), «Dopaminergic Modulation of Local Network Activity in Rat Prefrontal Cortex», *Journal of Neurophysiology*: 4120–28.

46 Brown, R. T. e Wagner, A. R. «Resistance to punishment and extinction following training with shock or nonreinforcement». *Journal of Experimental Psychology*, 68, 503–7 (1964); ver também Gray, J. A. «Fear, panic and anxiety: what's in a name». *Psychological Inquiry*, 2, 72–96 (1991).

47 Greenfield, S. A. *The Private Life of the Brain: Emotions, Consciousness and the Secret of the Self.* (Wiley, 2000).

48 http://www.channel4.com/news/laughing-gas-nitrous-oxide-legal-high-police-drugs-brick-lane-festivals.

49 Os opiáceos tendem a ser inibitórios, mas agem frequentemente sobre os circuitos inibitórios, produzindo desinibição. Contudo, tal efeito excitatório pode, de igual forma, produzir um estado de pequena rede através da dessincronização. Charles, A. C. e Hales, T. G. «From inhibition to excitation: functional effects of interaction between opioid receptors». *Life Sciences*, 76, 479–85 (2004).

50 Yau, S. *et al.* «Physical exercise-induced adult neurogenesis: a good strategy to prevent cognitive decline in neurodegenerative diseases?» *Biomedical Research International*, 2014, 403120 (2014).

51 Olson, A. K. *et al.* «Environmental enrichment and voluntary exercise massively increase neurogenesis in the adult hippocampus via dissociable pathways». *Hippocampus*, 16, 250–60 (2006).

52 Van Praag, H., Kempermann, G. e Gage, F. H. «Running increases cell proliferation and neurogenesis in the adult mouse dentate gyrus». *Nature Neuroscience*, 2, 266–70 (1999).

53 Begley, S. *The Plastic Mind*. (Constable, 2009).

54 He, S.-B. *et al*. «Exercise intervention may prevent depression». *International Journal of Sports Medicine*, 33, 525–30 (2012).

55 Frodl, T. e O'Keane, V. «How does the brain deal with cumulative stress? A review with focus on developmental stress, HPA axis function and hippocampal structure in humans». *Neurobiology of Disease*, 52, 24–37 (2013).

56 Cakir, B. *et al*. «Stress-induced multiple organ damage in rats is ameliorated by the antioxidant and anxiolytic effects of regular exercise». *Cell Biochemistry and Function*, 28, 469–79 (2010). Schoenfeld *et al*., 2013, descobriram novas células excitatórias e inibidoras no hipocampo de animais corredores; além disso, os animais corredores experimentam menos episódios stressantes após um fator de stresse: «o hipocampo dos corredores é profundamente diferente do dos animais sedentários. Não só há mais neurónios excitatórios e mais sinapses excitatórias, como os neurónios inibitórios apresentam maior probabilidade de serem ativados, supostamente para abafar os neurónios excitatórios, em resposta ao stresse». Schoenfeld T. J. *et al*. «Physical exercise prevents stress-induced activation of granule neurons and enhances local inhibitory mechanisms in the dentate gyrus». *Journal of Neuroscience*, 33 (18): 7770–7 (2013). Outro estudo interessante mostrou que o exercício moderado por oposição ao repouso calmo pode ajudar a proteger contra stresse futuro (Smith, 2013). Embora ambos os casos reduzissem o stresse a curto prazo, os sujeitos em condição de repouso ficavam mais stressados com imagens emocionais do que o grupo que se exercitava. Smith, J. C. «Effects of emotional exposure on state anxiety after acute exercise». *Medicine and Science in Sports and Exercise*, 45 (2): 372–8 (2013); e Nakajima, S. *et al*. «Regular voluntary exercise cures stress-induced impairment of cognitive function and cell proliferation accompanied by increases in cerebral IGF-1 and GST activity in mice». *Behavioural Brain Research*, 211, 178–84 (2010).

57 Nokia, M. *et al*. «Learning to learn: theta oscillations predict new learning, which enhances related learning and neurogenesis». *PLoS One*, 7, e31375 (2012).

58 Begley, 2009.

59 Devonshire, I. M. *et al*. «Environmental enrichment differentially modifies specific components of sensory-evoked activity in rat barrel cortex as revealed by simultaneous electrophysiological recordings and optical imaging in vivo». *Neuroscience*, 170, 662–9 (2010).

60 *Ibid*.

61 Quando comparadas com as de ratos anestesiados, as redes de ratos acordados são maiores em amplitude e (muito maiores) em extensão espacial. Ferezou I., Bolea S. e Petersen C. C. «Visualizing the cortical representation of whisker touch: voltage-sensitive dye imaging in freely moving mice». *Neuron*, 50, 617–29 (2006).

62 Greenfield, 2011.

4. PEQUENO-ALMOÇO

1 Reich, L. *et al.* «A ventral visual stream reading center independent of visual experience». *Current Biology*, 21, 363–8 (2011).

2 Neville, H. J. e Lawson, D. «Attention to central and peripheral visual space in a movement detection task: an event-related potential and behavioral study. II. Congenitally deaf adults». *Brain Research*, 405, 268–83 (1987).

3 Karns, C. M., Dow, M. W. e Neville, H. J. «Altered cross-modal processing in the primary auditory cortex of congenitally deaf adults: a visual-somatosensory fMRI study with a double-flash illusion». *Journal of Neuroscience*, 32, 9626–38 (2012).

4 Gougoux, F. *et al.* «Neuropsychology: pitch discrimination in the early blind». *Nature*, 430, 309 (2004).

5 Lessard, N. *et al.* «Early-blind human subjects localize sound sources better than sighted subjects». *Nature*, 395, 278–80 (1998).

6 Roder, B. *et al.* «Semantic and morpho-syntactic priming in auditory word recognition in congenitally blind adults». *Language and Cognitive Processes*, 18, 1–20 (2003).

7 Bull, R., Rathborn, H. e Clifford, B. R. «The voice-recognition accuracy of blind listeners». *Perception*, 12, 223–6 (1983).

8 Petrus, E. *et al.* «Crossmodal induction of thalamocortical potentiation leads to enhanced information processing in the auditory cortex». *Neuron*, 81, 664–73 (2014).

9 Terhune, D. B. *et al.* «Enhanced cortical excitability in grapheme-color synesthesia and its modulation». *Current Biology*, 21, 2006–9 (2011).

10 Liotta, A. *et al.* «Partial disinhibition is required for transition of stimulus-induced sharp wave-ripple complexes into recurrent epileptiform discharges in rat hippocampal slices». *Journal of Neurophysiology*, 105, 172–87 (2011).

11 Rockel, A. J., Hiorns, R. W. e Powell, T. P. «The basic uniformity in structure of the neocortex». *Brain*, 103, 221–44 (1980). Por outro lado, há quem afirme que o modelo de forma de bolos da citoarquitetura do córtex nem sempre é a mais correta, podendo ser explicado pelas várias diferenças anatómicas nos caminhos visuais e auditivos. Pode ser que as diferenças observadas nos dados obtidos por imagiologia descritos reflitam simplesmente um diferente padrão de distribuição nas informações para o córtex auditivo, quando comparadas com o visual. Por exemplo, o córtex auditivo costuma receber informações de dois ouvidos a partir de áreas cerebrais por baixo do córtex, ao passo que o córtex visual recebe informações de apenas dois campos visuais. Além disso, as principais informações da estação de retransmissão subcortical (o tálamo) para o córtex visual terminam numa camada de córtex (camada IV), enquanto no córtex auditivo algumas informações talâmicas são distribuídas de forma mais alargada (chegando à camada III), ao passo que outras terminam noutro ponto (na camada I). LeVay, S. & Gilbert, C. D. «Laminar patterns of geniculocortical projection in the cat». *Brain Research*, 113 (1), 1–19 (1976). Smith, P. H. & Populin, L. C. «Fundamental differences between the thalamocortical recipient layers of the cat auditory and visual cortices». *Journal of Comparative Neurology*, 436(4), 508–19 (2001). Huang, C. L. e Winer, J. A. «Auditory thalamocortical projections in the cat: laminar and areal patterns of input». *Journal of Comparative Neurology*, 427 (2), 302–31 (2000).

12 Libet, B. *Mind Time: The Temporal Factor in Consciousness*. (Harvard University Press, 2004).

13 VanRullen, R. e Thorpe, S. J. «The time course of visual processing: from early perception to decision-making». *Journal of Cognitive Neuroscience*, 13, 454–61 (2001).

14 Libet, 2004.

15 Chakraborty, S., Sandberg, A. e Greenfield, S. A. «Differential dynamics of transient neuronal assemblies in visual compared to auditory cortex». *Experimental Brain Research*, 182, 491–8 (2007).

16 Crick, F. e Koch, C. «A framework for consciousness». *Nature Neuroscience*, 6, 119–26 (2003).

17 Dunn, R. e Dunn, K. *Teaching Students through Their Individual Learning Styles: A Practical Approach*. (Prentice Hall, 1978).

18 Pashler, H. *et al*. «Learning Styles: Concepts and Evidence». *Psychological Science in the Public Interest*, 9, 105–119 (2009).

19 Dehaene, S. *et al*. «Arithmetic and the brain». *Current Opinions in Neurobiology*, 14, 218–24 (2004).

20 Grady, D. «The vision thing: mainly in the brain». *Discover* (http://discovermagazine.com/1993/jun/thevisionthingma227). Ver também o sítio eletrónico de Nikos Logothetis: http://www.kyb.tuebingen.mpg.de/research/dep/lo/visual-perception.html.

21 Jones, B. «Spatial perception in the blind». *British Journal of Psychology*, 66, 461–72 (1975).

22 Calvert, G. A., Campbell, R. & Brammer, M. J. «Evidence from functional magnetic resonance imaging of crossmodal binding in the human heteromodal cortex». *Current Biology*, 10, 649–57 (2000).

23 Risberg, A. e Lubker, J. «Prosody and speech-reading» *in STL Quarterly Progress and Status Report*, 4, 1–16 (1978). Esta sinergia sensorial experimental foi mostrada mais diretamente, ou seja, de forma invasiva, em macacos, não precisando o processo de integração sensorial de ser atribuído aos clássicos «córtices de associação» (as áreas «mais elevadas», não diretamente associadas a modalidades sensoriais específicas): em vez disso, as influências multissensoriais iniciais podem ampliar a informação transportada pelos neurónios. Embora os cinco sentidos permaneçam identificáveis como tal, eles interagem e, para complicar ainda mais as coisas, têm possíveis efeitos diferentes, dependendo de como os neurónios relevantes por acaso estão ligados entre si. Tais padrões complexos de ligação não são detetáveis com a simples imagiologia cerebral, sendo precisa a técnica da eletrofisiologia, mais sensível e pormenorizada.

24 Kayser, C., Petkov, C. I. e Logothetis, N. K. «Multisensory interactions in primate auditory cortex: fMRI and electrophysiology». *Hearing Research*, 258, 80–8 (2009).

25 Geake, J. Cap. 2, pp. 10–17 *in Companion to Gifted Education* (orgs. Balchin, T. & Hymer, B.) (Routledge, 2008).

26 Bakalar, N. «Sensory science: partners in flavour». *Nature*, 486, S4–5 (2012).

27 Small, D. M. «How does food's appearance or smell influence the way it tastes?» *Scientific American*, 299, 100 (2008).

28 Stevenson, R. J., Prescott, J. e Boakes, R. A. «Confusing tastes and smells: how odours can influence the perception of sweet and sour tastes». *Chemical Senses*, 24, 627–35 (1999).

29 Spence, C. e Piqueras-Fiszman, B. *The Perfect Meal: The Multisensory Science of Food and Dining.* (Wiley, 2014).

30 Gal, D., Wheeler, S. C. e Shiv, B. «Cross-modal influences on gustatory perception». (2007).

31 Harrar, V. e Spence, C. «The taste of cutlery: how the taste of food is affected by the weight, size, shape and colour of the cutlery used to eat it». *Flavour*, 2, 21 (2013).

32 Spence, C. «Auditory contributions to flavour perception and feeding behaviour». *Physiology and Behavior*, 107, 505–15 (2012).

33 Chen, J. e Eaton, L. «Multimodal mechanisms of food creaminess sensation». *Food and Function*, 3, 1265–70 (2012); ver também Green, B. G. e Nachtigal, D. «Somatosensory factors in taste perception: effects of active tasting and solution temperature». *Physiology and Behavior*, 107, 488–95 (2012).

34 Harrar e Spence, 2013.

35 Cruz, A. e Green, B. G. «Thermal stimulation of taste». *Nature*, 403, 889–92 (2000).

36 Lindstrom, M. *Brand Sense: Sensory Secrets behind the Stuff We Buy.* (Free Press, 2010).

37 Geertz, C. *The Interpretation of Cultures: Selected Essays.* (Basic Books, 1973).

38 Lawless, H. T. e Heymann, H. *Sensory Evaluation of Food: Principles and Practices.* (Springer, 2010).

39 Lindstrom, 2010.

40 Lubke, G. H. *et al.* «Dependence of explicit and implicit memory on hypnotic state in trauma patients». *Anesthesiology*, 90, 670–80 (1999); ver também Kerssens, C. *et al.* «Auditory information processing during adequate propofol anesthesia monitored by electroencephalogram bispectral index». *Anesthesia and Analgesia*, 92, 1210–14 (2001).

41 Nordin, S. *et al.* «Evaluation of auditory, visual and olfactory event-related potentials for comparing interspersed-and-single-stimulus paradigms». *International Journal of Psychophysiology*, 81, 252–62 (2011).

42 Sun, G. H. *et al.* «Olfactory identification testing as a predictor of the development of Alzheimer's dementia: a systematic review». *Laryngoscope*, 122, 1455–62 (2012).

43 Wilson, D. A., Kadohisa, M. e Fletcher, M. L. «Cortical contributions to olfaction: plasticity and perception». *Seminars in Cell & Developmental Biology*, 17, 462–70 (2006).

44 Wysocki, C. J. e Preti, G. «Facts, fallacies, fears and frustrations with human pheromones». *The Anatomical Record. Part A. Discoveries in Molecular, Cellular and Evolutionary Biology*, 281, 1201–11 (2004).

45 Porter, R. H., Cernoch, J. M. e Balogh, R. D. «Odor signatures and kin recognition». *Physiology and Behavior*, 34, 445–8 (1985).

46 Weisfeld, G. E. *et al.* «Possible olfaction-based mechanisms in human kin recognition and inbreeding avoidance». *Journal of Experimental Child Psychology*, 85, 279–95 (2003).

47 Wedekind, C. «Body odours and body odour preferences in humans» in *The Oxford Handbook of Evolutionary Psychology* (orgs. Dunbar, R. e Barrett, L.) (Oxford University Press, 2007).

48 Lewis, P. «Musical minds». *Trends in Cognitive Science*, 6, 364 (2002).

49 *Mousterian «Bone Flute» and Other Finds from Divje Babe I Cave Site in Slovenia.* (Znanstvenoraziskovalni Centre Sazu, 2007).

50 Huron, D. «Is music an evolutionary adaptation?» *Annals of the New York Academy of Sciences*, 930, 43–61 (2001).

51 Barrow, J. D. *The Artful Universe. The Biological Foundations of Music* (Clarendon Press, 1995).

52 Pinker, S. *How the Mind Works.* (W. W. Norton, 1997).

53 *Ibid.*

54 Molino, J. «Toward an evolutionary theory of music and language» *in The Origins of Music* (orgs. Wallin, N., Merker, B. & Brown, S.), 165–76 (MIT Press, 2000).

55 Huron, 2001. É comum pensar-se que, na tradição islâmica, a música pode ser uma distração das coisas importantes da vida e, pior ainda, pode levar a um comportamento licencioso. Contudo, e tal como John Baily, correspondente da Radio Liberty, frisou, «Não é correto dizer-se que os talibãs baniram a música. Eles baniram os instrumentos musicais, e qualquer tipo de produção de música que envolva instrumentos musicais, possivelmente com uma única exceção, o adufe, pois há *hadiths* em que o profeta Maomé permite que o adufe seja usado na celebração de casamentos, etc.» Baily, J., *British Journal of Ethnomusicology*: «It isn't actually correct to say Taliban have banned music». Radio Liberty, 22 de junho de 2009.

56 Merriam, A. P. *The Anthropology of Music.* (Northwestern University Press, 1964).

57. Cross, I. «Music, cognition, culture and evolution». *Annals of the New York Academy of Sciences*, 930, 28–42 (2001); ver também Storr, A. *Music and the Mind.* (Random House, 1992).

58 Dunbar, R. *Human Evolution. Music, Cognition, Culture and Evolution* (Pelican, 2014).

59 McNeill, W. H. *Keeping Together in Time.* (Harvard University Press, 1995).

60 Cross, 2001.

61 Trevarthen, C. «Musicality and the intrinsic motive pulse: evidence from human psychobiology and infant communication». *Musicae Scientiae*, 155–215 (2000).

62. Cross, 2001.

63 A amígdala recebe o nome do latim devido à forma amendoada e situa-se nas profundezas dos lobos temporais, fazendo parte do sistema límbico; está ligada a diversas regiões cerebrais. Como tal, tem sido associada a uma série de funções relacionadas tanto com a emoção como com a memória. Para duas análises recentes ver LaLumiere, R. T. «Optogenetic dissection of amygdala functioning». *Frontiers in Behavioral Neuroscience*, 8, 107 (2014), e Fernando, A. B. P., Murray, J. E. e Milton, A. L. «The amygdala: securing pleasure and avoiding pain». *Frontiers in Behavioral Neuroscience*, 7, 190 (2013). Com relevância para a música, ver Griffiths, T. D. *et al.* «"When the feeling's gone": a selective loss of musical emotion». *Journal of Neurology, Neurosurgery & Psychiatry*, 75, 344–5 (2004).

64 Gosselin, N. *et al.* «Impaired recognition of scary music following unilateral temporal lobe excision». *Brain*, 128, 628–40 (2005).

65 Panksepp, J. «The emotional sources of "chills" induced by music». *Music Perception*, 13, 171–207 (1995).

66 Salimpoor, V. N. *et al.* «Anatomically distinct dopamine release during anticipation and experience of peak emotion to music». *Nature Neuroscience*, 14, 257–62 (2011).

67 Wise, R. A. «Forebrain substrates of reward and motivation». *Journal of Comparative Neurology*, 493, 115–21 (2005).

68 Burton, A. C., Nakamura, K. e Roesch, M. R. «From ventral-medial to dorsal-lateral striatum: neural correlates of reward-guided decision-making». *Neurobiology of Learning and Memory*, 117, 51–9 (2014).

69 Small, D. M. *et al.* «Changes in brain activity related to eating chocolate: from pleasure to aversion». *Brain*, 124, 1720–33 (2001).

70 Breiter, H. C. *et al.* «Acute effects of cocaine on human brain activity and emotion». *Neuron*, 19, 591–611 (1997).

71 Zald, D. H. e Zatorre, Robert J., C. 19, «Music», pp. 405–28, in *Neurobiology of Sensation and Reward* (org. Gottfried, J. A.) (CRC Press, 2011).

72 Benoit, C.-E. *et al.* «Musically cued gait-training improves both perceptual and motor timing in Parkinson's disease». *Frontiers in Human Neuroscience*, 8, 494 (2014); ver também Nombela, C. *et al.* «Into the groove: can rhythm influence Parkinson's disease?» *Neuroscience and Biobehavioral Reviews*, 37, 2564–70 (2013); e Pacchetti, C. *et al.* «Active music therapy in Parkinson's disease: an integrative method for motor and emotional rehabilitation». *Psychosomatic Medicine*, 62, 386–93 (2000).

73 Azulay, J. P. *et al.* «Visual control of locomotion in Parkinson's disease». *Brain*, 122 (Pt 1) 111–20 (1999).

74 Lim, I. *et al.* «Effects of external rhythmical cueing on gait in patients with Parkinson's disease: a systematic review». *Clinical Rehabilitation*, 19, 695–713 (2005). Contudo, apesar de indícios que sugerem que as deixas internas são preferencialmente afetadas pela doença, e não as externas, intervenções bem-sucedidas realizadas em condições laboratoriais não costumam garantir melhorias fora do laboratório, ou seja, em casa dos pacientes.

75 Seja como for, assim que se identificou a presença de dopamina nas experiências musicais, Salimpoor e a equipa empregaram uma técnica de exame muito mais rápida, mas menos quimicamente específica, a tomografia por emissão de positrões, para acompanhar, ao longo do tempo, a libertação de dopamina de áreas-chave. Encontraram uma dissociação funcional: uma região do cérebro (o caudado) estava mais envolvida durante a antecipação do poder da música, enquanto outra (o núcleo accumbens) estava mais associada à experiência do pico das respostas emocionais à música, estando os dois acontecimentos separados por dez a quinze segundos.

76 Meyer, L. *Emotion and Meaning in Music.* (University of Chicago Press, 1956).

77 Blood, A. J. e Zatorre, R. J. «Intensely pleasurable responses to music correlate with activity in brain regions implicated in reward and emotion». *Proceedings of the National Academy of Sciences of the United States of America*, 98, 11818–23 (2001).

78 Sacks, O. *Musicophilia: Tales of Music and the Brain.* (Random House, 2007).

5. NO ESCRITÓRIO

1 http://www.bls.gov/tus/charts.

2 Uma análise em grande escala dos possíveis efeitos terapêuticos de certos tipos de *design* de hospital em relação a outros contou com 102 estudos e 38 meta-análises. Contudo, o autor principal, a Dr.ª Amy Drahota, da Universidade de Portsmouth, concluiu: «Embora pareça óbvio que a área em que um paciente recupera vá afetar a sua cura, temos de analisar indícios que ajudem a orientar as decisões quanto ao *design* hospitalar. Todavia, 85 dos estudos incluídos referiram o uso de música no hospital. Também mostrámos interesse em estudos sobre todos os aspetos do *design* hospitalar, mas muitas áreas não dispõem de investigações de qualidade. Por exemplo, só encontrámos um estudo que cumprisse os nossos critérios quanto a iluminação, um estudo que cumprisse os nossos critérios quanto a decoração, e não encontrámos nenhuns estudos com qualidade suficiente que versassem o uso de arte ou auxiliares de orientação. E temos, inclusive, algumas reservas quanto aos estudos que encontrámos, pois a sua qualidade não é tão elevada quanto poderia ser. Assim sendo, e apesar do grande volume de informação contido nesta análise, solicitamos mais estudos de qualidade que tratem dos diferentes componentes do *design* hospitalar para que se tomem decisões mais informadas sobre como conceber ou reformular os nossos hospitais no futuro». http://www.news-medical.net/news/20120315/Hospital-environments-could-influence-patient-recovery.aspx. Drahota, A. *et al*. «Sensory environment on health-related outcomes of hospital patients». Cochrane Database of Systematic Reviews, 3, CD005315 (2012). Ver também Kaler, S. R. e Freeman, B. J. «Analysis of environmental deprivation: cognitive and social development in Romanian orphans». *Journal of Child Psychology and Psychiatry*, 35, 769–81 (1994). Eluvathingal, T. J. *et al*. «Abnormal brain connectivity in children after early severe socioemotional deprivation: a diffusion tensor imaging study». *Pediatrics*, 117 (6), 2093–100 (junho de 2006). Prut, L. e Belzung, C. «The open field as a paradigm to measure the effects of drugs on anxiety-like behaviors: a review». *European Journal of Pharmacology*, 463(1–3), 3–33 (28 de fevereiro de 2003); ver também Eberhard, J. P. «Applying neuroscience to architecture». *Neuron*, 62, 753–6 (2009). No artigo citado, Eberhard refere um ponto interessante, quanto à existência de hipóteses definidas e específicas sobre a reação humana à arquitetura, as quais, no entanto, aguardam por uma investigação que seja levada a cabo por estudantes e elementos de pesquisa. No artigo, ele afirma existirem setenta a oitenta tais hipóteses (desenvolvendo-as no seu livro *Brain Landscapes* – Oxford University Press, 2009), como seja que o cérebro está programado para reagir às proporções baseadas na medida áurea e que existe uma rede no cérebro que é responsável pelo sentimento de deslumbramento. Numa tentativa de colmatar as carências de estudos anteriores e as exigências funcionais de uma série de edifícios, como hospitais, escolas, templos, laboratórios, etc., em 2003 criou-se a Academy of Neuroscience for Architects: trata-se do testemunho do enorme potencial, mesmo que ainda por concretizar na sua totalidade, da aplicação da neurociência na arquitetura.

3 Johnson, D. E. *et al*. «Growth and associations between auxology, caregiving environment and cognition in socially deprived Romanian children randomized to foster vs ongoing institutional care». *Archives of Pediatrics and Adolescent Medicine*, 164, 507–16 (2010).

4 Albers, L. H. *et al*. «Health of children adopted from the former Soviet Union and Eastern Europe. Comparison with preadoptive medical records». *JAMA*, 278, 922–4 (1997).

5   Kaler e Freeman, 1994.

6   Eluvathingal, 2006.

7   Sheridan, M. A. *et al*. «Variation in neural development as a result of exposure to institutionalization early in childhood». *Proceedings of the National Academy of Sciences of the United States of America*, 109, 12927–32 (2012); ver também Nelson, C. A. *et al*. «Cognitive recovery in socially deprived young children: the Bucharest Early Intervention Project». *Science*, 318, 1937–40 (2007).

8   Frasca, D. *et al*. «Traumatic brain injury and post-acute decline: what role does environmental enrichment play? A scoping review». *Frontiers of Human Neuroscience*, 7, 31 (2013).

9   Linhares, J. M. M., Pinto, P. D. e Nascimento, S. M. C. «The number of discernible colors in natural scenes». *Journal of the Optical Society of America A. Optics, Image Science and Vision*, 25, 2918–24 (2008).

10 Gegenfurtner, K. R. e Kiper, D. C. «Color vision». *Annual Review of Neuroscience*, 26, 181–206 (2003).

11 Chalmers, D. «Absent qualia, fading qualia, dancing qualia», in *Conscious Experience* (org. Metzinger, T.) (Imprint Academic, 1995).

12 Purves, D. *et al*. *Neuroscience*. (Sinauer Press, 2012).

13 Este fenómeno é conhecido por «cromoestereopsia»: quando uma mancha vermelha, por exemplo, parece mais próxima do que uma mancha azul. Sem dúvida, se mais próximo, um objeto vermelho vai exigir mais atenção e, logo, terá a oportunidade de estabelecer um efeito diretamente físico que é estimulante e acelera o ritmo cardíaco. Em contraste, um objeto azul não vai parecer tão próximo como um objeto vermelho que esteja adjacente, sendo, por isso, relativamente calmante, ajudando à concentração. Cauquil, A. S. *et al*. «Neural correlates of chromostereopsis: an evoked potential study». *Neuropsychologia*, 47, 2677–81 (2009). Dreiskaemper, D. *et al*. «Influence of red jersey color on physical parameters in combat sports». *Journal of Sport and Exercise Psychology*, 35, 44–9 (2013). Farrelly, D. *et al*. «Competitors who choose to be red have higher testosterone levels». *Psychological Science*, 24, 2122–4 (2013).

14 Vandewalle, G. *et al*. «Spectral quality of light modulates emotional brain responses in humans». *Proceedings of the National Academy of Sciences of the United States of America*, 107, 19549–54 (2010).

15 Sable, P. e Akcay, O. «Response to colour: literature review with cross-cultural marketing perspective». *International Bulletin of Business Administration*, 11, 34–41 (2011).

16 Labrecque, L. I. e Milne, G. R. «Exciting red and competent blue: the importance of color in marketing». *Journal of the Academy of Marketing Science*, 40, 711–27 (2012); ver também Labrecque, L. I. e Milne, G. R. «To be or not to be different: exploration of norms and benefits of color differentiation in the marketplace». *Marketing Letters*, 24, 165–76 (2013).

17 Bottomley, P. A. «The interactive effects of colors and products on perceptions of brand logo appropriateness». *Marketing Theory*, 6, 63–83 (2006); ver também Hanss, D., Bohm, G. e Pfister, H. R. «Active red sports car and relaxed purple-blue van: affective qualities predict color appropriateness for car types». *Journal of Consu-*

mer Behaviour, 11, 368–80 (2012); e Ngo, M. K., Piqueras-Fiszman, B. e Spence, C. «On the colour and shape of still and sparkling water: insights from online and laboratory-based testing». *Food Quality and Preference*, 24, 260–8 (2012).

18 Para uma análise e discussão profundas sobre o «efeito vermelho» ver Elliot, A. J. e Maier, M. A. «Color psychology: effects of perceiving color on psychological functioning in humans». *Annual Review of Psychology*, 65, 95–120 (2014).

19 Mehta, R. e Zhu, R. J. «Blue or red? Exploring the effect of color on cognitive task performances». *Science*, 323, 1226–9 (2009); ver também Elliot e Maier, 2014.

20 Mehta e Zhu, 2009.

21 *Ibid.*

22 Lichtenfeld, S. *et al.* «Fertile green: green facilitates creative performance». *Personality and Social Psychology Bulletin*, 38, 784–97 (2012).

23 Wallach, M. A. e Kogan, N. «A new look at the creativity–intelligence distinction». *Journal of Personality*, 33, 348–69 (1965).

24 http://www.morganlovell.co.uk/articles/the-evolution-of-office-design.

25 Meyerson, J., e Ross, P., *The Twenty-first Century Office* (Laurence King, 2003).

26 Thanem, T., Varlander, S. e Cummings, S. «Open space = open minds? The ambiguities of pro-creative office design». *International Journal of Work Organisation and Emotion*, 4, 78 (2011).

27 *Ibid.*

28 http://www.economist.com/blogs/schumpeter/2014/05/hot-desking-and-office-hire.

29 Prut, L. e Belzung, C. «The open field as a paradigm to measure the effects of drugs on anxiety-like behaviors: a review». *European Journal of Pharmacology*, 463, 3–33 (2003).

30 Mayo, E. *Hawthorne and the Western Electric Company: The Social Problems of an Industrial Civilization.* (Routledge, 1949).

31 Toker, U. e Gray, D. O. «Innovation spaces: workspace planning and innovation in US university research centers». *Research Policy*, 37, 309–29 (2008).

32 Backhouse, A. e Drew, P. «The design implications of social interaction in a workplace setting». *Environment and Planning B*, 19, 573–84 (1992).

33 Toker e Gray, 2008.

34 Greenfield, S. A. *You and Me: The Neuroscience of Identity.* (Notting Hill Editions, 2011).

35 Não se deve confundir o ter uma identidade específica – sabermos quem somos – com sermos simplesmente autoconscientes, ou seja, ter consciência de que estamos conscientes (metarrepresentação: literalmente, uma «representação de uma ordem mais elevada»). Da mesma forma, a ausência de metarrepresentação é por vezes confundida com o autismo. Contudo, uma criança autista não ser capaz de compreender que alguém possa ter crenças diferentes das suas não significa que ela não tenha consciência de que está consciente, ou seja, que é autoconsciente – que tem metarrepresentação. Von Eckardt, B., in *MIT Encyclopedia of Cognitive Science* (orgs. Wilson, R. e Keil, F.) (MIT Press, 1999). Leslie, A. M. «The theory of mind impairment in autism. Evidence for a modular mechanism of development?», in *Natural Theories of Mind: Evolution, Development and Simulation of Everyday Mindreading* (org. Whiten, A.) (Blackwell, 1991).

36 Cleeremans, A. «Consciousness: the radical plasticity thesis». *Progress in Brain Research*, 168, 19–33 (2008).

37 Persaud, N. e McLeod, P. «Wagering demonstrates subconscious processing in a binary exclusion task». *Consciousness and Cognition*, 17, 565–75 (2008).

38 Greenfield, S. A. *The Private Life of the Brain: Emotions, Consciousness and the Secret of the Self.* (Wiley, 2000).

39 Dennett, D. C., «Are we explaining consciousness yet?» *Cognition*, 79, 221–37 (2001).

40 Rosenthal, D. «A theory of consciousness», in *The Nature of Consciousness: Philosophical Debates* (orgs. Block, N., Flanagan, O. e Guzeldere, G.) (MIT Press, 1997).

41 Suh, E. M. «Culture, identity consistency and subjective well-being». *Journal of Personality and Social Psychology*, 83, 1378–91 (2002).

42 Martinsen, O. L. «The creative personality: a synthesis and development of the creative person profile». *Creativity Research Journal*, 23, 185–202 (2011).

43 Maddux, W. W., Adam, H. e Galinsky, A. D. «When in Rome... Learn why the Romans do what they do: how multicultural learning experiences facilitate creativity». *Personality and Social Psychology Bulletin*, 36, 731–41 (2010).

44 O estudo de Maddox *et al.* (2010) não tem em atenção vários fatores confusos. Por exemplo, uma paixão existente por viagens poderia realçar uma curiosidade inata e uma inteligência particular que também poderia prever o desempenho na tarefa da criatividade. O foco do estudo parece ser a aprendizagem num país estrangeiro, que os investigadores contrastam com a aprendizagem de um desporto, para mostrar que a aprendizagem num país estrangeiro (e a recordação da experiência) melhora a criatividade.

45 Thanem, Varlander e Cummings, 2011.

46 Brown, S. *Play: How It Shapes the Brain, Opens the Imagination and Invigorates the Soul.* (Avery, 2009).

47 Fleming, P. «Workers' playtime? Boundaries and cynicism in a "culture of fun" program». *Journal of Applied Behavioral Science*, 41, 285–303 (2005).

48 Leung, A. K. *et al.* «Embodied metaphors and creative "acts"». *Psychological Science*, 23, 502–9 (2012).

49 Mann, S. e Cadman, R. «Does being bored make us more creative?» *Creativity Research Journal*, 26, 165–73 (2014).

50 Dijksterhuis, A. e Meurs, T. «Where creativity resides: the generative power of unconscious thought». *Consciousness and Cognition*, 15, 135–46 (2006).

51 Marshall, B. e Azad, M. «Q&A: Barry Marshall. A bold experiment». *Nature*, 514, S6-7 (2014).

52 Sass, L. A. «Schizophrenia, modernism and the "creative imagination": on creativity and psychopathology». *Creativity Research Journal*, 13, 55–74 (2001).

6. PROBLEMAS EM CASA

1 Sturman, D. A. e Moghaddam, B. «The neurobiology of adolescence: changes in brain architecture, functional dynamics and behavioral tendencies». *Neuroscience and Biobehavioral Reviews*, 35, 1704-12 (2011).

2 Rivers, S. E., Reyna, V. F. e Mills, B. «Risk-taking under the influence: a fuzzy-trace theory of emotion in adolescence». *Developmental Review*, 28, 107–44 (2008).

3 Sturman e Moghaddam, 2011.

4 Fuster, J. *The Prefrontal Cortex*. (Academic Press, 2008).

5 Já se estabeleceu que o córtex pré-frontal constitui cerca de 30 por cento do cérebro humano, comparado com apenas 17 por cento nos nossos parentes mais próximos, os chimpanzés. Contudo, trabalhos recentes sugerem que um maior número de ligações distribuídas são mais vitais para as capacidades únicas dos seres humanos e corroboram um estudo anterior, que descobriu que a matéria branca no córtex pré-frontal era em maior quantidade nos humanos: Barton, R. A. e Venditti, C. «Human frontal lobes are not relatively large». *Proceedings of the National Academy of Sciences of the United States of America*, 110 (22), 9001–6 (2013). Schoenemann, P. T., Sheehan, M. J. e Glotzer, L. D. «Prefrontal white matter volume is disproportionately larger in humans than in other primates». *Nature Neuroscience*, 8 (2), 242–52 (2005). McBride, T., Arnold, S. E. e Gur, R. C. «A comparative volumetric analysis of the prefrontal cortex in human and baboon MRI». *Brain, Behavior and Evolution*, 54 (3), 159–66 (1999).

6 Tsujimoto, S. «The prefrontal cortex: functional neural development during early childhood». *Neuroscientist*, 14, 345–58 (2008).

7 Alvarez, J. A. e Emory, E. «Executive function and the frontal lobes: a meta-analytic review». *Neuropsychological Review*, 16, 17–42 (2006).

8 Sturman e Moghaddam, 2011.

9 Casey, B. J., Getz, S. e Galvan, A. «The adolescent brain». *Developmental Review*, 28, 62–77 (2008).

10 Chambers, R. A., Taylor, J. R. e Potenza, M. N. «Developmental neurocircuitry of motivation in adolescence: a critical period of addiction vulnerability». *American Journal of Psychiatry*, 160, 1041–52 (2003).

11 Ferron, A. *et al.* «Inhibitory influence of the mesocortical dopaminergic system on spontaneous activity or excitatory response induced from the thalamic mediodorsal nucleus in the rat medial prefrontal cortex». *Brain Research*, 302, 257–65 (1984); ver também Gao, W.-J., Wang, Y. e Goldman-Rakic, P. S. «Dopamine modulation of perisomatic and peridendritic inhibition in prefrontal cortex». *Journal of Neuroscience*, 23, 1622–30 (2003).

12 Knobloch, H. S. e Grinevich, V. «Evolution of oxytocin pathways in the brain of vertebrates». *Frontiers in Behavioral Neuroscience*, 8, 31 (2014).

13 Steinberg, L. «A social neuroscience perspective on adolescent risk-taking». *Developmental Review*, 28, 78–106 (2008).

14 Barch, D. M. «The cognitive neuroscience of schizophrenia». *Annual Review of Clinical Psychology*, 1, 321–53 (2005); ver também Thoma, P. *et al.* «Proverb comprehension impairments in schizophrenia are related to executive dysfunction». *Psychiatry Research*, 170, 132–9 (2009).

15 Cortinas, M. *et al.* «Reduced novelty-P3 associated with increased behavioral distractibility in schizophrenia». *Biological Psychology*, 78, 253–60 (2008).

16 Oltmanns, T. F. «Selective attention in schizophrenic and manic psychoses: the effect of distraction on information processing». *Journal of Abnormal Psychology*, 87,

212–25 (1978); ver também Parsons, B. D. *et al.* «Lengthened temporal integration in schizophrenia». *Neuropsychologia*, 51, 372–6 (2013).

17 Strange, P. G. *Brain Biochemistry and Brain Disorders.* (Oxford University Press, 1992); Sturman e Moghaddam, 2011.

18 Os indícios para esta ideia antiga são claros: uma droga estimulante como a anfetamina, que promove a libertação de dopamina no cérebro, imita grande parte da síndrome psicótica da esquizofrenia. Os fármacos antipsicóticos, que bloqueiam a ação da dopamina, têm uma grande ação tranquilizante e são há muito usados como terapia de eleição na esquizofrenia. Contudo, fica um alerta: na esquizofrenia propriamente dita, a influência excessiva da dopamina pode não se dever tanto à abundância no número de moléculas transmissoras físicas, mas sim à ampliação dos efeitos de uma quantidade, para todos os efeitos, normal de dopamina graças a uma anormalidade nos recetores, ou devido a outro processo cerebral aberrante. Seja como for, é extremamente improvável que tal gama de problemas sensoriais e cognitivos como os que caracterizam a esquizofrenia possa ser atribuído a um único sistema de transmissores. O ponto a reter é que a dopamina desempenha um papel importante – mesmo que não exclusivo – na interação delicada entre químicos cerebrais, seus alvos e a consequente reconfiguração dos circuitos neuronais que acabam por compor a «mente» individual. A ser assim, e se, tal como sugerido anteriormente, «compreender» é ver uma coisa em função de outra, então a pobreza de ligações vai levar a uma falta de entendimento, sobretudo no que diz respeito a conceitos tão abstratos como os que encontramos nos provérbios. Além disso, e de forma mais geral, tanto as crianças como os esquizofrénicos parecem carecer de lógica, e os seus processos de pensamento são amiúde caracterizados por um raciocínio idiossincrático frágil. Estas associações aparentemente irracionais e surpreendentes serão aparentes na gama de veículos à disposição da autoexpressão, sejam eles a combinação irrealista de cores no desenho de uma criança, como ovelhas roxas, ou os padrões visuais abstratos das «sopas de letras», uma mistura ininteligível de palavras ou frases, tão comum na arte infantil ou na poesia esquizofrénica. Brisch, R. *et al.* «The role of dopamine in schizophrenia from a neurobiological and evolutionary perspective: old-fashioned, but still in vogue». *Frontiers in Psychiatry*, 5, 47 (2014). Kasanin, J. S. *Language and Thought in Schizophrenia.* (University of California Press, 1944). Mujica-Parodi, L. R., Malaspina, D. e Sackeim, H. A. «Logical processing, affect and delusional thought in schizophrenia». *Harvard Review of Psychiatry*, 8, 73–83. Caplan, R. *et al.* «Formal thought disorder in childhood onset schizophrenia and schizotypal personality disorder». *Journal of Child Psychology and Psychiatry*, 31, 1103–14 (1990).

19 Gao, Wang e Goldman-Rakic, 2003.

20 Tsujimoto, 2008; ver também Welsh, M. C. e Pennington, B. F. «Assessing frontal lobe functioning in children: views from developmental psychology. *Developmental Neuropsychology*, 4, 199–230 (1988).

21 Parsons *et al.*, 2013.

22 Callicott, J. H. *et al.* «Physiological dysfunction of the dorsolateral prefrontal cortex in schizophrenia revisited». *Cerebral Cortex*, 10, 1078–92 (2000).

23 Ferron *et al.*, 1984.

24 Davis, C. *et al.* «Decision-making deficits and overeating: a risk model for obesity». *Obesity Research & Clinical Practice*, 12, 929–35 (2004); ver também Pignatti, R.

et al. «Decision-making in obesity: a study using the Gambling Task». *Eating and Weight Disorders*, 11, 126–32 (2006).

25 Tataranni, P. A. e DelParigi, A. «Functional neuroimaging: a new generation of human brain studies in obesity research». *Obesity Reviews*, 4, 229–38 (2003).

26 Tanabe, J. *et al.* «Prefrontal cortex activity is reduced in gambling and non-gambling substance users during decision-making». *Human Brain Mapping*, 28, 1276–86 (2007).

27 Shimamura, A. P. «Memory and the prefrontal cortex». *Annals of the New York Academy of Sciences*, 769, 151–9 (1995).

28 Cole, M. W. *et al.* «Global connectivity of prefrontal cortex predicts cognitive control and intelligence». *Journal of Neuroscience*, 32, 8988–99 (2012).

29 O quadro foi adaptado de um que se encontra *in* Greenfield, S. A. *Mind Change: How Digital Technologies are Leaving Their Mark on Our Brains*. (Random House, 2014).

30 Rosen, L. D. *et al.* «Media and technology use predicts ill-being among children, preteens and teenagers independent of the negative health impacts of exercise and eating habits». *Computers in Human Behavior*, 35, 364–75 (2014).

31 O professor Michael Merzenich, da Universidade da Califórnia em São Francisco, e perito na plasticidade cerebral induzida pela experiência, apresenta a típica perspetiva neurocientífica correspondente. Ele alerta que «Há uma diferença enorme e sem precedentes na forma como os seus cérebros [dos nativos digitais] se ligam plasticamente à vida, quando comparados com os dos indivíduos típicos das gerações anteriores, não havendo grande dúvida quanto à diferença substancial nas características do cérebro moderno médio». Os indícios de tais alterações e os efeitos sobre a forma como a geração seguinte poderá sentir e pensar, a par dos indícios que já se vão acumulando quanto a esses efeitos, já foram documentados: basta dizer que esta mudança radical para um ciberambiente pode levar, em geral, a um perfil de processamento mental mais ágil, mas a um grau inadequado de imprudência, fraca empatia e más competências interpessoais, predisposição para o narcisismo, agressividade e fraco sentido de identidade, que poderão ser contrastados com os benefícios da melhor coordenação sensoriomotora, possível melhor desempenho em testes de QI, reações rápidas e melhor memória funcional. Bavelier, D. *et al.* «Brains on video games». *National Review of Neuroscience*, 12, 763–8 (2011). Greenfield, S. A., 2014.

32 Koepp, M. J. *et al.* «Evidence for striatal dopamine release during a video game». *Nature*, 393, 266–8 (1998); ver também Weinstein, A. M. «Computer and video game addiction – a comparison between game users and non-game users». *American Journal of Drug and Alcohol Abuse*, 36, 268–76 (2010).

33 Greenfield, S. A., 2014.

34 Yuan, K. *et al.* «Microstructure abnormalities in adolescents with internet addiction disorder». *PLoS One*, 6, e20708 (2011).

35 Este é um tópico controverso e complexo, discutido na totalidade *in* Greenfield, S. A., 2014.

36 Freis, E. D. e Ari, R. «Clinical and experimental effects of reserpine in patients with essential hypertension». *Annals of the New York Academy of Sciences*, 59, 45–53 (1954).

37 Nutt, D. J. «The role of dopamine and norepinephrine in depression and antidepressant treatment». *Journal of Clinical Psychiatry*, 67 (supl. 6), 3–8 (2006).

38 Pletscher, A. «The discovery of antidepressants: a winding path». *Experientia*, 47, 4–8 (1991).

39 Healy, D. *The Antidepressant Era*. (Harvard University Press, 1997).

40 Escusado será dizer que, desde então, já se desenvolveram fármacos mais sofisticados e seletivos. Por exemplo, os protótipos de IMOI mostraram efeitos secundários indesejados, como a «reação ao queijo»: quem tomasse o fármaco tinha de evitar alimentos ricos no químico tiramina, como queijo, chocolate ou vinho tinto: a tiramina (outro parente da noradrenalina) agora protegida e sem ser decomposta iria acumular-se, chegando a níveis que elevariam a tensão arterial e o ritmo cardíaco, aumentando o risco de crises hipertensas. Concomitantemente, uma nova classe de fármacos tricíclicos, assim chamados devido à sua estrutura em três anéis, viria a ser desenvolvida para evitar o problema, visando agora mais seletivamente os transmissores de aminas. Estes fármacos mais recentes funcionavam impedindo a recaptação da noradrenalina e da dopamina pelos neurónios, ficando disponíveis para uma ação mais longa nos seus vários alvos: a tiramina nos alimentos deixava de ser afetada e os pacientes que tomavam tricíclicos podiam mais uma vez saborear queijo e vinho. Ainda mais recentemente, a medicação antidepressiva voltou a ser refinada, com a terceira geração de fármacos como o *Prozac*, ainda mais seletivos, desta vez visando a amina serotonina.

41 Fitzgerald, P. J. «Forbearance for fluoxetine: do monoaminergic antidepressants require a number of years to reach maximum therapeutic effect in humans?» *International Journal of Neuroscience*, 124, 467–73 (2014).

42 Scott, J. «Cognitive therapy». *British Journal of Psychiatry*, 165, 126–30 (1994); ver também Cuijpers, P. *et al.* «A meta-analysis of cognitive-behavioural therapy for adult depression, alone and in comparison with other treatments». *Canadian Journal of Psychiatry*, 58, 376–85 (2013).

43 Anacker, C. «Adult hippocampal neurogenesis in depression: behavioral implications and regulation by the stress system». *Current Topics in Behavioral Neurosciences* (2014).

44 Sheline, Y. I. *et al.* «Resting-state functional MRI in depression unmasks increased connectivity between networks via the dorsal nexus». *Proceedings of the National Academy of Sciences of the United States of America*, 107, 11020–5 (2010).

45 Ren, J. *et al.* «Repetitive transcranial magnetic stimulation versus electroconvulsive therapy for major depression: a systematic review and meta-analysis». *Progress in Neuropsychopharmacology & Biological Psychiatry*, 51, 181–9 (2014).

46 A eficácia do lítio foi relatada originalmente em 1948 pelo médico australiano John Cade. Mais uma vez, a serendipidade desempenhou um papel essencial: Cade estudava as possíveis bases bioquímicas dos distúrbios mentais, injetando urina de pacientes com problemas mentais no abdómen de porcos-da-índia. Os animais morriam mais depressa do que quando se usavam amostras de urina de indivíduos saudáveis: Cade concluiu então que poderia haver mais ácido úrico presente nas amostras dos pacientes com problemas mentais. Foi então que o destino interveio: quando Cade tentou aumentar a hidrossolubilidade do ácido úrico adicionando urato de lítio à solução, descobriu que a toxicidade era reduzida nos porcos-da-índia injetados com a solução de urato de lítio. Contudo, o resultado mais fascinante foi o

lítio ter um efeito calmante nos animais. Porquê? Os poderosos efeitos terapêuticos do lítio, especificamente na depressão maníaco-depressiva, por oposição à depressão bipolar estável, continuam a ser um enigma. Há várias teorias, incluindo a possível ação sobre o aminoácido glutamato, ele próprio um transmissor «excitatório» e/ou desenvolvimento modulatório da serotonina. Outro alvo pode ser o mais pequeno de todos os transmissores, o óxido nítrico, envolvido na plasticidade. Outras ideias aventam que o lítio poderá reiniciar o metabolismo de regulação do relógio biológico, da temperatura e do sono (perturbados com o distúrbio bipolar), ou inibir uma enzima (inositol monofosfatase) que perturba um químico (inositol), aberrações que levam a problemas de memória – e à depressão. Contudo, o problema com todos estes possíveis mecanismos sofisticados é que, nas pessoas normais saudáveis, o lítio não tem nenhum efeito psicoativo, e, além disso, estamos a falar de um simples sal. Como pode algo tão básico ter um efeito seletivo de tal modo sofisticado num distúrbio mental tão complexo? Yoshimura, R. *et al.* «Comparison of lithium, aripiprazole and olanzapine as augmentation to paroxetine for inpatients with major depressive disorder». *Therapeutic Advances in Psychopharmacology*, 4, 123–9 (2014). De Sousa, R. T. *et al.* «Lithium increases nitric oxide levels in subjects with bipolar disorder during depressive episodes». *Journal of Psychiatric Research*, 55, 96–100 (2014). Welsh, D. K. e Moore-Ede, M. C. «Lithium lengthens circadian period in a diurnal primate, Saimiri sciureus». *Biological Psychiatry*, 28, 117–26 (1990). Brown, K. M. e Tracy, D. K. «Lithium: the pharmacodynamic actions of the amazing ion». *Therapeutic Advances in Psychopharmacology*, 3, 163–76 (2013). Buigues, C. *et al.* «The relationship between depression and frailty syndrome: a systematic review». *Aging & Mental Health*, 1–11 (16 de outubro de 2014).

47 Yanagita, T. *et al.* «Lithium inhibits function of voltage-dependent sodium channels and catecholamine secretion independent of glycogen synthase kinase-3 in adrenal chromaffin cells». *Neuropharmacology*, 53, 881–9 (2007).

48 Hercher, C., Chopra, V. e Beasley, C. L. «Evidence for morphological alterations in prefrontal white matter glia in schizophrenia and bipolar disorder». *Journal of Psychiatry and Neuroscience*, 39, 130277 (2014).

49 Mason, L. *et al.* «Decision-making and trait impulsivity in bipolar disorder are associated with reduced prefrontal regulation of striatal reward valuation». *Brain*, 137, 2346–55 (2014).

50 Muzina, D. J. e Calabrese, J. R. «Maintenance therapies in bipolar disorder: focus on randomized controlled trials». *Australian and New Zealand Journal of Psychiatry*, 39, 652–61 (2005).

51 Lautenbacher, S. e Krieg, J. C. «Pain perception in psychiatric disorders: a review of the literature». *Journal of Psychiatric Research*, 28, 109–22 (1994); ver também Guieu, R., Samuelian, J. C. e Coulouvrat, H. «Objective evaluation of pain perception in patients with schizophrenia». *British Journal of Psychiatry*, 164, 253–5 (1994); e Dworkin, R. H. «Pain insensitivity in schizophrenia: a neglected phenomenon and some implications». *Schizophrenia Bulletin*, 20, 235–48 (1994).

52 Giles, L. L., Singh, M. K. e Nasrallah, H. A. «Too much or too little pain: the dichotomy of pain sensitivity in psychotic versus other psychiatric disorders». *Current Psychosis and Therapeutics Reports*, 4, 134–8 (2006).

53 Adler, G. e Gattaz, W. F. «Pain perception threshold in major depression». *Biological Psychiatry*, 34, 687–9 (1993); ver também Diener, H. C., van Schayck, R. e Kastrup,

O. «Pain and depression», in *Pain and the Brain from Nociception to Cognition* (orgs. Bromm, B. e Desmedt, J. E.) 345-55 (Raven Press, 1995).

54 Claro que Jasper e Penfield descobriram que a remoção de grandes áreas do córtex (e de áreas diferentes) em vários pacientes epiléticos não impediu que sentissem dor. Penfield, W. e Jasper, H. «Epilepsy and the functional anatomy of the human brain». (Little, Brown & Co., 1954).

55 Hall, K. R. e Stride, E. «The varying response to pain in psychiatric disorders: a study in abnormal psychology». *British Journal of Medical Psychology*, 27, 48-60 (1954); ver também Pollmann, L. e Harris, P. H. «Rhythmic changes in pain sensitivity in teeth». *International Journal of Chronobiology*, 5, 459-64 (1978).

56 Koyama, T. *et al.* «The subjective experience of pain: where expectations become reality». *Proceedings of the National Academy of Sciences of the United States of America*, 102, 12950-5 (2005).

57 Ramachandran, V. S. e Blakeslee, S. *Phantoms in the Brain: Probing the Mysteries of the Human Mind.* (Harper Perennial, 1998).

58 Melzack, R. e Wall, P. D. *The Challenge of Pain.* (Penguin, 1996).

59 Kupers, R. C., Konings, H., Adriaensen, H. e Gybels, J. M. «Morphine differentially affects the sensory and affective pain ratings in neurogenic and idiopathic forms of pain». *Pain*, 47, 5-12 (1991).

60 Ponterio, G. *et al.* «Powerful inhibitory action of mu opioid receptors (MOR) on cholinergic interneuron excitability in the dorsal striatum». *Neuropharmacology*, 75, 78-85 (2013).

61 Lautenbacher e Krieg, 1994; ver também Guieu, Samuelian e Coulouvrat, 1994; e Dworkin, 1994.

62 Rang, H. P. *et al. Rang and Dale's Pharmacology.* (Churchill Livingstone, 2012).

63 Bergman, N. A. «Michael Faraday and his contribution to anesthesia». *Anesthesiology*, 77, 812-16 (1992).

64 http://www.dailymail.co.uk/news/article-2377857/Nitrous-oxide-Laughing-gas--known-hippy-crack-2nd-popular-legal-high-drug-young-people.html.

65 Comentado recentemente nas notícias: http://www.theguardian.com/world/2015/feb/27/raver-drug-ketamine-control-plan-at-un-condemned-as-potential-disaster.

66 Buigues, C. *et al.* «The relationship between depression and frailty syndrome: a systematic review». *Aging & Mental Health*, 1-11 (2014).

67 Winocur, G. e Moscovitch, M. «A comparison of cognitive function in community--dwelling and institutionalized old people of normal intelligence». *Canadian Journal of Psychology*, 44, 435-44 (1990).

68 Scarmeas, N. e Stern, Y. «Cognitive reserve and lifestyle». *Journal of Clinical and Experimental Neuropsychology*, 25, 625-33 (2003).

69 Engvig, A. *et al.* «Effects of memory training on cortical thickness in the elderly». *NeuroImage*, 52, 1667-76 (2010).

70 Small, G. W. e Greenfield, S. «Current and future treatments for Alzheimer disease». *American Journal of Geriatric Psychiatry*, 23, 1101-5 (2015).

71 Uma ideia popular, atualmente no centro de muita pesquisa a novos fármacos mais eficazes, diz que o real responsável pela devastação neuronal na doença de Alzheimer

é uma substância formada anormalmente batizada segundo o grego para «amido»: amiloide. Contudo, por enquanto, os fármacos que combatem a presença do amiloide desiludiram nos testes clínicos realizados durante uma década. Parece que estes depósitos anormais no cérebro podem ser um fator acessório, mas, mais uma vez, não são o problema central: o amiloide pode estar presente *post mortem* em cérebros até então saudáveis, pelo que, quando muito, a sua presença será um fator necessário, mas não suficiente. Um alvo alternativo atualmente visado é outra anormalidade histológica encontrada nos cérebros com Alzheimer: «enredamentos», uma disposição errada dos microtúbulos que vimos no capítulo 1. Não há motivo para que as «placas» de amiloide ou os «enredamentos» de tau sejam a causa iniciadora da morte celular, e, logo, para a diminuição da rede, na doença de Alzheimer. Além disso, as placas e os enredamentos iriam matar todas as células, indiscriminadamente: ver Small e Greenfield, *ibid.* Em contraste, o culpado principal da doença de Alzheimer terá de ser diferente e muito mais seletivo, já que apenas certos grupos de neurónios do cérebro são vulneráveis à degenerescência. Greenfield, S. A. e Vaux, D. J. «Parkinson's disease, Alzheimer's disease and motor neurone disease. Identifying a common mechanism». *Neuroscience*, 113, 485-92 (2002).

72 Aarsland, D. *et al.* «Frequency of dementia in Parkinson disease». *Archives of Neurology*, 53, 538-42 (1996); ver também Calne, D. B. *et al.* «Alzheimer's disease, Parkinson's disease and motorneurone disease: abiotrophic interaction between ageing and environment?» *Lancet*, 2, 1067-70 (1986); e Horvath, J. *et al.* «Neuropathology of Parkinsonism in patients with pure Alzheimer's disease». *Journal of Alzheimer's Disease*, 39, 115-20 (2014).

73 Sempre que se verifica a lesão da maioria das células cerebrais – devido a uma apoplexia, por exemplo, ou a uma pancada na cabeça –, a recuperação da função ocorre, até certo ponto, normalmente. Contudo, se os danos forem nas células «centrais», isto leva ao mecanismo ainda presente do desenvolvimento: a libertação de um determinado químico que, normalmente, só está funcional no cérebro em desenvolvimento. Mas as coisas são diferentes no cérebro maduro: tais agentes de desenvolvimento são agora tóxicos. Assim, o químico libertado como compensação para as células inicialmente danificadas vai agora provocar ainda mais danos, e, logo, ainda mais libertação do químico tóxico. Este é o ciclo da morte celular que vemos como neurodegenerescência. Greenfield, S. «Discovering and targeting the basic mechanism of neurodegeneration: the role of peptides from the C-terminus of acetylcholinesterase: non-hydrolytic effects of ache: the actions of peptides derived from the C-terminal and their relevance to neurodegeneration». *Chemico-biological Interactions*, 203, 543-6 (2013).

74 Woods, B. *et al.* «Reminiscence therapy for dementia». *Cochrane Database of Systematic Reviews* CD001120 (2005).

75 Atkins, S. *First Steps: Living with Dementia.* (Lion, 2013).

76 Sacks, O. *Musicophilia: Tales of Music and the Brain.* (Random House, 2007) [Ed. portuguesa: *Musicofilia*, Relógio D'Água.]

77 Uma outra abordagem para desequilibrar este declínio e, logo, a imersão na confusão é a orientação da realidade. Este tipo de terapia tem como objetivo reduzir a confusão nas pessoas com demência. A estratégia é orientar a pessoa até ao local e ao momento em que se encontra, e aos nomes, identidades e papéis das pessoas que a rodeia. Resumidamente, tenta permitir às pessoas saber quem são e onde estão, e quem as rodeia, para reduzir a incerteza e a ansiedade. Exemplos desta perspetiva

seriam ter um quadro exposto com o dia, a data, a refeição seguinte e o estado do tempo, ter um relógio com data na parede e exibir os nomes das salas nas portas, com o nome da pessoa e a indicação do seu quarto. Num certo sentido, o contexto normal de tempo e espaço da vida diária, que normalmente seria garantido pela conetividade neuronal interna, é agora fornecido externamente, no ambiente exterior. Um problema com esta abordagem é que corrigir alguém acerca de situações pode fazer com que o paciente com Alzheimer se sinta pior. Por exemplo, dizer a alguém que não pode voltar a casa para o cônjuge porque ele morreu há uma década pode ser perturbador para alguém que se esqueceu dessa morte, podendo reagir à notícia como se a estivesse a receber pela primeira vez. Todavia, a questão crucial é deixar que a pessoa oriente a interação interpessoal, de certa forma para determinar a «realidade». Nenhum adulto com um mínimo de bom senso diria a uma criança pequena que o Pai Natal não existe; em vez disso, entraria na narrativa da criança, em deferência para com o sentido limitado de realidade da criança, e adotaria uma perspetiva diferente da de um adulto. Foi esta a abordagem descrita pelo psicólogo Oliver James, que em 2008 escreveu no *Guardian* sobre a forma como uma filha, Penny Garner, desenvolveu uma forma de lidar com a demência da mãe: «As ideias de Garner desenvolveram-se como forma de cuidar da mãe, Dorothy Johnson, quando esta desenvolveu Alzheimer. Certo dia, quando esperavam no consultório do médico, Dorothy disse de repente, «Já chamaram para o voo?» Garner ficou estupefacta e tentou ganhar tempo. A mãe olhou ansiosamente em volta e disse, «Não queremos perder o avião, onde está a nossa bagagem de mão?» De repente, Garner percebeu o que se passava. A mãe sempre adorara viajar e Dorothy encarava aquela situação, com mais gente, como se estivessem num aeroporto. Quando Garner respondeu dizendo que «Já fizemos o *check in* da bagagem, só temos as nossas bolsas», a mãe relaxou notoriamente.» Aqui não tentamos apenas aumentar a pedra com ligações adicionais, nem administramos químicos que ajudem a melhorar a viscosidade da água; estamos, isso sim, a manipular o ambiente exterior, as conversas e a interação, para que a conetividade interna existente seja a adequada. Atkins, 2013. Spector, A. *et al.* «Reality orientation for dementia». *Cochrane Database of Systematic Reviews* CD001119 (2000).

7. SONHAR

1 Capellini, I. *et al.* «Phylogenetic analysis of the ecology and evolution of mammalian sleep». *Evolution*, 62, 1764–6 (2008).

2 Foulkes, D. «Dreaming and REM sleep». *Journal of Sleep Research*, 2, 199–202 (1993).

3 Nir, Y. e Tononi, G. «Dreaming and the brain: from phenomenology to neurophysiology». *Trends in Cognitive Science*, 14, 88–100 (2010).

4 Morris, G. O., Williams, H. L. e Lubin, A. «Misperception and disorientation during sleep deprivation». *Archives of General Psychiatry*, 2, 247–54 (1960).

5. Harrison, Y. e Horne, J. A. «Sleep loss and temporal memory». *Quarterly Journal of Experimental Psychology. A.*, 53, 271–9 (2000).

6 Zohar, D. *et al.* «The effects of sleep loss on medical residents' emotional reactions to work events: a cognitive-energy model». *Sleep*, 28, 47–54 (2005).

7   Yoo, S.-S. *et al.* «The human emotional brain without sleep – a prefrontal amygdala disconnect». *Current Biology*, 17, R877–8 (2007).

8. Van der Helm, E. *et al.* «REM sleep depotentiates amygdala activity to previous emotional experiences». *Current Biology*, 21, 2029–32 (2011).

9   Walker, M. P. «Why we sleep?» *in* Brain.org Gulbenkian Health Forum (2012).

10 Hobson, J. A. e Friston, K. J. «Waking and dreaming consciousness: neurobiological and functional considerations». *Progress in Neurobiology*, 98, 82–98 (2012).

11 Não é claro se a ideia da informação dos sentidos incluiria o paladar e o olfato, que parecem surgir com menos frequência nos sonhos.

12 Hobson e Friston, 2012.

13 Mignot, E. «Why we sleep: the temporal organization of recovery». *PLoS Biology*, 6, e106 (2008).

14 Hobson e Friston, 2012.

15 Marchant, J. «Why brainy animals need more REM sleep after all». *New Scientist* (19 de junho de 2008).

16 Siegel, J. M. «The evolution of REM sleep» *in Handbook of Behavioral State Control* (orgs. Lydic, R. e Baghdoyan, H. A.) (CRC Press, 1999).

17 Hobson, J. A. «REM sleep and dreaming: towards a theory of protoconsciousness». *National Review of Neuroscience*, 10, 803–13 (2009).

18 Davis, K. F., Parker, K. P. e Montgomery, G. L. «Sleep in infants and young children: part one: normal sleep». *Journal of Pediatric Health Care*, 18, 65–71 (2004).

19 http://www.babble.com/baby/baby-sleep-tips/baby-sleep-tips-1/www.babble.com/baby/baby-sleep.

20 Hobson e Friston, 2012.

21 Embora o sono não REM possa desempenhar um papel significativo na consolidação da memória: O'Neill J. *et al.* «Play it again: reactivation of waking experience and memory». *Trends in Neuroscience*, 33(5), 220–9 (2010).

22 Kumar, S. e Sagili, H. «Etiopathogenesis and neurobiology of narcolepsy: a review». *Journal of Clinical and Diagnostic Research*, 8, 190–5 (2014).

23 Morrison, A. R. «A window on the sleeping brain» in *The Workings of the Brain: Development, Memory and Perception* (org. Llinás, R. R.), 133–148 (W. H. Freeman, 1990).

24 Nir e Tononi, 2010.

25 Llinás, R. R. e Paré, D. «Of dreaming and wakefulness». *Neuroscience*, 44, 521–35 (1991).

26 Continua a haver muitas dúvidas no cenário de Llinás e Paré, como por exemplo como justificar as enormes variações nos níveis de consciência entre espécies e no feto: mas estes vastos diferenciais não seriam notórios a partir da simples dinâmica talamocortical comum entre espécies, já para não falar nas propriedades modificadoras de consciência de várias drogas psicoativas, ou na flutuação individual dos níveis de consciência. Já agora, este problema também surge no entusiasmo mais recente pelo circuito talamocortical de Tononi e Koch, que falam sobre uma «biestabilidade» nas ligações talamocorticais, implicando que a consciência é «tudo ou nada», operada, assim, por algum tipo de interruptor neuronal. Tononi, G. e Koch, C. «The

neural correlates of consciousness: an update». *Annals of the New York Academy of Sciences*, 1124, 239-61 (2008).

27 Plum, F. *in* «Coma and related disturbances of the human conscious state». *Cerebral Cortex Vol. 9: Normal and Altered States and Function* (orgs. Peters, A. e Jones, E. G.) 359-426 (Plenum Press, 1991); ver também Young, G. B., Ropper, A. H. e Bolton, C. E. *Coma and Impaired Consciousness: A Clinical Perspective.* (McGraw Hill, 1998).

28 A área da junção parietal-occipital-temporal inclui porções dos lobos parietal, temporal e occipital, e serve de localização para a integração das informações auditivas, visuais e somatossensoriais recebidas, ao mesmo tempo que enviam sinais a uma série de outras zonas, entre elas as áreas límbicas e o córtex pré-frontal. Ver também: Maquet, P. *et al.* «Functional neuroanatomy of human rapid-eye-movement sleep and dreaming». *Nature*, 383, 163-6 (1996).

29 Epstein, A. W. «Effect of certain cerebral hemispheric diseases on dreaming». *Biological Psychiatry*, 14, 77-93 (1979); ver também Maquet, P. «Functional neuroimaging of normal human sleep by positron emission tomography». *Journal of Sleep Research*, 9, 207-31 (2000); e Jakobson, A. J., Fitzgerald, P. B. e Conduit, R. «Induction of visual dream reports after transcranial direct current stimulation (tDCs) during Stage 2 sleep». *Journal of Sleep Research*, 21, 369-79 (2012).

30 Solms, M. «Dreaming and REM sleep are controlled by different brain mechanisms». *Behavioral and Brain Sciences*, 23, 843-50; discussão 904-1121 (2000).

31 Buchel, C. *et al.* «Different activation patterns in the visual cortex of late and congenitally blind subjects». *Brain*, 121, Pt 3, 409-19 (1998).

32 *Ibid.*

33 Horikawa, T. *et al.* «Neural decoding of visual imagery during sleep». *Science*, 340, 639-42 (2013).

34 Nir e Tononi, 2010.

35 *Ibid.*

36 Penfield, W. e Perot, P. «The brain's record of auditory and visual experience. A final summary and discussion». *Brain*, 86, 595-696 (1963).

37 Hobson, J. A. *The Chemistry of Conscious States: How the Brain Changes Its Mind.* (Little, Brown & Co., 1994); ver também Scarone, S. *et al.* «The dream as a model for psychosis: an experimental approach using bizarreness as a cognitive marker». *Schizophrenia Bulletin*, 34, 515-22 (2008); e Limosani, I. *et al.* «The dreaming brain/mind, consciousness and psychosis». *Consciousness and Cognition*, 20, 987-92 (2011).

38 Brisch, R. *et al.* «The role of dopamine in schizophrenia from a neurobiological and evolutionary perspective: old-fashioned, but still in vogue». *Frontiers in Psychiatry*, 5, 47 (2014).

39 Solms, M. e Turnbull, O. *The Brain and the Inner World.* (Other Press, 2002).

40 Monti, J. M. e Monti, D. «The involvement of dopamine in the modulation of sleep and waking». *Sleep Medicine Reviews*, 11, 113-33 (2007).

41 Normalmente, a fonte de dopamina pode ser regulada por um transmissor associado ao sono REM, a acetilcolina (ACh) que opera nas profundezas do cérebro, no tronco cerebral: contudo, a dopamina pode também trabalhar no córtex independentemente destes sistemas de ACh quando eles não estão operacionais, tal como acontece durante os sonhos, quando este ocorre independentemente do REM. Desta vez, a

dopamina trabalha mais acima na cadeia de comando, além dos mecanismos geradores de REM do tronco cerebral, e mais diretamente nos processos finais do córtex pré-frontal, correlacionados com o sonho propriamente dito. Assim sendo, o que levaria a dopamina a ser libertada neste caso? Nada. Não é preciso mais nada, nem sequer informações sensoriais. Na ausência de informações dos olhos, dos ouvidos, etc., e quando a acetilcolina não está a agir como ativadora, como é o caso durante o sonho em não REM, as células de dopamina no tronco cerebral exibem uma «autorritmicidade»: um ciclo contínuo de excitabilidade variável que leva a jorros periódicos de potenciais de ação, que por sua vez levam à libertação de dopamina nas zonas cerebrais-alvo «mais elevadas». Grace, A. A. e Bunney, B. S. «The control of firing pattern in nigral dopamine neurons: burst firing». *Journal of Neuroscience*, 4, 2877–90 (1984). Grace, A. A. e Bunney, B. S. «The control of firing pattern in nigral dopamine neurons: single spike firing». *Journal of Neuroscience*, 4, 2866–76 (1984).

42 Ferron, A. *et al.* «Inhibitory influence of the mesocortical dopaminergic system on spontaneous activity or excitatory response induced from the thalamic mediodorsal nucleus in the rat medial prefrontal cortex». *Brain Research*, 302, 257–65 (1984); ver também Gao, W.-J., Wang, Y. e Goldman-Rakic, P. S. «Dopamine modulation of perisomatic and peridendritic inhibition in prefrontal cortex». *Journal of Neuroscience*, 23, 1622–30 (2003).

43 Nir e Tononi, 2010; ver também Dang-Vu, T. T. *et al.* «Functional neuroimaging insights into the physiology of human sleep». *Sleep*, 33, 1589–603 (2010).

44 Solms, 2000.

45 Em primeiro lugar, em diferentes partes do neurónio, a dopamina pode ter efeitos sobre outras correntes locais mais discretas e, logo, atividades que não contribuem necessariamente para os potenciais de ação, não sendo registadas pelos métodos aqui usados. Em segundo lugar, no córtex pré-frontal, a inibição resultante da libertação esporádica de dopamina poderia ter um efeito global de desinibição nas células adjacentes em circuitos locais: esta ação alteraria então a produção final do córtex pré-frontal, de um modo impossível pela ausência completa de atividade. Em terceiro lugar, uma grande lesão experimental no córtex pré-frontal teria como resultado a destruição indiscriminada de todas as células, ao passo que a ação seletiva natural da dopamina no cérebro normal intacto não teria um impacte igual sobre todas as células pré-frontais. Lambert, R. C. *et al.* «The many faces of T-type calcium channels». *Pflügers Archiv. European Journal of Physiology*, 466, 415–23 (2014). Holthoff, K., Kovalchuk, Y. e Konnerth, A. «Dendritic spikes and activity-dependent synaptic plasticity». *Cell Tissue Research*, 326, 369– 77 (2006).

46 Nielsen, T. A. *et al.* «Pain in dreams». *Sleep*, 16, 490–8 (1993).

47 Lautenbacher, S. e Krieg, J. C. «Pain perception in psychiatric disorders: a review of the literature». *Journal of Psychiatric Research*, 28, 109–22 (1994); ver também Guieu, R., Samuelian, J. C. e Coulouvrat, H. «Objective evaluation of pain perception in patients with schizophrenia». *British Journal of Psychiatry*, 164, 253–5 (1994).

48 Casey, B. J., Getz, S. e Galvan, A. «The adolescent brain». *Developmental Review*, 28, 62–77 (2008); ver também Sturman, D. A. e Moghaddam, B. «The neurobiology of adolescence: changes in brain architecture, functional dynamics and behavioral tendencies». *Neuroscience and Biobehavioral Reviews*, 35, 1704–12 (2011).

49 Toda, M. e Abi-Dargham, A. «Dopamine hypothesis of schizophrenia: making sense of it all». *Current Psychiatry Reports*, 9, 329–36 (2007).

50 Zadra, A. L., Nielsen, T. A. e Donderi, D. C. «Prevalence of auditory, olfactory and gustatory experiences in home dreams». *Perceptual and Motor Skills*, 87, 819–26 (1998).

51 Os níveis de dopamina (ou antes, o seu metabolito, HVA) no fluido cerebrospinal (o fluido que banha o cérebro e a espinal medula) aumentam gradualmente com a idade, ao passo que o metabolito 5HIAA da 5HT não mostra alterações (comparando bebés prematuros e de termo). Pollin R. A. e Abman, S. H., *Fetal and Neonatal Physiology: Expert Consult*, vol. 2, 1777.

52 Klemm, W. R. «Why does REM sleep occur? A wake-up hypothesis». *Frontiers in Systems Neuroscience*, 5, 73 (2011).

53 Aserinsky, E. e Kleitman, N. «Regularly occurring periods of eye motility, and concomitant phenomena, during sleep». *Science*, 118, 273–4 (1953).

54 Mavromatis, A. *Hypnogogia: The Unique State of Consciousness between Wakefulness and Sleep*. (Routledge, Chapman and Hall, 1987).

55 LaBerge, S. e Levitan, L. «Validity established of DreamLight cues for eliciting lucid dreaming». *Dreaming*, 5, 159–168 (1995).

8. DURANTE A NOITE

1 Greenfield, S. A. *The Private Life of the Brain: Emotions, Consciousness and the Secret of the Self.* (Wiley, 2000).

2 Popper, K. *Conjectures and Refutations: The Growth of Scientific Knowledge.* (Routledge and Kegan Paul, 1963).

3 Bryan, A. *et al.* «Functional Electrical Impedance Tomography by Evoked Response: a new device for the study of human brain function during anaesthesia». *Proceedings of the Anaesthetic Research Society Meeting*, 428–9 (2010).

4 Na tomografia funcional por impedância elétrica por resposta provocada, passa-se uma corrente elétrica de baixa frequência através de uma série de elétrodos ligados à cabeça, sendo as voltagens resultantes medidas através de uma série de referências espalhadas. As medições de resistência resultantes são depois usadas para criar uma imagem em corte da impedância elétrica no interior do cérebro, refletindo a atividade elétrica em diferentes áreas. A reação da tomografia funcional por impedância elétrica por resposta provocada (menos de um décimo de milissegundo) é tão mais rápida do que a imagiologia cerebral convencional que as respostas evocadas ao som, à luz ou ao toque externos podem ser capturadas em rápida sucessão conforme as diferentes áreas do cérebro reagem, identificando assim onde e como no cérebro se processam os estímulos.

5 De Lange, C. «3D movie reveals how brain loses consciousness». *New Scientist*, 14 junho (2011).

6 Damásio, A. *Descartes' Error: Emotion, Reason and the Human Brain.* (Penguin, 2005). [Edição portuguesa revista: *O Erro de Descartes: Emoção, Razão e Cérebro Humano*, Lisboa, Temas e Debates e Círculo de Leitores, 2011.]

7 *Ibid.*

8 Mayer, E. A. «Gut feelings: the emerging biology of gut–brain communication». *Nature Reviews Neuroscience*, 12, 453–66 (2011).

9 A ínsula, o córtex cingulado anterior, o córtex orbitofrontal e a amígdala, a par de áreas mais profundas, como o hipotálamo e a massa cinzenta periaquedutal.

10 Mas como conseguiriam os importantes peptídeos bioativos, libertados no exterior do cérebro a partir destas partes diferentes do corpo, penetrar no interior do cérebro para desempenhar o seu papel na subsequente dinâmica das redes? Os químicos em circulação têm um impacte direto no cérebro por meio de uma interação com regiões cerebrais especiais (como a área postrema) localizadas nas paredes das cavidades cerebrais repletas de fluido (ventrículos), formadas naturalmente durante a embriogénese. Alternativamente, muitos agentes bioativos podem invadir o cérebro ainda mais diretamente, atravessando a barreira entre sangue e cérebro: uma parede de células especializadas que normalmente garante que só as moléculas pequenas ou extremamente lipossolúveis passam sem problemas do sangue para o cérebro. Outra possibilidade é que haja compostos, vindos da periferia, que chegam ao cérebro por via das células imunitárias do cérebro (micróglias), que sentem as perturbações no ambiente corporal. Critchley, H. D. e Harrison, N. A. «Visceral influences on brain and behavior». *Neuron*, 77, 624–38 (2013).

11 Ramirez, J. M. e Cabanac, M. «Pleasure, the common currency of emotions». *Annals of the New York Academy of Sciences*, 1000, 293–5 (2003).

12 Leonard, B. E. «The immune system, depression and the action of antidepressants». *Progress in Neuro-psychopharmacology and Biological Psychiatry*, 25, 767–80 (2001).

13 Martin, P. *The Sickening Mind: Brain, Behaviour, Immunity and Disease.* (HarperCollins, 1997).

14 Mykletun, A. *et al.* «Levels of anxiety and depression as predictors of mortality: the HUNT study». *British Journal of Psychiatry*, 195, 118–25 (2009).

15 Wulsin, L. R. e Singal, B. M. «Do depressive symptoms increase the risk for the onset of coronary disease? A systematic quantitative review». *Psychosomatic Medicine*, 65, 201–10 (2003).

16 Ader, R. e Cohen, N. «Behaviorally conditioned immunosuppression and murine systemic lupus erythematosus». *Science*, 215, 1534–6 (1982); ver também Maier, S. F., Watkins, L. R. e Fleshner, M. «Psychoneuroimmunology. The interface between behavior, brain and immunity». *American Psychologist*, 49, 1004–17 (1994).

17 Hokfelt, T. *et al.* «Coexistence of peptides and putative transmitters in neurons». *Advances in Biochemical Psychopharmacology*, 22, 1–23 (1980).

18 Hokfelt, T. *et al.* «Neuropeptides – an overview». *Neuropharmacology*, 39, 1337–56 (2000); ver também Hokfelt, T. *et al.* «Some aspects on the anatomy and function of central cholecystokinin systems». *BMC Pharmacology and Toxicology*, 91, 382–6 (2002); e Hokfelt, T., Bartfai, T. e Bloom, F. «Neuropeptides: opportunities for drug discovery». *Lancet Neurology*, 2, 463–72 (2003); e Hokfelt, T., Pernow, B. e Wahren, J. «Substance P: a pioneer amongst neuropeptides». *Journal of Internal Medicine*, 249, 27–40 (2001).

19 A maioria dos artigos mostra-se relutante em apresentar um número concreto. Algumas boas análises recentes: Leng, G. e Ludwig, M. «Neurotransmitters and peptides: whispered secrets and public announcements». *Journal of Physiology*, 586, 5625–32 (2008). Van den Pol, A. N. «Neuropeptide transmission in brain circuits». *Neuron*, 76, 98–115 (2012).

20 Greenfield, S. A. e Collins, T. F. T. «A neuroscientific approach to consciousness». *Progress in Brain Research*, 150, 11–23 (2005).

9. AMANHÃ

1 Embora não haja perceção de tempo retrospetivo no sono em geral, a cronestesia (perceção de tempo cronológico) parece funcionar nos sonhos. William Dement levou a cabo dois estudos que mostraram que o tempo nos sonhos era semelhante ao tempo real. Como os olhos dos sonhadores se movem rapidamente por baixo das pálpebras, Dement pôde acompanhar os adormecidos e registar a duração dos sonhos observando-lhes o movimento rápido dos olhos. Depois de registar esta informação, Dement acordava os sonhadores e pedia-lhes que escrevessem uma descrição do sonho mais recente. Ele imaginou que os sonhos mais longos precisassem de mais palavras para os descrever do que os mais curtos. Ao comparar o número de palavras em cada relato com o número de minutos que o sonho durara, descobriu que quanto mais longo o sonho, mais palavras o sonhador usava para o descrever. Numa experiência relacionada, Dement acordou os adormecidos enquanto eles sonhavam e perguntou-lhes quanto tempo lhes parecia que o sonho mais recente durara. Em oitenta e três por cento das vezes, os sujeitos identificaram corretamente se os sonhos duravam há muito ou há pouco tempo. Com estas experiências, Dement concluiu que o tempo nos sonhos é quase idêntico ao tempo durante o estado de vigília. A perceção do tempo também parece ser a mesma nos sonhos lúcidos. Claro que a perceção do tempo que passa que parece ser o que aqui está a ser medido, não é a mesma que a aparente ausência retrospetiva de tempo entre o adormecer e o acordar com que todos estamos familiarizados. Dement, W. C. «History of sleep medicine». *Neurologic Clinics*, 23, 945–65, v (2005). Bolz, B. «How time passes in dreams». (2009). http://indianapublicmedia.org/amomentofscience/time-passes-dreams/. Erlacher, D. *et al.* «Time for actions in lucid dreams: effects of task modality, length and complexity». *Frontiers in Psychology*, 4, 1013 (2013).

2 Taylor, B. N. *The International System of Units (SI)*. (NIST, 2001).

3 Hughes, D. O. e Tautman, T. R. *Time: Histories and Ethnologies*. (Michigan University Press, 1995).

4 Gell, A. *The Anthropology of Time: Cultural Constructions of Temporal Maps and Images* (Berg, 1992).

5 Trigg, G. *Encyclopedia of Applied Physics*. (Wiley, 2004).

6 Grondin, S. «Timing and time perception: a review of recent behavioral and neuroscience findings and theoretical directions». *Attention, Perception and Psychophysics*, 72, 561–82 (2010).

7. Tulving, E. «Episodic memory: from mind to brain». *Annual Review of Psychology*, 53, 1–25 (2002).

8 Originalmente publicado sob anonimato in *The Alternative: A Study in Psychology*. (Londres: Macmillan and Co., 1882).

9 Alexander, I., Cowey, A. e Walsh, V. «The right parietal cortex and time perception: back to Critchley and the Zeitraffer phenomenon». *Cognitive Neuropsychology*, 22, 306–15 (2005); ver também Koch, G. *et al.* «Underestimation of time perception after repetitive transcranial magnetic stimulation». *Neurology*, 60, 1844–6 (2003); e Danckert, J. *et al.* «Neglected time: impaired temporal perception of multisecond intervals in unilateral neglect». *Journal of Cognitive Neuroscience*, 19, 1706–20 (2007).

10 Walsh, V. «A theory of magnitude: common cortical metrics of time, space and quantity». *Trends in Cognitive Science*, 7, 483–8 (2003); ver também Bueti, D., Bah-

rami, B. e Walsh, V. «Sensory and association cortex in time perception». *Journal of Cognitive Neuroscience*, 20, 1054–62 (2008).

11 Tregellas, J. R. *et al.* «Effect of task difficulty on the functional anatomy of temporal processing». *NeuroImage*, 32, 307–15 (2006); ver também Lewis, P. A. e Miall, R. C. «A right hemispheric prefrontal system for cognitive time measurement». *Behavioural Processes*, 71, 226–34 (2006); e Penney, T. B. e Vaitlingham, L. «Imaging time» in *Psychology of Time* (org. Grondin, S.) 261–94 (Binglet UK Emerald Group, 2008); e Macar, F. e Vidal, F. «Timing processes: an outline of behavioural and neural indices not systematically considered in timing models». *Canadian Journal of Experimental Psychology*, 63, 227–39 (2009).

12 Mackintosh, N. J. *Animal Learning and Cognition.* (Academic Press, 1994); ver também Jaldow, E. J., Oakley, D. A. e Davey, G. C. L. «Performance of decorticated rats on fixed interval and fixed time schedules». *European Journal of Neuroscience*, 1, 461–70 (1989).

13 Hugo Merchant, Deborah Harrington e Warren Meck, do Instituto de Neurobiologia do México, usaram estudos de gravação de célula única em macacos para identificar ligações neuronais complexas envolvidas na perceção do tempo, e destacaram um circuito crucial a ligar os gânglios corticotalamobasais. Eles sugeriram que tal «centro temporal» com uma rede distribuída pode justificar as propriedades abstratas do intervalo de afinação, bem como as ilusões temporais e o *timing* intersensorial, e que as interligações incluídas neste mecanismo central de temporização destinam-se a fornecer uma forma de redundância como proteção contra lesões, doenças ou declínio associado à idade. Merchant, H., Harrington, D. L. e Meck, W. H. «Neural basis of the perception and estimation of time». *Annual Review of Neuroscience*, 36, 313–36 (2013).

14 Grondin, 2010; ver também Eagleman, D. M. «Human time perception and its illusions». *Current Opinion in Neurobiology*, 18, 131–6 (2008).

15 Eagleman, 2008.

16 Morrone, M. C., Ross, J. e Burr, D. «Saccadic eye movements cause compression of time as well as space». *Nature and Neuroscience*, 8, 950–4 (2005).

17 New, J. J. e Scholl, B. J. «Subjective time dilation: spatially local, object-based, or a global visual experience?» *Journal of Vision*, 9, 4, 1–11 (2009).

18 Stetson, C., Fiesta, M. P. e Eagleman, D. M. «Does time really slow down during a frightening event?» *PLoS One*, 2, e1295 (2007).

19 Tang, Y.-Y., Holzel, B. K. e Posner, M. I. «The neuroscience of mindfulness meditation». *Nature Reviews Neuroscience*, 16, 213–25 (2015).

20 Eagleman, 2008.

21 Uma resposta pode ser a ocorrência de algum tipo de adaptação de baixo nível: por exemplo, a adaptação a um estímulo intermitente pode levar a distorções na estimativa da duração dos estímulos subsequentes, mas só quando presente em pequenas regiões locais de espaço. Uma vez que este efeito é tão localizado, isso implica a existência de um mecanismo neuronal para temporização nas áreas visuais iniciais mais básicas. Outra ideia completamente diferente estaria no outro extremo da escala de processamento no cérebro, onde a duração é um índice da quantidade de energia gasta pelos neurónios. Mas estes são acontecimentos físicos objetivos que teriam de ser analisados... mas onde e pelo quê? Johnston, A., Arnold, D. H. e Nishida, S.

«Spatially localized distortions of event time». *Current Biology*, 16, 472–9 (2006). Pariyadath, V. e Eagleman, D. «The effect of predictability on subjective duration». *PLoS One*, 2, e1264 (2007).

22 New e Scholl, 2009.

23 Stetson, Fiesta e Eagleman, 2007.

24 Matthews, W. J., Stewart, N. e Wearden, J. H. «Stimulus intensity and the perception of duration». *Journal of Experimental Psychology. Human Perception and Performance*, 37, 303–13 (2011).

25 Droit-Volet, S., Fayolle, S. L. e Gil, S. «Emotion and time perception: effects of film-induced mood». *Frontiers in Integrated Neuroscience*, 5, 33 (2011).

26 Levy, F. e Swanson, J. M. «Timing, space and ADHD: the dopamine theory revisited». *Australian and New Zealand Journal of Psychiatry*, 35, 504–11 (2001).

27 Parsons, B. D. *et al.* «Lengthened temporal integration in schizophrenia». *Neuropsychologia*, 51, 372–6 (2013).

28 Franck, N. *et al.* «Altered subjective time of events in schizophrenia». *Journal of Nervous and Mental Disease*, 193, 350–3 (2005).

29 Wittmann, M. *et al.* «Impaired time perception and motor timing in stimulant-dependent subjects». *Drug and Alcohol Dependence*, 90, 183–92 (2007); ver também Cheng, R.-K., MacDonald, C. J. e Meck, W. H. «Differential effects of cocaine and ketamine on time estimation: implications for neurobiological models of interval timing». *Pharmacology, Biochemistry and Behavior*, 85, 114–22 (2006).

30 Tinklenberg, J. R., Roth, W. T. e Kopell, B. S. «Marijuana and ethanol: differential effects on time perception, heart rate and subjective response». *Psychopharmacology (Berl)*, 49, 275–9 (1976).

31 Arzy, S., Molnar-Szakacs, I. e Blanke, O. «Self in time: imagined self-location influences neural activity related to mental time travel». *Journal of Neuroscience*, 28, 6502–7 (2008).

32 Kolb, B. *et al.* «Experience and the developing prefrontal cortex». *Proceedings of the National Academy of Sciences, USA*, 109 (supl.), 17186–93 (2012).

33 Cooper, B. B. «The science of time perception: stop it slipping away by doing new things». *Buffer Blog* (2013).

34 Brown, J. «Motion expands perceived time. On time perception in visual movement fields». *Psychologische Forschung*, 14, 233–48 (1931).

35 Eagleman, 2008; ver também Schiffman, H. R. e Bobko, D. J. «Effects of stimulus complexity on the perception of brief temporal intervals». *Journal of Experimental Psychology*, 103, 156–9 (1974).

36 Lucentini, J. «It's neuron time». *Science*, 17, 32–3 (Nov. 2003).

37 Um múltiplo espaço-tempo é um modelo matemático que descreve o espaço e o tempo num contínuo único de escalas que vai do subatómico ao supergaláctico, em que o tempo seria uma quarta dimensão, chamada «espaço Minkowski», que complementa a tridimensionalidade familiar do espaço. Tal múltiplo seria «deslocalizado», pois não é definido totalmente por coordenadas espaciais.

38 Critchley, M. *The Parietal Lobes*. (Edwin Arnold, 1953).

39 Walsh, 2003.

40 Mitchell, C. T. e Davis, R. «The perception of time in scale model environments». *Perception*, 16, 5–16 (1987).

41 DeLong, A. J. «Phenomenological space-time: toward an experiential relativity». *Science*, 213, 681–3 (1981).

42 Rudd, M., Vohs, K. D. e Aaker, J. «Awe expands people's perception of time, alters decision making and enhances well-being». *Psychological Science*, 23, 1130–6 (2012).

43 Stetson, Fiesta e Eagleman, 2007.

44 Sergent, C., Baillet, S. e Dehaene, S. «Timing of the brain events underlying access to consciousness during the attentional blink». *Nature and Neuroscience*, 8, 1391–1400 (2005); ver também Libet, B. *Mind Time: The Temporal Factor in Consciousness*. (Harvard University Press, 2004).

45 A conetividade sináptica do córtex mamífero declina numa distância de 50 μm a 200 μm e não seria afetada pela diferença de parâmetros de um qualquer estímulo isolado. Petreanu, L. *et al.* «The subcellular organization of neocortical excitatory connections». *Nature*, 457, 1142–5 (2009). Romand, S. *et al.* «Morphological development of thick-tufted layer v pyramidal cells in the rat somatosensory cortex». *Frontiers in Neuroanatomy*, 5, 5 (2011). Perin, R., Berger, T. K. e Markram, H. «A synaptic organizing principle for cortical neuronal groups». *Proceedings of the National Academy of Sciences of the United States of America*, 108, 5419–24 (2011). Boudkkazi, S., Fronzaroli-Molinieres, L. e Debanne, D. «Presynaptic action potential waveform determines cortical synaptic latency». *Journal of Physiology*, 589, 1117–31 (2011).

46 Chakraborty, S., Sandberg, A. e Greenfield, S. A. «Differential dynamics of transient neuronal assemblies in visual compared to auditory cortex». *Experimental Brain Research*, 182, 491–8 (2007).

47 Contudo, a lenta propagação de atividade numa rede, ao longo de várias centenas de milissegundos, em alguns casos, pode simplesmente ser atribuível ao efeito cumulativo de um número muito grande de ligações sinápticas, e o processo pesado da neurotransmissão abrandar bastante o sinal. Uma vez que a libertação, difusão e ação de um transmissor no seu recetor demora aproximadamente 0,75 milissegundos, será que esta janela temporal potencialmente demorada não poderia representar a soma de centenas de ligações sinápticas sequenciais? Não: mesmo a escala temporal de um potencial excitatório lento, que pode anteceder ou resultar da atividade sináptica tradicional, demoraria apenas um máximo de 20 milissegundos. Isto significa que o centro inicial do estímulo original no centro da rede declinaria provavelmente nas primeiras centenas de milissegundos – e, antes disso, a rede registaria a maior atividade no seu perímetro: na verdade, habitualmente verifica-se o padrão espacial oposto, com a maior atividade sempre no centro.

48 Hestrin, S., Sah, P. e Nicoll, R. A. «Mechanisms generating the time course of dual component excitatory synaptic currents recorded in hippocampal slices». *Neuron*, 5, 247–53 (1990). Salin, P. A. e Prince, D. A. «Spontaneous GABAA receptor-mediated inhibitory currents in adult rat somatosensory cortex». *Journal of Neurophysiology*, 75, 1573–88 (1996). Katz, B. e Miledi, R. «The measurement of synaptic delay, and the time course of acetylcholine release at the neuromuscular junction». *Proceedings of the Royal Society of London B. Biological Sciences*, 161, 483–95 (1965). Sayer, R. J., Friedlander, M. J. e Redman, S. J. «The time course and amplitude of EPSPs evoked at synapses between pairs of CA3/CA1 neurons in the hippocampal slice». *Journal of Neuroscience*, 10, 826–36 (1990).

49 Embora nunca possamos excluir por completo o facto de que a velocidade condutora é cerca de quatro vezes mais lenta com certos circuitos intracorticais, os indícios existentes sugerem que deverá ser, isso sim, dez vezes mais rápida. Salami, M. *et al*. «Change of conduction velocity by regional myelination yields constant latency irrespective of distance between thalamus and cortex». *Proceedings of the National Academy of Sciences of the United States of America*, 100, 6174–9 (2003).

50 Taber, K. H. e Hurley, R. A. Volume transmission in the brain: beyond the synapse». *Journal of Neuropsychiatry and Clinical Neuro-science*, 26, IV, 1–4 (2014); ver também Agnati, L. F. *et al*. «Information handling by the brain: proposal of a new "paradigm" involving the roamer type of volume transmission and the tunneling nanotube type of wiring transmission». *Journal of Neural Transmission* (2014).

51 Cheramy, A., Leviel, V. e Glowinski, J. «Dendritic release of dopamine in the substantia nigra». *Nature*, 289, 537–42 (1981). Greenfield, S. *et al*. «*In vivo* release of acetylcholinesterase in cat substantia nigra and caudate nucleus». *Nature*, 284, 355–7 (1980). Greenfield, S. A. «The significance of dendritic release of transmitter and protein in the substantia nigra». *Neurochemistry International*, 7, 887–901 (1985). Nedergaard, S., Bolam, J. P. e Greenfield, S. A. «Facilitation of a dendritic calcium conductance by 5-hydroxytryptamine in the substantia nigra». *Nature*, 333, 174–7 (1988). Chen, B. T. *et al*. «Differential calcium dependence of axonal versus somatodendritic dopamine release, with characteristics of both in the ventral tegmental area». *Frontiers in Systems Neuroscience*, 5, 39 (2011). Mercer, L., del Fiacco, M. e Cuello, A. C. «The smooth endoplasmic reticulum as a possible storage site for dendritic dopamine in substantia nigra neurones». *Experientia*, 35, 101–3 (1979).

52 A velocidade condutora no córtex é de entre 0,1 e 0,5 m/s nos mamíferos; ou seja, para que um potencial de ação percorra um axónio, 100–500 mm/s (0,1–0,5 mm//ms). Estando de acordo com esta velocidade, quando estimulada a partir de uma fonte (por exemplo, o tálamo, a uma sinapse e a uma distância de 2,5 milímetros), o primeiro sinal de uma rede a formar-se no córtex dura 5 milissegundos (imagem 10). Mas, subsequentemente, depois de ter ocorrido a transmissão sináptica entre as duas regiões, a rede demora mais 15-20 milissegundos a atingir o seu máximo, uma velocidade surpreendentemente lenta – demasiado lento para a transmissão sináptica por si só –, mas demasiado rápido apenas para uma difusão passiva. Gonzalez-Burgos, G., Barrionuevo, G. e Lewis, D. A. «Horizontal synaptic connections in monkey prefrontal cortex: an *in vitro* electrophysiological study». *Cerebral Cortex*, 10, 82–92 (2000). Stuart, G., Schiller, J. e Sakmann, B. «Action potential initiation and propagation in rat neocortical pyramidal neurons». *Journal of Physiology*, 505 (Pt 3) 617–32 (1997).

53 As junções comunicantes consistem da justaposição de dois meios canais de duas células, ambos formados por proteínas (conexinas).

54 Draguhn, A. *et al*. «Electrical coupling underlies high-frequency oscillations in the hippocampus *in vitro*». *Nature*, 394, 189–92 (1998).

55 Quão comparáveis, quanto a esta atividade «elevada», seriam oscilações de 200 Hz com a intensidade de sinal vista nas redes? Uma frequência com esta velocidade significa que se gera um potencial de ação a cada 5 milissegundos, portanto, cerca de sessenta numa janela temporal de rede: os nossos cálculos atuais sustentam este nível de atividade, visível no sinal de fluorescência enquanto hiperpolarização periódica através do mecanismo eletromagnético, já que não há um limite de rapidez ou de lentidão para a oscilação da onda. Huang H. *et al*. «Remote control of ion channels

and neurones through magnetic-field heating of nanoparticles», *Nature Nanotechnology*, 5, 602 (2011). Anastassiou C. A. *et al.* «The effect of spatially inhomogeneous extracellular electric fields on neurones». *Journal of Neuroscience*, 30, 1925 (2010).

56 Masson, G. S. e Ilg, U. W. *Dynamics of Visual Motion Processing: Neuronal, Behavioral and Computational Approaches.* (Springer, 2010).

57 Por exemplo, a expressão de junções comunicantes na retina surge numa proporção inversa à disponibilidade do transmissor dopamina, tendo sido sugerido que as junções elétricas e as sinapses químicas tendem a trabalhar como unidade coordenada. He, S., Weiler, R. e Vaney, D. I. «Endogenous dopaminergic regulation of horizontal cell coupling in the mammalian retina». *Journal of Comparative Neurology*, 418, 33–40 (2000). Pereda, A. E. «Electrical synapses and their functional interactions with chemical synapses». *Nature Reviews Neuroscience*, 15, 250–63 (2014).

58 Chakraborty, Sandberg e Greenfield, 2007.

59 Bachmann, T. *Microgenetic Approach to the Conscious Mind.* (John Benjamins, 2000).

60 Vogel, E. K., Luck, S. J. e Shapiro, K. L. «Electrophysiological evidence for a postperceptual locus of suppression during the attentional blink». *Journal of Experimental Psychology. Human Perception and Performance*, 24, 1656–74 (1998); ver também Sergent, Baillet e Dehaene, 2005.

61 Collins, T. F. T. *et al.* «Dynamics of neuronal assemblies are modulated by anaesthetics but not analgesics». *European Journal of Anaesthesiology*, 24, 609–14 (2007).

62 Chakraborty, Sandberg e Greenfield, 2007.

63 Kendig, J. J., Grossman, Y. e MacIver, M. B. «Pressure reversal of anaesthesia: a synaptic mechanism». *British Journal of Anaesthesia*, 60, 806–16 (1988).

64 Wlodarczyk, A., McMillan, P. F. e Greenfield, S. A. «High pressure effects in anaesthesia and narcosis». *Chemical Society Reviews*, 35, 890–8 (2006).

65 Wu, J.-Y., Xiaoying Huang e Chuan Zhang. «Propagating waves of activity in the neocortex: what they are, what they do». *Neuroscientist*, 14, 487–502 (2008); ver também Muller, L. e Destexhe, A. «Propagating waves in thalamus, cortex and the thalamocortical system: experiments and models». *Journal of Physiology – Paris*, 106, 222–38 (2012).

66 Ferreira, P. G. *The State of the Universe.* (Phoenix, 2007).

Índice Onomástico

Aristóteles 201

Baily, John 257

Cade, John 245

Collins, Toby 66

Crick, Francis 9-11, 100, 235-236

Critchley, Macdonald 223

Cross, Ian 115-116

Damásio, António 32

Dehaene, Staneslas 29, 102

Dement, William 276

Dennett, Daniel 29

Descartes, René 3, 33

Dunbar, Robin 115

Dunn, Rita e Kenneth 101

Durkheim, Émile 223

Eagleman, David 219-220

Fleming, Peter 147

Frasca, Diana 126

Freud, Sigmund 6, 193

Friston, Karl 184-185-190

Frohlich, Herbert 239

Gage, Fred «Rusty» 89

Gage, Phineas 160

Garner, Penny 270

Geake, John 103

Geertz, Clifford 108

Gibson, James 223

Grinvald, Amiram 49

Guedel, Arthur Ernest 41, 243

Hameroff, Stuart 27, 239-240

Hebb, Donald 46-49, 59, 71-72

Hickman, Henry 41

Hobson, Allan 184-185, 190, 192

Hornykiewicz, Oleh 64, 78

Hubel, David 238

Hurley, Susan xi, 3

Huron, David 114, 121

James, William ix, 79

Kelly, E. Robert 216

Klemm, Bill 200

Koch, Christof 10-11, 100, 271

Koubeissi, Mohamad 235-236

Kurzweil, Ray 31

La Mettrie, Julien Offroy de 29

Lee, UnCheol 243

Libet, Benjamin 23, 97-98, 226, 239

Llinás, Rodolfo 189-190

Mann, Sandi 149

Martinsen, Øyvind 145

Melzack, Ronald 172

Merzenich, Michael 265

Meyer, Leonard 119

Molaison, Henry 180

Myerson, Jeremy 134

Newton, Isaac 27, 216

Nietzsche, Friedrich 61, 116

Pare, Denis 271

Penfield, Wilder 16, 24, 27, 194, 268

Penrose, Roger 27-28, 239-240

Pinker, Steven 114

Pollard, Brian 56, 58, 206-207

Ross, Philip 134

Sacks, Oliver 121, 180

Salimpoor, Valorie 119, 258

Seabright, Paul 3

Searle, John 31

Seth, Anil 236, 241-242

Siegel, Jerry 186

Stourton, Ed 65, 93

Tononi, Giulio 30

Wall, Patrick 172

Walsh, Vincent 223

Wiesel, Torsten 25

Woolf, Nancy 240

Young, John Zachary 67